岩波講座　世界歴史　11

構造化される世界

一四〜一九世紀

岩波講座

世界歴史 II

構造化される世界

一四～一九世紀

岩波書店

第11巻【責任編集】小川幸司
【編集協力】島田竜登

目次

コラム｜*Column*

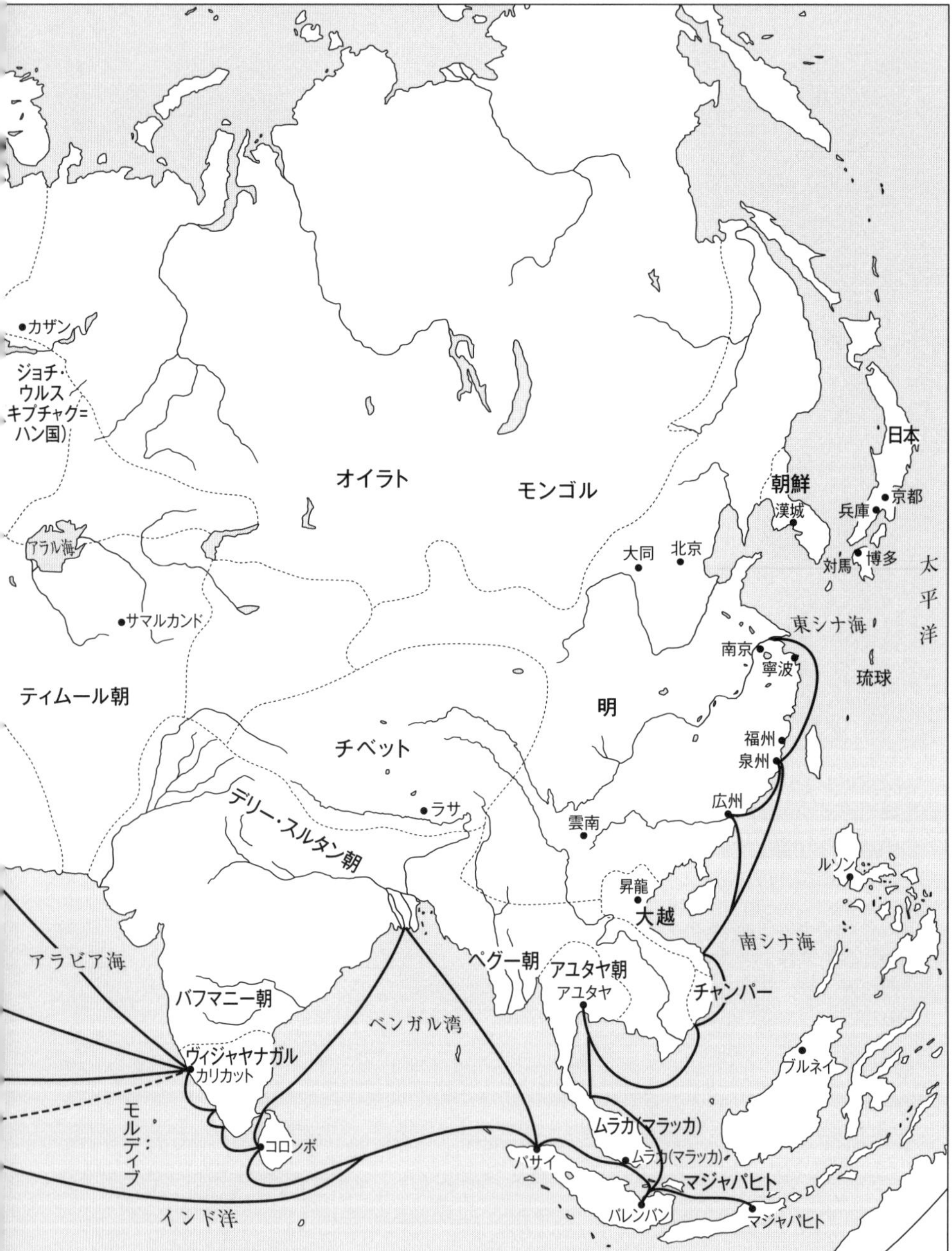

朝日新聞社 1990: A400-401「展望地図」をもとに改訂して作成)

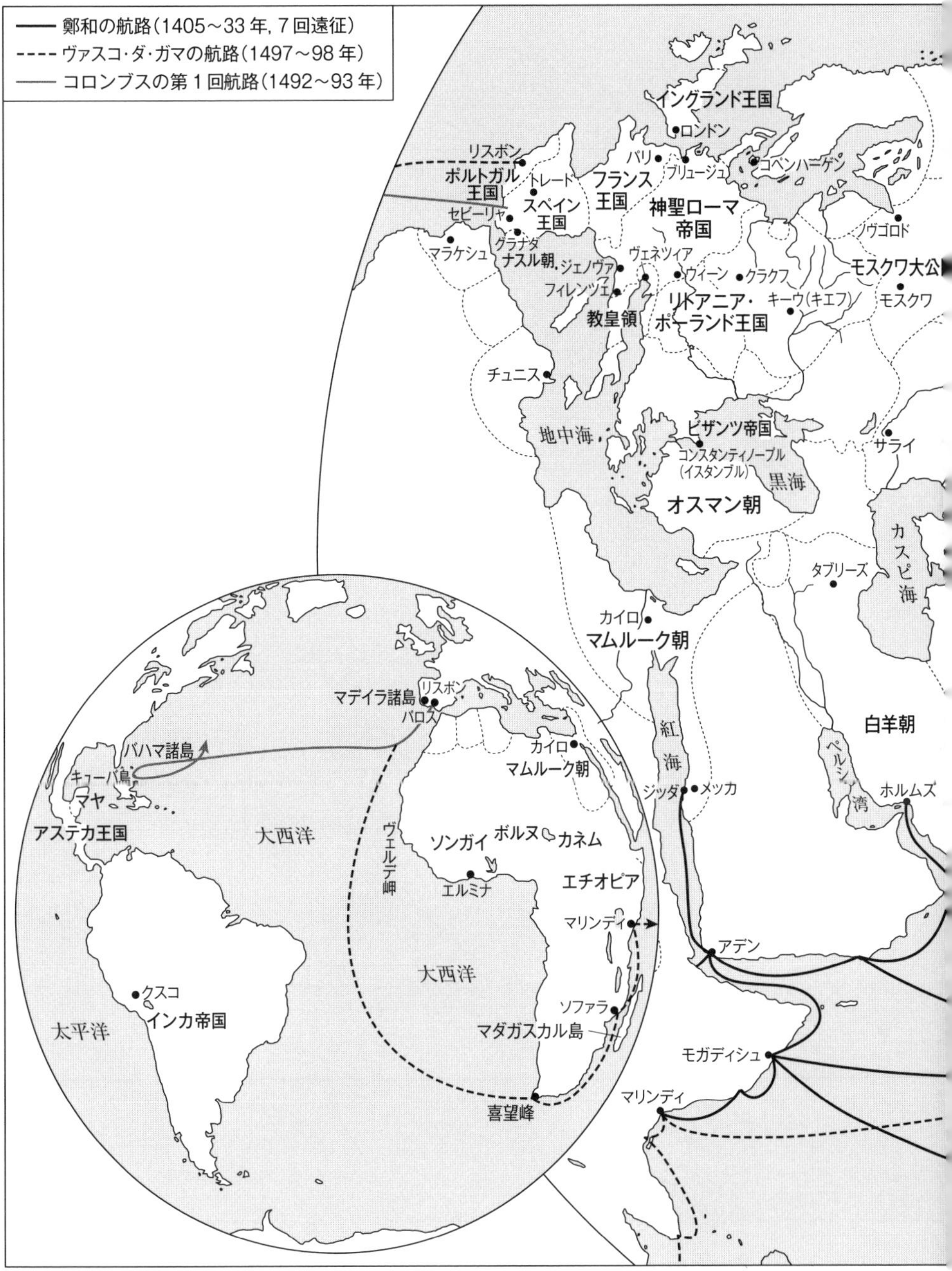

15 世紀の世界(『15 世紀の世界〈週刊朝日百科 世界の歴史 61〉』

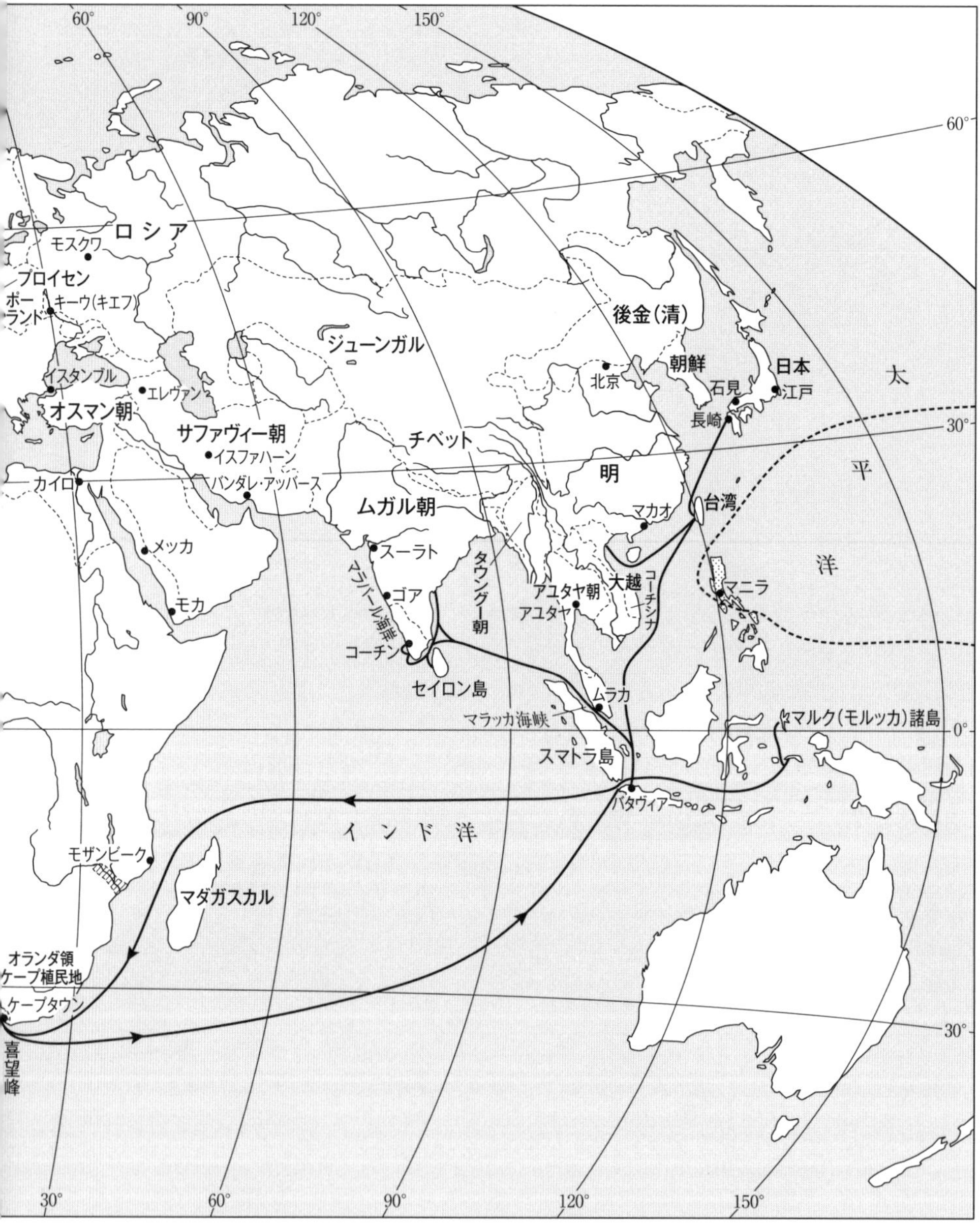

2022〕をもとに改訂して作成．以下，18 世紀以降の見開き地図は出典同じ）

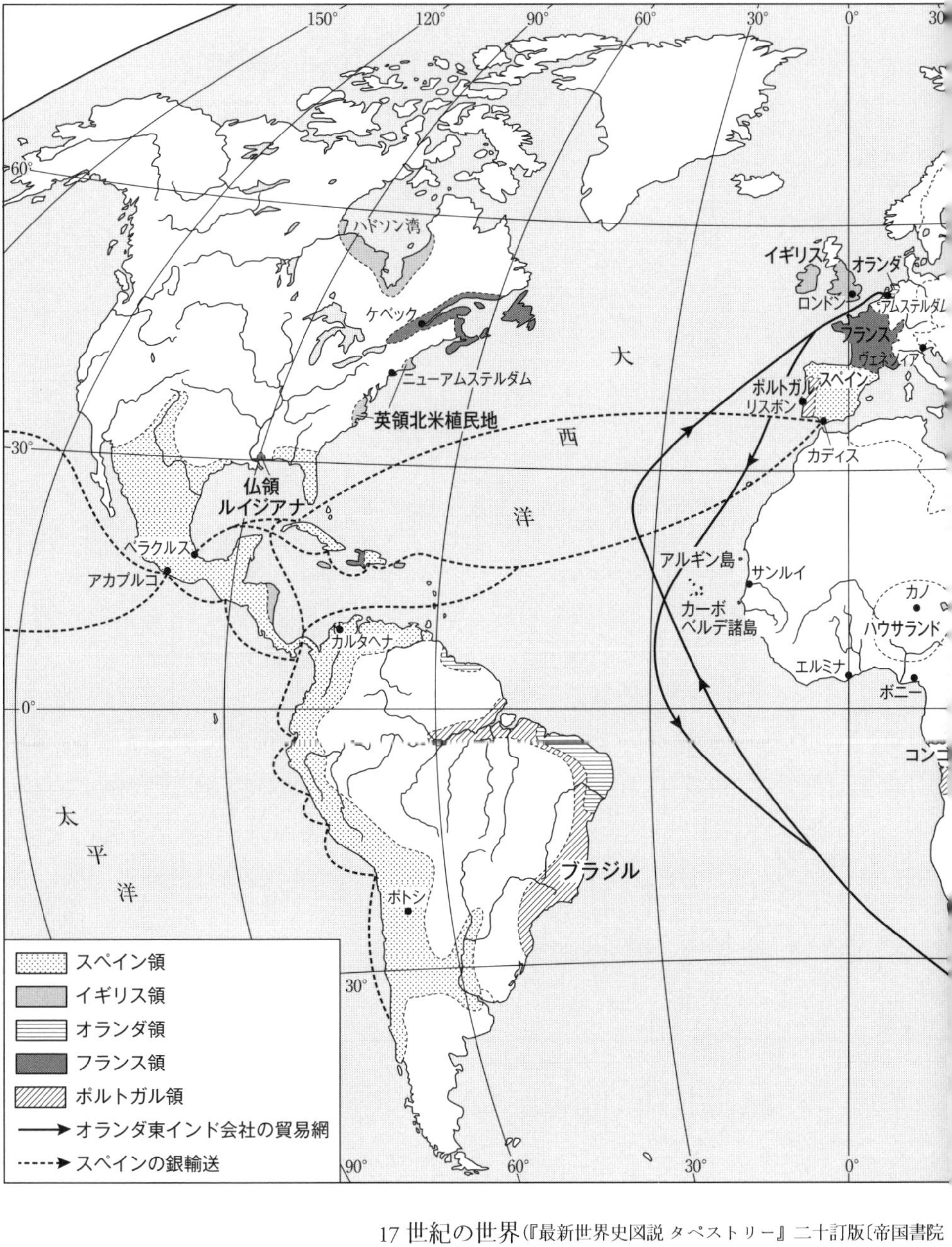

17 世紀の世界(『最新世界史図説 タペストリー』二十訂版〔帝国書院

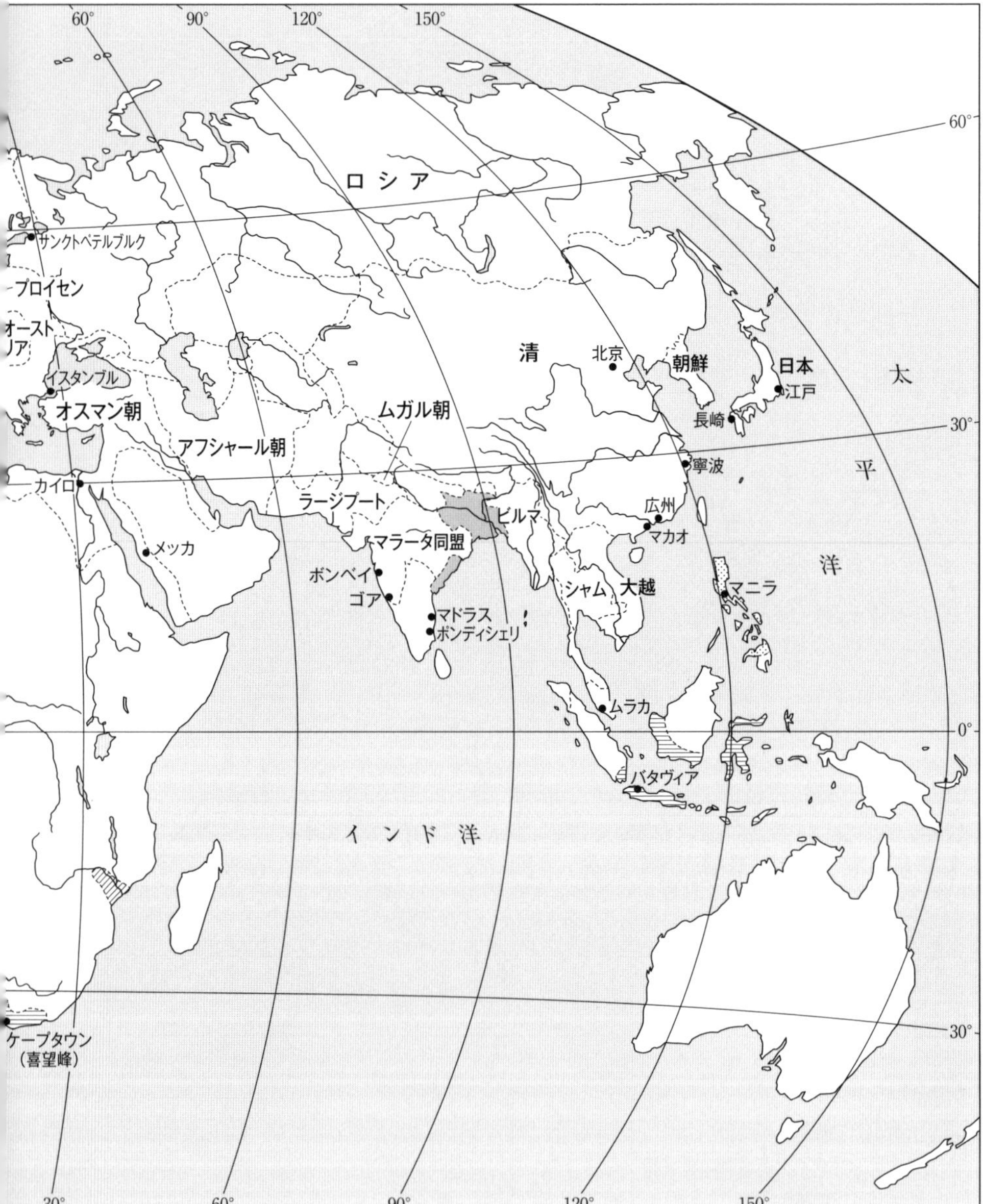
60°
90°
120°
150°
60°
ロシア
サンクトペテルブルク
プロイセン
オースト
リア
イスタンブル
オスマン朝
アフシャール朝
ムガル朝
清
北京
朝鮮
日本
江戸
長崎
太
30°
カイロ
ラージプート
寧波
平
ビルマ
広州
マカオ
メッカ
マラータ同盟
ボンベイ
ゴア
シャム
大越
マニラ
洋
マドラス
ポンディシェリ
ムラカ
0°
バタヴィア
インド洋
ケープタウン
（喜望峰）
30°
30°
60°
90°
120°
150°

の世界

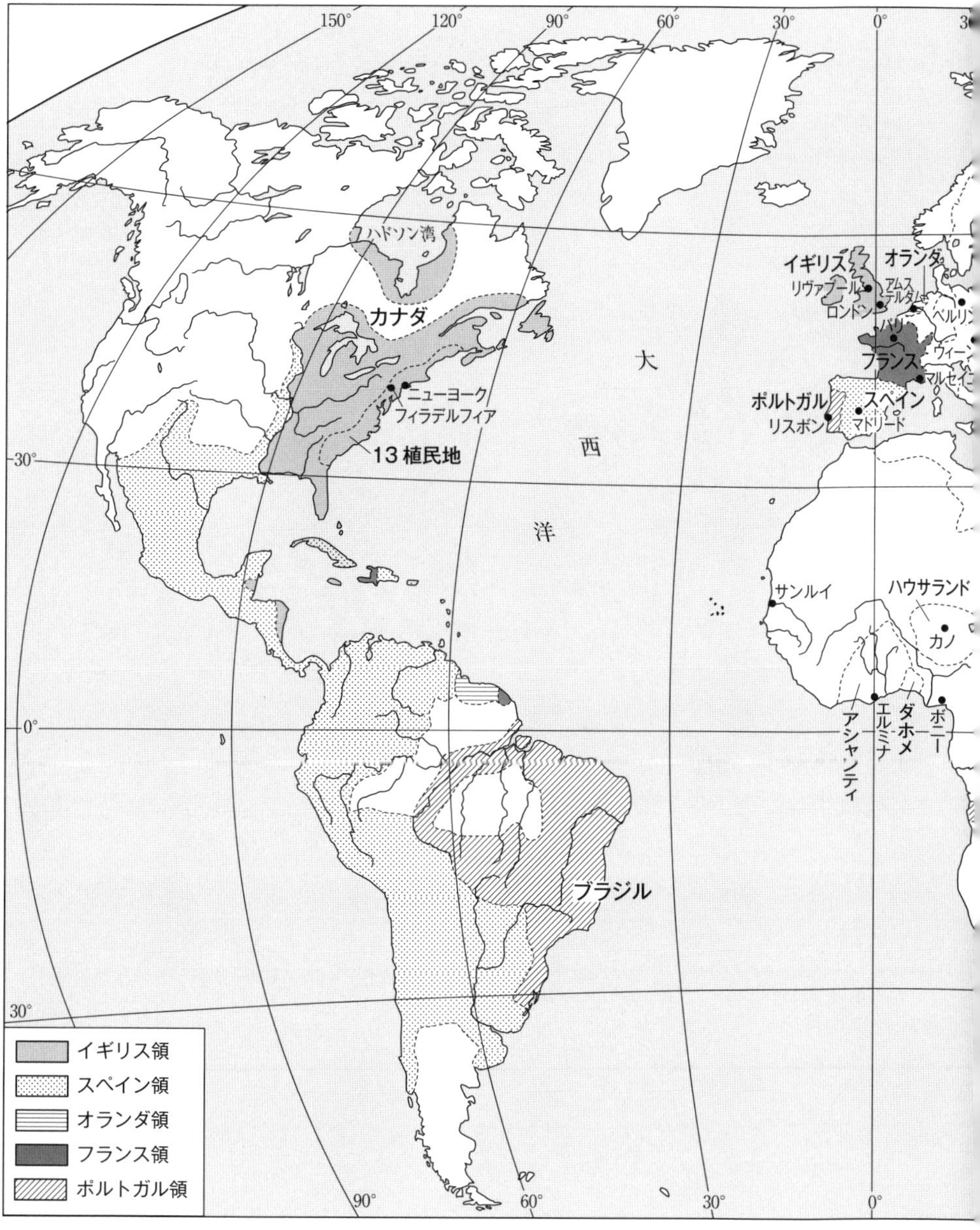

150°
120°
90°
60°
30°
0°
ハドソン湾
カナダ
イギリス
オランダ
リヴァプール
アムステルダム
ロンドン
ベルリン
パリ
フランス
ウィーン
マルセイユ
大
西
洋
ニューヨーク
フィラデルフィア
13 植民地
ポルトガル
スペイン
リスボン
マドリード
30°
サンルイ
ハウサランド
カノ
アシャンティ
エルミナ
ダホメ
ボニー
0°
ブラジル
30°
イギリス領
スペイン領
オランダ領
フランス領
ポルトガル領
90°
60°
30°
0°

18 世紀

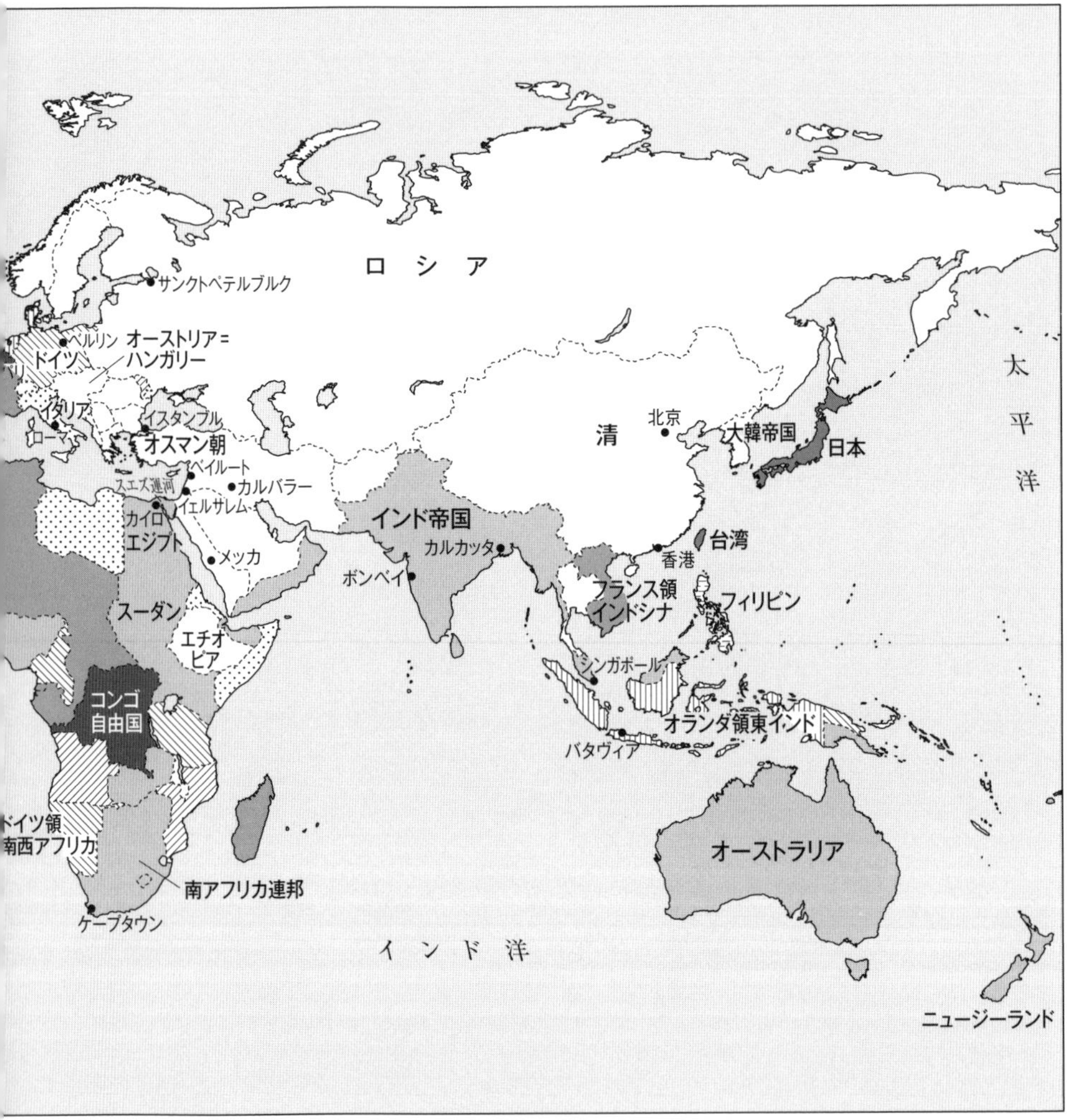
ロ シ ア
サンクトペテルブルク
ベルリン
ドイツ
オーストリア=
ハンガリー
イタリア
ローマ
イスタンブル
オスマン朝
ベイルート
スエズ運河
カルバラー
イェルサレム
カイロ
エジプト
メッカ
スーダン
エチオ
ピア
コンゴ
自由国
ドイツ領
南西アフリカ
南アフリカ連邦
ケープタウン
イ ン ド 洋
インド帝国
カルカッタ
ボンベイ
清
北京
大韓帝国
日本
太
平
洋
台湾
香港
フランス領
インドシナ
フィリピン
シンガポール
オランダ領東インド
バタヴィア
オーストラリア
ニュージーランド

20 世紀初頭の世界

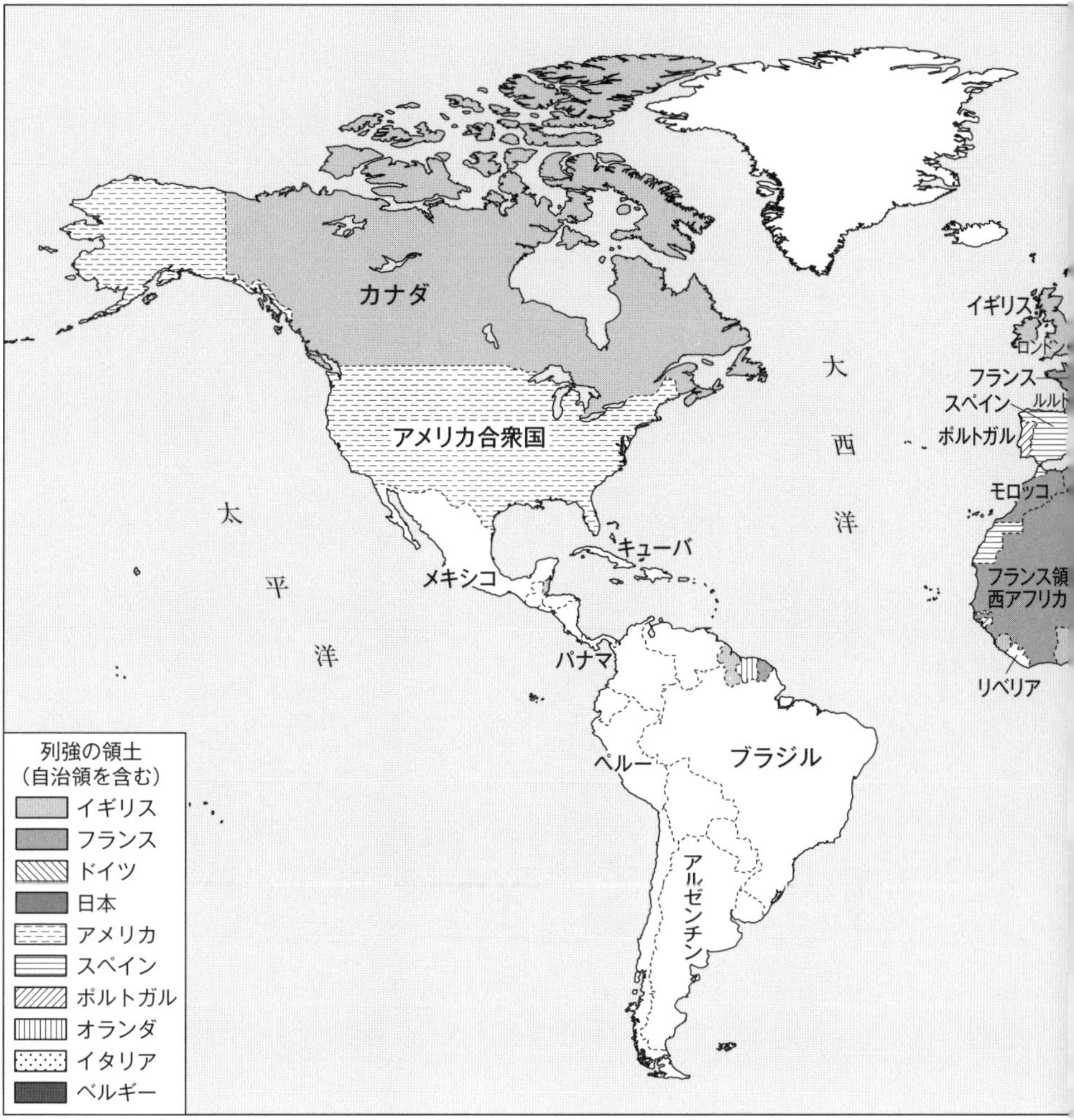

19 世紀後半～

〈地図の効用と限界について〉本巻では 600 年にわたる地球規模の歴史を考察することから，巻頭に 4 枚の歴史地図を掲載する．ただし，地図は各時代の国家の支配領域をわかりやすく示しているけれども，それによってかえって見えにくくなることもある．例えば，18 世紀以前の世界では，地域によっては必ずしも国境線が明確ではない国家が多く存在したし，そもそも地図に記載されない国家・社会も多い．いっぽう 19 世紀以降の世界では，列強の世界分割が強調されているが，被支配下の人々の社会の多様性が分割の色分けによって隠されてしまうし，人々のグローバルな交流・移動も視覚化するのが難しい．歴史地図とは，表しきれないものも多いということを念頭におきながら，参照すべきものと言えよう．

展　望　*Perspective*

展望 *Perspective*

構造化される世界
——グローバル・ヒストリーのなかの近世

島田竜登

はじめに

我々は何処から来て、現在、何処におり、そして、何処に向かうかという疑問は、人間が誰しも思い、そして歴史学を存在ならしめる普遍的で根本的な人類自身の問いかけである。この問いかけに対して、人類はこれまで、歴史的な存在として自己の過去を探り、時間軸上で自身の立ち位置を定め、さらに来《きた》るべき将来を想起しながら、日々の活動に勤しみ、未来を創造してきた。

歴史学とは、自己を歴史的な存在として問う学問であり、その成果をもって未来を創造する糧となるものであるが、そのアプローチの方法は実に無数である。ミクロなレベルで研究することもあれば、大きな視点で検討することもある。そもそもミクロなレベルだの、大きな視点だのという尺度も多様である。空間的な大小を基準として述べることもあれば、時間の長短が基準となることもある。歴史学が取らなければならない視点の大きさには唯一の答えは存在せず、むしろ各人の問題意識に応じて、視点の大きさを設定できることが歴史学研究の醍醐味のひとつであるといえるだろう。

本第一一巻が取り組む課題とは、一四世紀から一九世紀にかけてという比較的長期の時間軸を設定し、近代世界の構造化の在り様を概観することである。本講座全体を俯瞰すると分かることだが、二〇世紀以降を専門的に扱ういくつかの巻を除けば、各巻はそれぞれ特定の地域に絞った構成となっている。こうした中で、本巻はそれらの巻と対照をなすことは一目瞭然である。本巻は地球上の特定の地域を主対象とするのではない。地球全体を空間的対象とする。ある意味、異色の巻といえようが、それゆえにこそ、本巻には特殊な位置づけがなされているのである。

もう少し具体的に述べてみよう。本巻の最終ページ、というよりも奥付の裏のページには、今回の講座世界歴史の全体構造が図示されている。それを見れば本第一一巻の特殊な位置づけが容易に理解できるであろう。時間軸的には一四世紀から一九世紀までを扱う。一方、空間軸としては、一九〇〇年以降を専門的に扱う第二〇巻から第二四巻までと同様に、世界全域を対象としている。だが子細に見ると、本第一一巻は右にはみ出している。この時間軸と空間軸の枠組みからはみ出しているのは、総論を担当する第一巻と同様である。しかも奇妙なことに、本第一一巻の取り扱う時間軸である一四世紀から一九世紀にかけては、数多くの他の巻が地域別にカバーしている。

このことは何を意味するのであろうか。簡単に言ってしまえば、無くてもよさそうなのが本第一一巻である。一四世紀から一九世紀についでは他の諸巻がカバーしている。歴史理論や総論は第一巻が担当している。そのため、本第一一巻は無用の長物であり、講座の全体構造がもっている論理性を損なわせる可能性が高いと考える人もあろう。しかし、本第一一巻は必要なのである。無用の長物という批判が意味をなさず、歴史学研究におけるアプローチの多様性という歴史学の醍醐味を読者に理解していただくことが本第一一巻の目的のひとつなのである。

考えてみれば、二〇世紀初頭から現在までを取り扱う諸巻(第二〇巻—第二四巻)がそれぞれ地球上の特定の地域のみを対象とすることは可能な限り避けるべきだとすることは当然である。すでに一九〇〇年ごろにはグローバルなつながりが重要性を増していたので、地域別の巻構成はかえって世界史の理解に妨げになることもあるであろう。だが、一九世紀以前にも、世界各地域をこえたグローバルな結びつきは存在し、その重要性は時間の経過とともに高まっていった。世界の各地域に立ち位置を置くならば、グローバルな連鎖のなかで、各地域は影響を受けたり、与えたりしながら存在し、各地域の歴史を織りなしていったのである。換言してみると、この一四世紀から一九世紀にかけての世界史を考えるには二重の視点を持つことが必須なのである。ひとつはグローバルな視点からの考察であり、もうひとつは各地域に根差した視点なのである。いわばグローバルとローカル(ないしはリージョナル)という二つの視点を携えながら、世界を数百年といった長期の視点から考えることが、近年、歴史学の分野では重要視されている。そして、なぜこうした二つの視点からアプローチすることが可能であり、また重要視されるのかということについては、本書全体を通じて訴え、その上で読者の判断にしたがうことになるのであろう。

一、グローバル・ヒストリーとアジア

アジアの位置づけ

一九九〇年代以降、世界史におけるアジアの位置づけは大きく転換した。これはひとえに、一九世紀後半におけるアジア経済の成長・発展が一九九〇年代には明瞭な形となったためである。日本の高度経済成長に引き続き、韓国・台湾・香港・シンガポールというアジアNIES(新興工業経済地域)が躍進し、ASEAN4(フィリピン・タイ・マレーシア・インドネシア)をはじめとした東南アジア諸国の経済的成長がみられた。さらに一九七九年の改革開放後、中国の経済発展も一九九〇年代には軌道にのり、続いてインドの今後の経済成長も強く期待されるような状況にあった。こうした当時のアジア経済の発展を背景に、世界史におけるアジアへの見方も大きく変化することになった。ありていに言えば、次のような新たな世界史の見取り図が台頭したのである。すなわち、歴史上、アジアは重要な

位置を占めてきた。それは一八世紀末まで変わることはなかった。たしかに一九世紀から二〇世紀にかけて世界における西洋の重要性が高まったが、二〇世紀後半になると再びアジアの重要性が増大し、二一世紀を通じて再びアジアが世界の中心となることが見込まれるという見取り図である。

この見方を鼓舞したのが、今となってはグローバル・ヒストリーの古典ともいえるアンドレ・グンダー・フランク(一九二九―二〇〇五年)の『リオリエント』(原著出版は一九九八年)であった。『リオリエント』は一六世紀から一八世紀の世界経済を概観する著作である。とくに一五世紀末の「コロンブス交換」開始後のグローバルな貿易活動を取り扱った実証的な先行諸研究を拠りどころとして、当時の世界経済の先進地であったアジア、なかんずく中国とインドの重要性を説いた。そのうえで、本書のタイトルを『リオリエント』と名付けることで、本書のなかでは一九世紀以後の歴史は扱っていないが、いずれ二一世紀にはアジアは世界経済の中心として復活するであろうことを暗示したのであった。

『リオリエント』は刊行後、その大きなインパクトがゆえに、多数の批判を招いた。刊行年は一九九八年であり、それは前年の一九九七年に発生したアジア通貨危機の最中であった。そのため、アジアを「過剰」に重視した本書は、アジア経済の本質を無視し、「西洋バッシング」に堕した問題作とみなされることもあった。より重要な批判としては、西ヨーロッパに発する資本主義を『リオリエント』が過小評価しているというものがあった。とくにイマニュエル・ウォーラーステイン(一九三〇―二〇一九年)の唱える近代世界システム論と大きく齟齬をきたすため、ウォーラーステイン自身が積極的に『リオリエント』批判の先頭に立った(Wallerstein 1999)。

そもそも、ウォーラーステインの近代世界システム論自体、近代世界史論としては非常に独特な視点を持つ傑作であった。旧来は、イギリス産業革命に端を発する資本主義が近代世界経済を形作っていったとされてきた。つまり、近代世界経済の起源はイギリス産業革命であり、時間軸的には一八世紀半ばから一九世紀半ばにかけての時期がその初期段階とされてきた。しかしながら、ウォーラーステインは、こうした通説を退け、イギリス産業革命期から時間的にさらにさかのぼった一六世紀を近代世界システムの起源としたのであった。賃金労働を通じて資本主義的な生産関係が存在したオランダ、さらにはイギリス、アメリカ合衆国へと移行した「コア」(中核ないし中心)地域のみをウォーラーステインは近代世界システムの地域と措定したわけではない。彼は東ヨーロッパやアメリカ大陸を「ペリフェリー」(辺境ないし周辺)と位置づけ、近代世界システムと名付けられた経済圏の重要構成地域とした。「コア」での資本主義的生産と、東ヨーロッパで見られた再版農奴制なり、アメリカ大陸におけるプランテーションでの奴隷労働制なりの「ペリフェリー」での経済活動とが一六世紀という近代世界システムの初期段階といえる時期に有機的に結合されていたことを重視するのである。一方、アジアなどの近代世界システムの域外は「外部世界」(external arena)とされたが、時間の経過とともに近代世界システムの地理的範囲は拡大し、いまや地球全体を覆っているとウォーラーステインは論じる(ウォーラーステイン 二〇一三)。

他方、『リオリエント』が対象とする時間軸の開始期は、ウォーラーステインの近代世界システム論が最初期として扱う一六世紀であり、両者は共通する。だが、世界経済の中心を、前者はアジアに置き、後者は西ヨーロッパに定めるところに近代世界を見るうえでの根本的な違いが存在する。そのため、『リオリエント』の公刊後、両者の論争が過熱したのは至極当然であった。

こうした状況下で数量的な「実証性」を掲げ、結果として『リオリエント』を支持する人物が現われた。それがアンガス・マディソン(一九二六―二〇一〇年)である。マディソンの『経済統計で見る世界経済二〇〇〇年史』の原著は二〇〇一年に出版された。世界各国のGDP(国内総生産)を二〇〇〇年にわたって推計するという研究であり、言ってみれば歴史家の常識を超える、二〇〇〇年という超長期を対象とした研究の成果が提供されることになったのである。

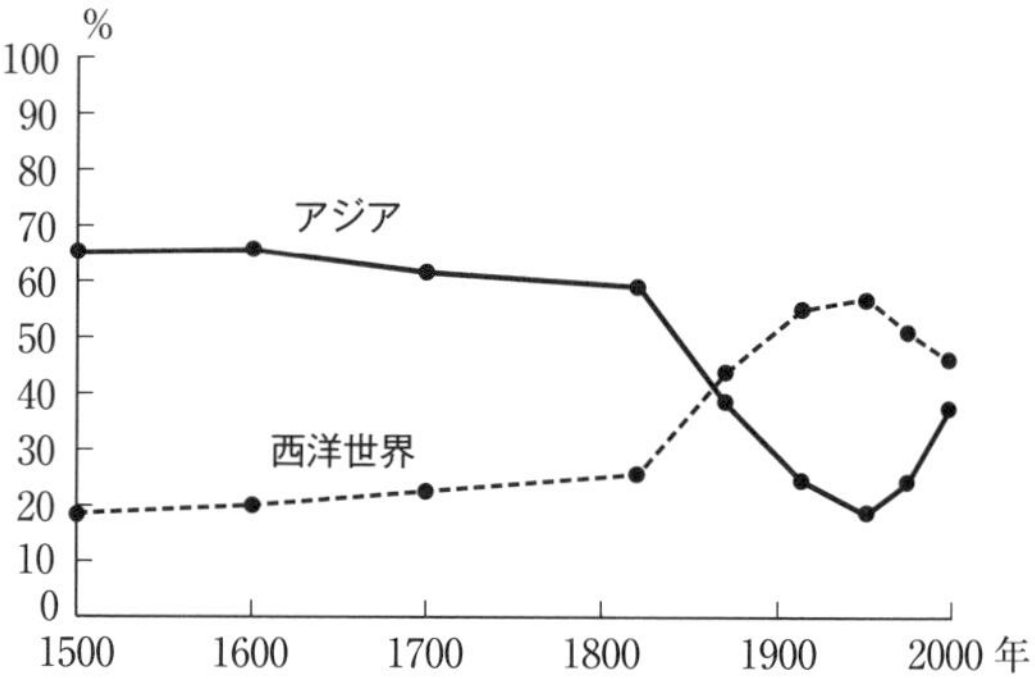

図1　世界GDPにおけるアジアと西洋世界の比重
（マディソン 2004：310から集計）
＊西洋世界には西ヨーロッパのほかアメリカ合衆国，カナダ，オーストラリア，ニュージーランドを含む.

マディソンが同書で提供した数量データは多岐にわたるが、そのうち、とくに一五〇〇年以降の長期GDPデータに焦点をあて、アジアと西洋世界の重要性を図示し、比較検討を可能なように加工したものが**図1**である。この図は、アジアと西洋世界（西ヨーロッパとアメリカ合衆国、カナダ、オーストラリア、ニュージーランド）について、それぞれの世界全体のGDPのうちのシェアをパーセンテージで示している。一目瞭然なこととして、一九世紀になるまでアジアは世界経済の中心であった。一五〇〇年の段階では世界のGDPのうち約六五%をアジアが占めた。その割合はわずかであったが次第に低下したものの、一九世紀初頭の段階でも約六割を保っていた。このアジアの重要性とは対照的に、西洋世界の比重は一五〇〇年の段階でわずか二割程度に過ぎず、一九世紀初頭の段階でも世界全体の四分の一ほどであった。もっとも一九世紀から二〇世紀にかけて両者の立場は逆転した。西洋世界の重要性が拡大する一方、アジアはGDPが世界全体の二割以下となるほど相対的重要性が低下したのである。だが、二〇世紀後半以降には再びアジアの比重は増加し、一方、西洋世界の重要性は低下した。この傾向が続くと当然二一世紀は再びアジアが世界経済の中心となるであろうと想定できる。

このように、マディソンのデータによって示されるアジアと西洋世界との関係は、まさしくフランクが『リオリエント』で示唆した見取り図と同じであった。もちろん、**図1**に示した見取り図には見過ごすことのできない二つの問題点が存在する。第一の問題点とは、アジアと西洋世界での人口を考慮していないので、人々の生活水準は検討対象に入れられていないということである。たしかに全体としてアジアの重要性は否定できないが、アジアの人々の生活水準が、西洋世界の人々の生活水準をしのいでいたかは図1では判然としない。というよりも、人口を考慮し、一人当たりのGDPを考えれば、むろんアジアよりも西洋世界のほうが高かった[1]。

第二の問題点は、マディソンのデータそのものへの懐疑である。マディソンの研究は、およそ歴史家のタブーを破る手法に基づいている。各国のGDPを算出するにあたり、マディソンは一人当たりGDPに人口数を乗じることとした。これは理論上問題のないことであるし、たしかに各国の人口数もおおよそ妥当な数値は先行する諸研究の成果を利用することで入手可能である。しかし一人当たりGDPのデータについては、学術的に広く認められる推計の手法をはるかに超えた、いうなれば推計というよりはむしろ推測とも呼ぶべき方法で得るしかない。とくに一八世紀以前について世界をくまなく対象範囲とするならば、仕方のないことである。マディソンは各国の一人当たりGDPの算出根拠を明確には語らないが、断片的な説明からは、世界のある国について、ある時点での一人当たりGDPを算出するために、当時の文献や様々な先行研究が物語る当時の人々の生活状況をマディソンが頭の中で想像し、こうした生活水準が現在の――正確には一九九〇年での――米ドル換算でいくらの一人当たりGDPの生活水準に一致するかを決定していることが分かる。例えば日本についてであれば、西暦〇年、西暦一〇〇〇年という弥生時代や平安時代の人々の生活のあり様を現在のドルベースで評価するのである。実際、西暦〇年の日本の一人当たりGDPは四〇〇ドルとされ、西暦一〇〇〇年のそれは四二五ドルとされる(マディソン 二〇〇四：三一二頁)。こうした作業を二〇〇〇年にわたって世界中について行うことがマディソンの研究なのである。一見すると信頼性は甚だ乏しく感じられるかもしれない。だが、マディソンは長年にわたり各国のGDPデータを用いる歴史的研究を行ってきたため、数字的な感覚は並外れた才能を持っていた。それゆえ、マディソンの研究は一笑に付されるわけでもなく、一定程度の信頼性があるものとみなされている。もっともこの研究は、他の研究者によっても同様の結果が得られるという科学性を十分に担保した研究とはいえないのは当然であるし、**図1**に示されたアジアと西洋世界の対照的な動きも、諸手を挙げて信頼を寄せ得る研究成果ではないことには留意する必要がある。

結局のところ、マディソンの研究は万全の説得力をもつということではなかったが、ともあれフランクとマディソンの金字塔のごとき研究により、二一世紀初頭には経済史研究の分野で、アジア経済の歴史的重要性が広く受け入れられることになった。すなわち一八世紀までアジア経済は世界経済の中心であったという点は確実であるということであり、この認識は二一世紀における世界経済史研究や後述するグローバル・ヒストリー研究での議論の大前提となった。すでに今となっては当然のことのように思えるが、西洋世界こそが世界経済史上、唯一といってよいほどの重要性を持っていたと一九八〇年代までの世界の経済史家が一般に漠然と抱いていた常識と比較するならば、そこに大いなる転換がみてとれよう。

ところで、現在のアジア経済の台頭を考えるときに、**図1**が提示するアジア経済の歴史的重要性は一定の示唆を与える。すなわち、アジア経済は、ラテンアメリカやアフリカとは歴史的に歩んできた経路が異なり、歴史的前提や人々の労働への価値観といった社会的な本質も異なる可能性があるということである。先にアジアNIESについて述べたが、そもそもNIES諸国について喧伝された一九七〇年代にはアジアのほかに、メキシコやブラジルも同じく経済がまさしく新興するNIES諸国の構成国として注目されていたのであった。もちろん、アジアNIESは現在に至るまで高い経済成長のパフォーマンスを達成できた一方、ラテンアメリカ諸国はアジアとは異なる方向性に進んでいった。この差異の原因として、アジアとラテンアメリカとで、そもそも歴史的な経路や背景が異なっていることが考えられる。すなわちアジアの場合は超長期的に見ると、ラテンアメリカ、さらにはアフリカと異なり、世界史におけるかつての経済的重要性は明確であり、このことが現在の経済的発展の遠因となっていると想定することができる。いずれにせよ、一九九〇年代を境として、これまで低く見積もられてきたアジア経済の歴史的重要性が見直されたのは確かなことである。

グローバル・ヒストリーの誕生

一九九〇年代にはアジア経済の歴史的重要性が確認されたことのほかに、さらにひとつ歴史学研究の潮流に新たな重要な動きがみられた。グローバル・ヒストリー研究の登場である。一九九〇年代にはグローバル・ヒストリーと称される研究が英語圏の歴史研究者のなかでひとつの潮流として沸き上がった。日本でも一九九〇年代末から二一世紀初頭にかけて、グローバル・ヒストリー研究の試みが広がりをみせはじめた。例えば、杉原薫、川勝平太、高山博といった比較的長期にわたって欧米の研究大学に在籍し、日本に帰国後も欧米研究者との深いつながりを持った研究者によってグローバル・ヒストリーが紹介され、彼ら自らグローバル・ヒストリー的な研究を試みてきた(杉原 二〇〇一、川勝 二〇〇二、高山 二〇〇二)。その後、日本では、水島司によるグローバル・ヒストリーの概説書が二〇一〇年に出版され(水島 二〇一〇)、グローバル・ヒストリー研究という新たな歴史学の潮流の動向が容易に理解できるようになった。さらに、秋田茂や羽田正などによってさまざまなグローバル・ヒストリー研究が試みられるとともに(秋田 二〇一三、羽田 二〇一八)、グローバル・ヒストリー研究の国際的な協力も一般的になされるようになったし、日本国内ではグローバル・ヒストリーという分野は学術界をこえて一般によく知られるようにもなった。

そもそもグローバル・ヒストリーとは世界史の見方に関する一種の革新運動である。世界史には様々な見方があるが、あえて world history と呼ばずに global history と称する点から理解できるように、歴史の見方が global であることを何よりも重視する。もちろん global は形容詞であり、その名詞形は globe、すなわち地球である。つまり、球状である地球的視点から世界史を考えようとする運動である。あえて言うならば、月から地球を眺めるかのような歴史研究や歴史叙述といえよう。

この意味で、厳密にいえば、グローバル・ヒストリーとは旧来の国際関係史とは異なることに気づくであろう。国際関係史(international history や transnational history など)の原義は、その空間的な研究対象を、国境を超えた複数国とし、それら複数国間の関係史を扱うものである。グローバル・ヒストリーと比べて、その根本的な研究視点が大きく異なることはいうまでもない。国境を超えた二国間以上の関係を研究対象とすれば国際関係史となるが、その全てがグローバル・ヒストリーの範疇に入るわけではない。そもそも立ち位置が月から地球を眺めるかのごときアプローチ手法を採用するのがグローバル・ヒストリーなのであって、国際関係史とグローバル・ヒストリーとは、表面上は似ていることはありえるし、実際に同一たることもありうるが、本質的な問題関心の在り方が異なることに注意しなければならない。(2)

こうしたグローバル・ヒストリーという歴史学の革新運動が登場した背景として、主として次の二点を挙げることができるだろう。第一には、現実社会がグローバル化したことである。例えば、インターネットが社会のなかに急速に普及し、情報の伝達が世界各地で同時並行的かつ瞬時になされることが一般となった。また、日本経済を例にとっても、アメリカ合衆国やヨーロッパといった特定国や地域との経済関係ばかりではなく、世界各地の動向を統一的に踏まえなければ、日本経済を語れない状況となった。こうした一九九〇年代以降の現実的な社会のグローバル化が、歴史への見方にも反映するようになり、グローバル・ヒストリーの重要性が喧伝されることになったのである。

第二の背景は、ソ連や東ヨーロッパの社会主義諸国の崩壊や中国やベトナムの社会主義体制の変容である。一九九〇年前後における社会主義体制の崩壊・変容は、世界の歴史学研究がこれまで意識的あるいは無意識的に拠って立っていたマルクス主義的史的唯物論への懐疑をもたらした。もちろん、このことは歴史研究者個々人にとっては様々な葛藤があり、一瞬にして史的唯物論が放棄されたわけではない。しかし、長期的に見ると、もはや史的唯物論を歴史理論や世界史理論の本質とみなす歴史家がほとんどいなくなってしまったことは事実である。

世界史ないし歴史理論としての史的唯物論の有効性が失墜するという状況下において、それに代わる世界史の理論は歴史家の間で模索され続けてきたといえるだろう。新たな理論としてグローバル・ヒストリーが考えられるわけではあるが、グローバル・ヒストリーが史的唯物論にとって代わる万能でオールタナティブな理論となっている状況は全くないといってよい。だが、少なくともグローバル・ヒストリーに史的唯物論に代わるオールタナティブ性を追い求めてきた歴史研究者が今に至るまで数多くおり、これがグローバル・ヒストリーの誕生と現在までの興隆の背景となっていることは否定できない。

ところで、グローバル・ヒストリーとは、アジアを重視した世界史研究であると考えられている節がある。本来、グローバル・ヒストリーとは、月から地球を眺めるような立場からの研究であり、世界をできるだけマクロにとらえて新たな歴史像を提供する運動である。ならば、あえてアジアを重視するということは、グローバル・ヒストリー研究の本来の趣旨と違っているのではないかという疑問が生じうる。なぜ、グローバル・ヒストリー研究でアジアを重視する動きがあるのであろうか。

多々理由があるであろうが、とりわけ以下の三つの点を強調しておきたい。第一の理由として挙げることのできる点は、アジア史の全般的な見直しが広く受け入れられた時期とグローバル・ヒストリーが登場した時期が、ほぼ同一の一九九〇年代であったことである。例えば、先に示したフランクの『リオリエント』はアジアの重要性を説いた書物であるが、他方、グローバル・ヒストリーに関する代表的で、今となっては古典的著作であると考えられている。このため、グローバルであることとアジアを重視するということが表裏一体の関係と理解され、グローバル・ヒストリーとはアジアを重視する歴史的な見方であるということが当然視されるようになった。そしてアジア経済の台頭とともに、アジアを重視することこそが新たな歴史学の潮流たるグローバル・ヒストリーに相応しいということになった。

もっとも現実はそのような理解の容易な事柄だけが理由となっているのではなく、次の第二の点、第三の点も重要な背景となっていた。

第二に指摘すべき点は、歴史学研究の在り方そのものがグローバル化してきたことである。かつての歴史学研究は、個々人の実証研究がまず存在し、それを統合させる形で国内の代表的な見解や研究者が見出された。もちろん逆方向のベクトルもあったことであろう。ともあれ、研究の第一段階としては国内レベルでの研究圏が存在した。そして、その延長上に歴史学研究の国際協力があった。いくぶん具体的にいえば、歴史学に関して多数の研究者が国内に存在するが、それに対して特定の研究大学に所属する有力な研究者や研究所が取りまとめを行い、そこを一種のナショナル・センターとし、海外各国のナショナル・センターと連携し、研究の国際化が果たされるという図式である。これは何も歴史学や人文学一般に限ったことではなく、学問全般にいえることであったかもしれない。しかし、一九九〇年代以降、そのような二〇世紀的といえる単純な研究のヒエラルキー構造なり、国内・国際構造の図式は崩壊した。国内の研究者各人が海外の研究者と個別に結びつくことが可能となった。それはインターネットや電子メール、インターネット電話の普及や国際航空便の運賃低下によってもたらされたともいえるだろう。

このような研究のグローバル化によって、世界の各国史研究も、世界各地の研究者が、ときに協力的に、ときに競争的に進めるようになった。その際、アジア各国の研究者が多数国際的な研究活動に新たに参入することになった。欧米の研究者が主体となった旧来の研究体制は崩壊し、より多くのアジア人研究者の参加した研究が進展するようになったのである。このため、とくにアジア史研究者の層は国際的に厚みを増した。アジア各国史研究ばかりではなく、当然、グローバル・ヒストリー研究に取り入れられるべき「新たな」アジア史研究が増加し、結果としてアジアがグローバル・ヒストリー研究のなかで重要な地位を占めるようになった(3)。

グローバル・ヒストリー研究において、アジアが重視される第三の理由としては、西洋世界とアジアの歴史的経路の差異が判明しつつあるということがある。たしかにグローバル・ヒストリーの本来的な定義に従って、世界をひとつに統合して歴史的に検討してみようとしても、実際のところ、それはなかなかうまくいかない。むしろ、西洋世界とアジアとは相互に連関しつつも、二つの異なるサブシステムとして対抗的に創り出され、両者が補完関係を構築することで、グローバルな経済構造が現在に至るまで形成されてきたと近年仮説的に考えられるようになってきた。すなわち、アジアを重視してグローバル・ヒストリーを検討してきた結果、アジアは西洋世界があるからこそ、高いパフォーマンスを実現できたのであるし、また逆も真なのであることが判明しつつある。なお、こうした歴史的に形成された現代のグローバルな構造の形成過程を概観することが本巻の主要な目的である。

グローバル化の諸段階

グローバル・ヒストリー研究が扱うトピックは多様である。歴史の見方を地球規模から見据えるということであれば、様々な歴史研究がグローバル・ヒストリーとなりうる。例えば、先に述べたアンガス・マディソンのような多数の国のGDPについて、二〇〇〇年という超長期を対象に比較史的に検討することもグローバル・ヒストリーである。あるいは、砂糖なり、銀なり、特定の世界商品に着目したり、感染症のグローバルな拡散やその対策の歴史といったグローバルな連関性に着目した歴史研究もグローバル・ヒストリーである。さらに近年では、国連や国際司法裁判所などといった国際機関の歴史もグローバル・ヒストリーとされる。かくしてグローバル・ヒストリーのトピックは枚挙にいとまがない。ただし、最も広範に主流のひとつと考えられているテーマとしてはグローバル化の歴史がある。人類誕生以来、現在に至るまで、世界はいかに緊密化していったかを明らかにする研究のことである。

人類誕生から現在にいたるまでのグローバル化の歩みの中で、とくにグローバル化の要素を人やモノの移動、さらには情報の伝播といった視点で検討すると、グローバル化が大きく進んだ転換点は四つある。第一の転換点は約七万年前ないしは約五万年前などとされる人類の出アフリカ期であり、人類のグローバル化の第一歩とみなされる（チャンダ 二〇〇九）。現在の我々につながる人類の祖先はアフリカ大陸で誕生したが、この第一の転換点で、人類はアフリカ大陸を出て世界各地に散らばり始めた。言うまでもなく世界各地の気候は様々であり、寒冷地では防寒のための衣服を創出したりする必要があった。

第二の転換点は一五世紀末にコロンブスがアメリカ大陸を「発見」し、以後、アフロユーラシア大陸とアメリカ大陸が連結されたことである。人類がアフリカを出てグローバルな移住を開始し世界に散じたが、一五世紀末になると世界に散らばった人類が再び地球規模で結ばれることになった。後にふれるように、この事象は「コロンブス交換」とも呼ばれるし、グローバル・ヒストリーにおける初期近代（近世）の開始時期でもある。

第三の転換点は一八七〇年代であり、通常、現在の我々が本格的な近代、つまり狭義の意味での近代と考える時期の開始時点である。このころになると世界の船舶は、これまでの帆船とは変わって蒸気機関を搭載した船舶が主流となる。とくに一八六九年にはスエズ運河が開通し、アジアにも多数の蒸気船が行きかうようになった。ここに人とモノのグローバルな移動を容易にするインフラが成立したと見做せるであろう。また、石炭という化石燃料を用いた工業化・近代化が世界各地で進展することになった。さらに、情報伝達という視点からはグローバルな電信網が整備されたのもこの時期である。もちろん電信の利用は依然として高価であったが、ともあれ情報が瞬時に世界各地に伝播し、各地では新聞を通じて情報が人々に伝えられるという状況が創出され、のちには電信は電話網の整備につながっていくことになった。

グローバル化に関する第四の転換点は二〇世紀末である。この第四の転換点では、政治・軍事・経済といった多方面でのグローバル化が急速にすすみ、そもそもグローバルという言葉が日常的に口に出るような時代となった。これは根源的には人・モノ・情報のグローバル化が急速に進展したためであった。まず人のグローバルな移動が一層、容易になったことが挙げられよう。これまでもグローバルな移動は見られたが、それは一部の裕福な人々、あるいは逆に安価な労働力として期待された人々による人生をかけた移民としての移動が中心であり、さらにはメッカ巡礼のようなやはり人生に一度きりの国際移動などがあったに過ぎない。しかし、二〇世紀末にはグローバルな国際移動はより普遍化したのである。世界的に航空便の価格競争が激化したことが原因である。労働力移動も依然なされているが、以前に比べれば精神的にも比較的重荷ではなくなった。なんとなれば、家族を同伴することや毎年、一時帰国するということも一般的となった。国際観光旅行でさえ、先進国の人々に限られた娯楽ではなくなった。旧植民地の若者がアルバイトで貯蓄に励めば、旧宗主国を観光訪問することも難しいことではなくなった。

さらに情報の伝播という視点では、一九九〇年代後半から二一世紀初頭にかけて非常に革命的な変化が生じた。一九九〇年代にはインターネットの民間利用とパーソナル・コンピュータが広く世界に普及した。さらに、携帯電話や後に続くスマートフォンの国際的な普及へとつながり、何も先進国の人々だけではなく、世界中の人々の多くに利用されることになった。電子メールの普及やインターネット電話の普及で安価に人々をグローバルに結び付けることが可能となったばかりでなく、インターネットのブログやSNSを通じて世界中の人々が自ら世界中に情報を発信することができるようになった。このことは情報伝播の視点から大いなる革命であった。これまでは新聞やラジオ、テレビなどを通じて情報はある意味、上から降ってくるものであった。しかし、これ以降、人々は自由に世界に向けて情報を発信し、いまや世界はありとあらゆる情報であふれている状況となり、情報の真偽ですら誰にも分からない世界の只中に人々は生きている。

ポスト・モンゴル期

このように人類の歴史にはグローバル化の度合いから四つの画期が見出せるわけであるが、本第一一巻が担当するのは、主として一四世紀から一九世紀にかけてである。いわゆるモンゴル帝国が一三世紀に東アジアから東ヨーロッパにかけて大帝国を建設したが、早くも一四世紀には衰退し始めた。モンゴル帝国の時代にユーラシアは一体化される気配にあったが、わずか一〇〇年ばかりに過ぎなかった。

まず、このモンゴル帝国についてグローバル・ヒストリーの立場から検討しておく必要がある。第一に言えることは、モンゴルの大帝国建設は空間的にみて大きく、それゆえに重要ではあったことは間違いない。政治・軍事上の支配・被支配関係はもちろんのこと、文化交流といった面でも広大な空間でなされたことは注目に値する。さらに、感染症のひとつであるペストがこのモンゴル帝国の領域をベースに中国でもヨーロッパでも蔓延し、ユーラシア各地の社会で半数前後の人口を減少させ、社会変化の要因ともなったことはよく知られている(マクニール 二〇〇七)。

たしかに、グローバル・ヒストリーの定義として地球規模的な視点で歴史を考察するものであるという原理論的立場をとると、モンゴル帝国の建設はグローバル・ヒストリー上の一大画期とはならなくなってしまう。なぜなら、アフリカ大陸やアメリカ大陸を含まず、広大な領域とはいえども、所詮ユーラシアレベルであったためである。

しかしながら、グローバル・ヒストリーの定義について原理主義に固執してもあまり意味はない。国内外ともに、グローバル・ヒストリーの書物ではモンゴル帝国の建設をグローバル・ヒストリー上の画期として描き出すことがしばしば見受けられる。直接的にはグローバル・ヒストリー上の一大画期とはならないものの、一五世紀末以降のアメリカ大陸などを含めた人類史上の一大画期となる新たなグローバル化に向けてユーラシアで準備をする段階に起こった重要な変化であったと理解できるであろう。しかも、一四世紀にはいり、モンゴル帝国は衰退し、ユーラシアは分裂したかのような様相を呈したが、大規模な国際交流を経験したユーラシアでは、一四世紀以後も新たな世界の一体化に向けて各地の社会が準備を整えつつあったのである。

こうした準備活動は、モンゴル帝国の隆盛期であった一三世紀には見られたユーラシア各地でのサブシステムのな

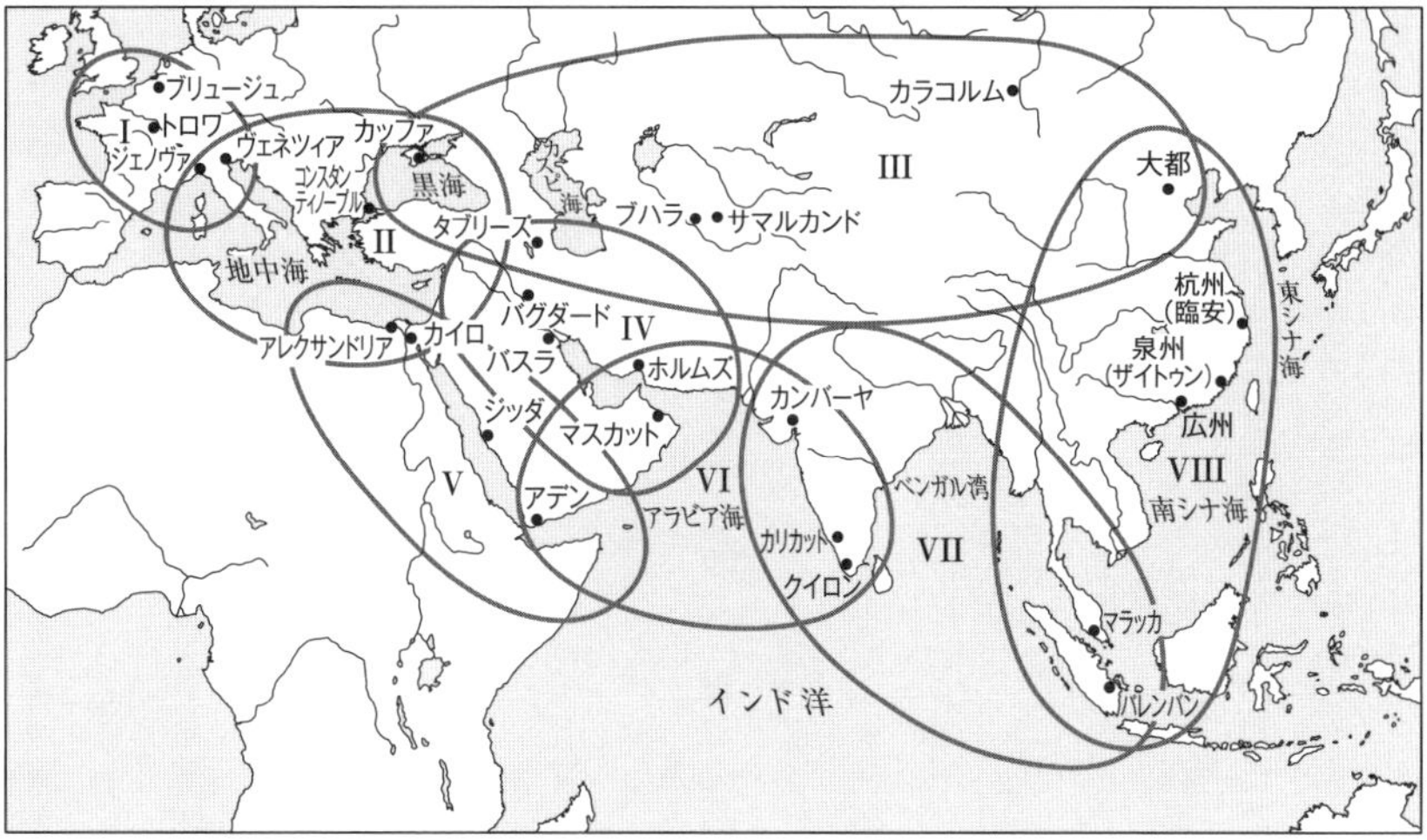

図2　13世紀ユーラシアのサブシステム(アブー＝ルゴド 2001：上43)

かで事実上行われた。**図2**は一三世紀におけるユーラシア各地に拡がったサブシステムを示しており、これはジャネット・L・アブー＝ルゴドが『ヨーロッパ覇権以前――もうひとつの世界システム』(原著は一九八九年刊行)で提示したものである(なお、アブー＝ルゴド自身はこの図を「一三世紀世界システムの八つの回路」と名付けている)。これら八つのサブシステムは二つを除き、基本は海域を中心とした地域となっていた。いわば交易圏ではあったが、貿易以外にも外交・軍事・文化の面でも独自のルールと規範を持ち、一四世紀から一五世紀に至っても維持され、発展した。

かくして、ユーラシア各地のサブシステムについて、経済史的な点からいえば、域内交易を起爆剤として当時の国境を超えた地域経済圏が確立されたことは重要である。また、**図2**を詳細に見れば分かるように、八つのサブシステムはいずれも孤立して成立しているのではなく、他のシステムと重なりあう領域を持った。とくに地中海から東アジアにかけてはサブシステムの重複の度合いが高く、その分、文化的交流なども活発であったと言えるだろう。交易拠点には多数の外国人商人たちが集まり、いわば外国人慣れが常態化する港市も出てきた。かくして、技術的な進歩による海上交通の発展によりアジアの海域では海上貿易が盛んとなり、豊かなアジアを形成するとともに、外来の商人を受け入れる素地を、交易拠点を中心に作り出していった。このことが、のちにヨーロッパ人を惹きつけることになるのであった。

この準備段階における革新的な変化のひとつはアジアにおける海上貿易の進展であった。中国とインドという当時としても人口が多く、かつ世界的に経済先進地であった地域に挟まれるような形となっている東南アジアは海上貿易による中継地点として成長し、商業活動が重視される地域となった。東南アジア史の大家アンソニー・リードの二巻本の代表作『商業の時代の東南アジア』(*Southeast Asia in the Age of Commerce*)に示される東南アジアの「商業(交易)の時代」の開始時期は一四五〇年である。この一四五〇年という区切りは非常に示唆に富む。ポルトガル人が喜望峰経由でアジアの海の世界に到達するのは一五世紀末であるから、東南アジアの「商業の時代」はヨーロッパ人のアジア到来以前に始まったということになる。また、中国明朝の鄭和《ていわ》によるインド洋までの艦隊遠征は七度に及んだが、いずれも一五世紀前半である。つまり、鄭和の遠征以後、東南アジアでは海上貿易が発達し、インドや中国との商業関係を営みながらも、半ば東南アジア独自にひとつの経済圏として商業のブームが訪れたというのである。

ちなみに本書邦訳書のタイトルは『大航海時代の東南アジア』となっており、リードの意図とはかけ離れた印象をうける。しかし、日本のアジア史研究にポジティブな影響を本書が与えたことは非常に重要であった。リードの主張に刺激を受けて、東南アジアを中心とする海域アジアにおける独自の時代区分として、近年の日本では「大交易時代」という時代区分があり、高等学校の世界史教科書では積極的に言及しているものもある。海域アジアの「大交易時代」とは、時期区分としては始期や終期が明示されているわけではないので、正確にいえば時代区分というよりは海域アジア史の大まかな趨勢を示す指標であるとはいえる。鄭和の遠征以後に「商業の時代」が始まったとするリードとは異なり、鄭和の遠征などの時期も含めて「大交易時代」と称している。ヨーロッパ人到来以前に東南アジアを主とする海域アジアで海上貿易や商業的な利益を求める経済活動が開始されたと主張する点はリードも日本の「大交易時代」論も同じで示唆に富む。というのも、こうした文脈では、一五世紀末となってヨーロッパ人は豊かなアジアに新規参入してきたにすぎないということになるし、せいぜいヨーロッパ人の参入は新たな刺激となり、より商業活動を活発化させたと理解する程度で結構であるということになる。ヨーロッパ人がアジアの海の世界を突如として一変させたというかつての見立ては完全に否定されたことはいうまでもない。

アジア史にとっては興味深い「大交易時代」という時代区分であるが、あくまでもアジア史を叙述するための時代区分であることに注意したい。「大交易時代」という用語が指し示す事象について、世界史やグローバル・ヒストリーとしての意義を考えると、一五世紀末以降にアフロユーラシア大陸とアメリカ大陸が接合することの前史として重要であったということになろう。アジアの海上貿易の繁栄なくしては「大航海時代」はありえなかった。アジアの「大交易時代」が西ヨーロッパ人がアジアに自ら乗り出そうとする強力な動機となった。かくして「大航海時代」になると、確実に地球に暮らす人々全体に変化をもたらし、現代の我々に通じる新たな時代が開始されることになったのである。

二、初期近代としての近世と大航海時代

初期近代としての近世

一四九二年、コロンブスがスペイン王室の財政援助をもとにヨーロッパを出発し、その年のうちに西インド諸島に達した。合計四回に及んだコロンブスの探検航海を通じて、ヨーロッパ人がアメリカ大陸に到達したことの意義は大きい。それは単にヨーロッパの拡張史としての意義が大きいというわけではなく、アフロユーラシア大陸とアメリカ大陸が接合し、真の意味での世界の一体化が開始されたという点においてである。およそ七万年前ないしは五万年前、

人類のグローバル化は人々の地理的な拡散と地球上の各地における自然環境への適応という形で開始されたのであったが、逆に一五世紀末になると地球上の各地に散らばる人類に一体化の波が押し寄せるような状態が現出し、人類史上、第二のグローバル化の段階を迎えるようになったのである。グローバル・ヒストリーの立場からすると、グローバル化の一大転機となったアフロユーラシア大陸とアメリカ大陸、さらにはオセアニアなど世界全体の有機的接合をもって広義の近代が始まったと考えることにしたい。

ここでひとまず一五世紀末から一八七〇年頃までを、近世ないしは初期近代とみなすことの背景について説明を行っておきたい。そもそも歴史学において時代区分は重要な作業のひとつである。王朝の変遷や支配者の交代に応じて時代を区分することもあれば、社会の変化にともなって時代を分けることもある。いうなれば、歴史家が違えば時代区分も違うということであるが、たいていの場合、国や地域ごとに大方認められる時代区分が存在する。

西洋近代で誕生した歴史学という学問分野のなかで打ち立てられ、明治時代に日本に移植された時代区分の方法では古代・中世・近代(近世)という三区分がなされ、これがいわば伝統的な時代区分となっている。史的唯物論はこの三区分をベースとして、各時代について生産関係を基準に時代区分の理論を精緻化したものであった。こうした伝統的な三区分のほかに近年では近世という時代を近代とは異なった時代として取り上げることも多くなった。例えば、現在の日本史においては四つの時代区分、すなわち古代・中世・近世・近代(ときに古代・中世・近世・近代・現代)という区分が一般的である。

こうした時代区分は、各国史、あるいは東南アジア史や西アジア史といったもう少し広い意味での地域史ごとに打ち立てられている。したがって、ある年を挙げたところで、ある国では古代、別の国では中世といったことが生じうる。また、学派によって時代区分が異なっていることもしばしばである。例えば、日本の中国史研究では主に二つの時代区分が存在してきた。いわゆる中国史の時代区分論争であり、内藤湖南や宮崎市定を中心とする京都学派と歴史学研究会を中心とした東京学派とでは時代区分が全く異なる(岸本 二〇〇六)。また、インドでのインド史研究では旧来は古代・中世・近代の三区分が通常であったが、近年では近世の存在を認める研究者も多数おり、論争となっている(水島 二〇〇六、Ghosh 2015; Roy 2015; 小川 二〇一九)。いずれにせよ、世界共通の時代区分や時間軸で輪切りにするような時代区分は存在しない。このため、世界史の書物、とくに高等学校などでの教科書は読者の生徒に可能な限り違和感を持たせないよう工夫を凝らしながら、ある意味、時代区分を明確に示さない世界史叙述が日本では進展した。また、これまでの岩波講座世界歴史でも、時代区分は編集・刊行にあたり大きな障害となっていたとされる。一九六〇年代末から七〇年代にかけての第一期ではなんとか時代区分を行ったが、一九九七年から二〇〇〇年にかけての第二期では全巻にわたる世界史としての時代区分を採用することを事実上回避した(岸本 一九九八 a)。

くわえて、時代区分に関して物事を複雑にさせるのは「近世」という日本語の用語である。この用語は本来的には、現在の「近代」と同義で用いられてきた。とくに近代歴史学が導入された明治期から昭和初期においては顕著であった。無論、この近世とは英語でいう modern period に相当する。しかし、第二次世界大戦後、近世と近代とは別個の時代として扱うようになっている。これは日本の日本史研究に明瞭であるが、日本の外国史研究でも次第に近世と近代とを区分して使用することが多くなった。一方、欧米での西洋史研究では近世とは英語で early modern period と称する。つまり、西洋史研究ではルネサンスないしは宗教改革あたりからが modern period(近代)なのであり、その近代の初期部分が early modern period なのである。直訳すれば「初期近代」、意訳すれば「近世」ということになる。

それでは現在の欧米における西洋史の時代区分で early modern period とされる時代は、その用語が示す通り近代の初期部分という意味で使われているかと言えば、実は近年では異なる。Early modern period と称される時代が modern period という時代から次第に区分され、別個の時代として扱われるようになってきた。時に late early modern period という表記がみられることもあるくらいである。この近世(初期近代)の終期についていえば、基本は一八〇〇年前後であることが多い。アメリカ独立戦争、フランス革命、さらにはナポレオン戦争などを境とするものであり、世界史というよりも西洋史での時代区分である。

しかしながら、グローバル・ヒストリーの時代区分としての近世(初期近代)は西洋史とは異なる独自の時期に設定した方がすっきりする。先述したように内外の西洋史研究では、基本、ルネサンスないしは宗教改革に始まり、一八〇〇年前後を終期とする。一方、グローバル・ヒストリーでは、グローバル化の大きな指標である人・モノ・情報の移動・伝播という視点から、近世(初期近代)は「コロンブス交換」の始まった一五世紀初めに始まり、国際航路での蒸気船運航が世界的に一般化し、国際電信網が整備された一八七〇年頃を終点とする。

以上を踏まえ、本第一一巻では**表1**に示したように、グローバル化の度合による独自な時代区分を主として用いることにしている。すなわち、先に述べたグローバル化の画期の区分に従い、一五世紀末から一八七〇年頃までを近世(初期近代としての近世)と称することを原則とする。この場合は英語でいう early modern period の意を念頭に置いている。一方、近代とは広義の意味と狭義の意味で用いている。広義の近代とは、一五世紀末以降の時代を意味しており、狭義の近代とは一八七〇年代以降のことである。なお、煩雑さをさけるために、時に広義の近代についても近代と略して使用することもあるので読者に留意を願いたい。また、一五世紀末から一六八〇年代までを近世前期とし、以後、一八七〇年頃までを「長期の一八世紀」とする。さらに、「長期の一八世紀」は一七八〇年代を境に近世中期と近世後期に区分する。

ともあれ、本巻ではグローバル化の度合いの違いをもって時期区分を行っているということであり、読者がそれぞれ各国史や地域史などで親しんでいる時代区分とは異なるために、違和感を得ることもありうることをあらかじめ申し述べたい。加えていえば、日本史なり、西洋史なり、自らの専門分野での慣例化している時代区分とは異なる新たな時代区分を打ち立てることが、真の意味でのグローバル・ヒストリー研究や世界史研究を前進させるためには必要

表1　グローバル・ヒストリーから見た近代の時代区分

広義の近代	近世（初期近代）	近世前期		15世紀末～1680年代	大航海時代，奢侈品貿易，世界の有機的結合
		長期の18世紀	近世中期	1680年代～1780年代	伝統社会の形成と経済的成熟
			近世後期	1780年代～1870年頃	自由への追求，化石燃料依存社会の進展，狭義の近代への胎動
	狭義の近代			1870年頃～20世紀末	人・モノ・情報のグローバルな緊密化

不可欠なのである。

この近世（初期近代）という用語については、日本ではかつて岸本美緒が東アジア史について試みた（岸本 一九九八b）。岸本の試みは世界史における共時性に留意し、その中で一七世紀を中心とした東アジアを描き出そうとするものであった。これは現在、国内外でグローバル・ヒストリー研究でしばしば試みられる初期近代としての近世である。日本におけるグローバル・ヒストリー研究は、岸本の提起した初期近代としての近世という概念を如何に改良し、グローバル・ヒストリー研究に資せしめるかが重要とされてきたし、本巻もこの延長線上にある。

なお、初期近代としての近世を打ち立てることの意義は、世界史的な共時性を重視することのほかに、一五世紀末から一九世紀半ば過ぎまでの歴史を、前近代史の最終期間と位置付けるのではなく、むしろ現在まで続く近代が一五世紀末から始まっていること、言い換えると、一五世紀末以降に世界で形成されてきた社会や文化といったものが現在の下地となっていることを強調する意図がある。

コロンブス交換

さて、一五世紀末以降、世界各地でヨーロッパ人の探検と征服が続いた。いわゆる大航海時代である。ヨーロッパ人が世界各地に進出したばかりか、とくにアメリカ大陸やアフリカで侵略行為を繰り返し、植民地としたり、アフリカ人の奴隷貿易を行ったりした。言うまでもないことであるが、アメリカ大陸ではヨーロッパ人が進出することで、これまで栄えていた先住民の文明が破壊され尽くしたばかりでなく、先住民の多くが死亡することになった。また、アジアでも戦争を繰り返し、植民都市を設置したりし、一九世紀以後の本格的なアジアの植民地化を準備する期間でもあった。そのため、非ヨーロッパの目から見れば、いわゆる大航海時代とは誠に腹立たしい時代であり、それが開始されたことは世界に暗黒をもたらしたことと同義でもあった。

しかし、こうしたヨーロッパの世界的な勢力拡張の暗黒史は物事の一側面にすぎない。グローバル・ヒストリー的な見地に立つと別の諸側面も明らかになる。そもそも広義の近代の開始は清濁を併せ持っていたのである。ともあれ、ここで第一に強調すべきことは、いわゆる「コロンブス交換」(Columbian exchange)と呼ばれる現象が生じたことであった。

歴史叙述において、かつては「旧大陸」と「新大陸」と呼ばれたアフロユーラシア大陸とアメリカ大陸が接合した結果、世界史においてコロンブス交換なる事態が生じた。このコロンブス交換とはアメリカ合衆国の歴史学者であったアルフレッド・W・クロスビー・Jr.(一九三一—二〇一八年)による造語である。もちろんクロスビーの述べる「コロンブス交換」とはコロンブスにちなんで名づけられている。『コロンブス交換』と題された一九七二年の彼の著作は、今にして思うとグローバル・ヒストリー的要素を多分に含んでおり、グローバル・ヒストリー誕生前の著作であったが、グローバル・ヒストリーの古典として、ウォーラーステインの『近代世界システム』に並ぶが、残念ながら邦訳されてはいない。

さて、コロンブス交換の骨子は、それぞれの大陸に新たなモノが入り、社会の変化をもたらしたということである。具体的にみてみよう。アメリカ大陸からアフロユーラシア大陸にもたらされたモノの例として、サツマイモ、トウモロコシ、ジャガイモ、タバコ、唐辛子といった作物はよく知られている。とりわけサツマイモやトウモロコシ、ジャガイモは炭水化物を多く含み、主食としても用いられた。米や麦類と比べ、栽培が容易で、比較的地味の劣る土地でも栽培可能であったので、地域によって時期は異なるがアフロユーラシア大陸の各地で栽培されるようになり、人口の増大を物質的に支えることとなった。

一方、アフロユーラシア大陸からアメリカ大陸に持ち込まれたモノとしては牛馬などの家畜のほかにサトウキビがある。サトウキビは東南アジアが原産地であるが、すでに中国南部やインド、エジプトなどで栽培がさかんとなっていた。ヨーロッパ人がこのサトウキビを中南米に持ち込み、そしてアフリカ人奴隷を労働力源として強制的にアフリカに移動させ、サトウキビのプランテーション栽培が大規模に開始された。

また、コロンブス交換によって両大陸にもたらされたのは、なにも新作物だけではなかった。例えば感染症を挙げることができる。アメリカ大陸からスペインには性感染症である梅毒がもたらされた。この梅毒は日本を含むアジアまで急速に感染が拡がることになった。一方、スペイン人がアメリカ大陸に持ち込んだ感染症としては、インフルエンザや天然痘など数多くを挙げることができる。なかんずく天然痘はアメリカ大陸で猛威をふるい、スペイン人に直接殺害された先住民よりも天然痘で命を奪われた先住民の数の方が多かったとされる。いずれにせよ、先住民の多くは死に絶え、労働力不足のため、アフリカからの奴隷を必要とするにいたったのである。

かくして、コロンブス交換とは二つの結果をもたらしたといえるであろう。ひとつにはヨーロッパ市場向けの農産物生産が大規模にアメリカ大陸で展開されるとともに、労働力としてアフリカ人奴隷が必要とされたことである。これは、いわゆる大西洋の三角貿易と呼ばれ、大西洋経済圏がヨーロッパ人の主導で構築されたことを意味する。いわば西ヨーロッパは西アフリカや中南米といった地域に自らの経済圏を拡大させ、空間的に見て広大な経済システムを作り上げたのであった。しかし、コロンブス交換の発生はこうしたヨーロッパ人主導の大西洋経済圏を構築しただけではなかった。もうひとつの結果として、アジアにもたらされた各種の新作物はアジア各地の生活文化を変えるとともに、後述するようにサツマイモやトウモロコシの生産導入で全体としての農業生産力の増大をもたらした。

自然環境の理解と開発

大航海時代が世界にもたらした影響のひとつは自然環境に対する知識が新たに知られるとともに、自然環境を開発するという流れが生み出され、世界的な環境開発が世界の構造に組み込まれたことであった。

例えば、ヨーロッパ人が世界的に進出する過程で遠距離航路を見出し、それを積極的に利用し、世界の一体化に貢献したことを挙げることができる[図3]。大西洋を自由自在に帆船で移動できることになったほか、世界の各地で新たな遠距離航海航路が発見された。例えば、太平洋の東西を結ぶ航路の発見である。スペイン支配下にあったメキシコのアカプルコとフィリピンのマニラを結ぶ太平洋横断航路が一六世紀半ばに開拓された。アカプルコからフィリピン諸島への航路は貿易風を利用したマゼランの艦隊によって開発され、一方、マニラからアカプルコへの航路は、スペインの修道士であり航海士でもあったウルダネータによって開発された。偏西風が大西洋と同様に存在するであろうことに目をつけた航路の開発であった。この長距離航路を利用して、アカプルコとマニラを結ぶガレオン船が往来し、特にスペイン治下の中南米銀が太平洋を渡って多量にアジアにもたらされることになった(Giraldez 2015)。

また、第二の例としてはブラウエル・ルートの発見もある。ブラウエル・ルートとは、一七世紀初期にオランダ人によって開発された東南アジアへの往路の航路であった(Parthesius 2010)。アフリカ大陸南端の喜望峰に到達した後、偏西風を利用してオーストラリア西岸直前まで速やかに東進し、その後に北上してスンダ海峡から東南アジアに入るルートである(さらに後には季節風を利用してセイロン島に向かうルートも開発した)。これまでポルトガル人は喜望峰経由でアジアに進出していたが、喜望峰からはアフリカ東部の沿岸を北上し、最終的にはアラビア海を横断してポルトガルのアジアにおける最高拠点であったゴアのあるインド亜大陸西岸に至るのが通常のルートであった。もちろん、ナツメグやクローヴといった高級香辛料の生産地は現在のインドネシアの東部にあるマルク(モルッカ)諸島であり、シナモンはセイロン島、胡椒はインド亜大陸東南部のマラバール地方でも生産されていたが、やはり大量の胡椒を買い付けるにはスマトラ島をはじめとした東南アジアに出向く必要があった。しかし、ゴアからセイロン島やスマトラ島、さらには香料諸島とも呼ばれるマルク諸島までにはかなりの距離があった。しかし、オランダはブラウエル・ルートを開発することで喜望峰から直接、東南アジアに乗り付けることが可能となったのであった。

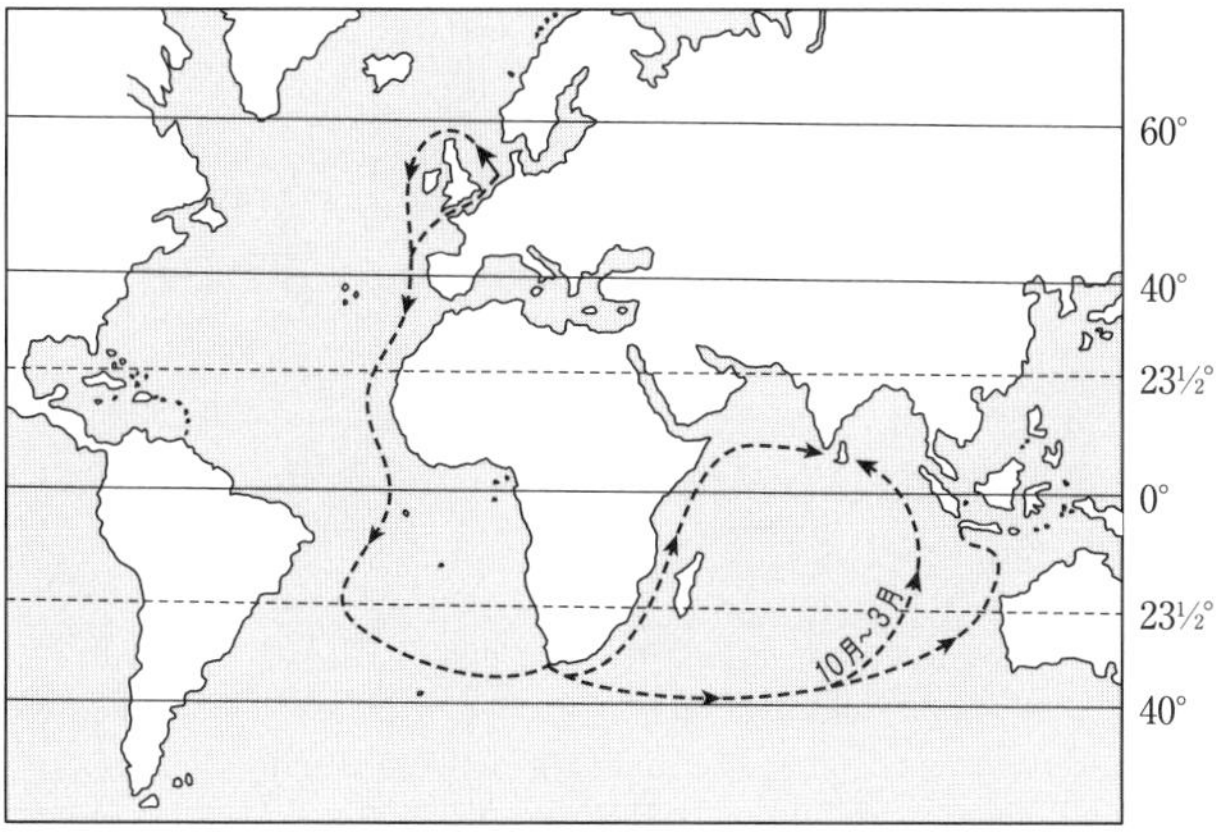

図3　オランダ東インド会社のアジア行き航路（Bruijn 1987：65を改図）

こうした航路開発の歴史が語るように、ヨーロッパ人はアジア・太平洋地域の自然環境を理解し、それを効率よく利用することにつとめたのであった。また、航路に関して言えば、先に述べたグローバルな遠距離貿易を推し進めるために重要であった航路の開発のほか、地球上の各地域で詳細な航路を整備していったこともまた重要である。なかでも重要であったのはモンスーン・アジア域内の航路であった。もちろんヨーロッパ人がアジアに到来する以前から海上貿易が盛んとなっており、航路の開拓と知識の集積が進められていったことは言うまでもなかった。しかし、一六世紀になると格段に定期航路が開拓されるとともに、シナ海とインド洋を結ぶシステム的な航路網の整備がなされた。

帆船を運航するにあたっては年間を通じて一定の風が吹く貿易風や偏西風という恒常風を利用することのほかに、季節風を利用することもまた重要であった。北半球を例にとり、おおまかにいえば、夏には南から北に向けて風が吹き、冬には逆に北から南に風が吹く。この季節風を利用すれば、赤道地帯から温帯地帯にむけて一年間で一往復の航海を行うことが可能となる。それゆえ、赤道付近にあるマラッカ海峡付近に拠点を築けば、東アジアとインド洋各地とを結ぶ比較的長距離のアジア域内貿易を行うことが可能となる。

このようなアジア域内貿易をシステマティックに可能として、それを強みとしたのがオランダ東インド会社であった。同社はジャワ島のバタヴィア(ジャカルタ)に植民都市を築き、東南アジア内部の貿易拠点としたほかに、日本や中国といった東アジアや、アラビア海とベンガル湾からなるインド洋地域の各地と結び付けるアジア域内貿易の一大貿易網を構築した。

ちなみに、このオランダ東インド会社が構築したアジア域内貿易は、ヨーロッパ・アジア間貿易と並ぶ重要なビジネスであり、双方が有機的に結び付くことで会社に膨大な利益をもたらした(Shimada 2006)。オランダ本国から輸出される商品にはめぼしいものはなく、基本的に銀がアジアに送られた。本国から送られてきた銀をアジアでヨーロッパ市場向けの商品購入の支払い手段とするだけでは利益は小さい。オランダ東インド会社は本国から送られた銀を元手にバタヴィアを中心に手広くアジア域内貿易を行った。北は日本、東はマルク諸島、西はアラビア半島のモカやイラン(ペルシア)のバンダレ・アッバースといった具合にシナ海地域とインド洋地域に幅広く商館を設置し、ポルトガル人がこの海域に到来する以前から進展していた海上貿易にオランダ東インド会社が積極的に乗り出したのである。

例えば、インド各地で生産された綿布をオランダ東インド会社が購入し、これをタイ(シャム)のアユタヤ商館で売却する。しかして、アユタヤでは日本市場向けの鹿皮や鮫皮、染料の蘇木などを購入し、長崎に持ち込んだ。これらのタイ製品を日本で売却して得た日本銀や日本銅などは綿織物を購入する対価としてインドに運ばれた。一七世紀後半、長崎を出発したオランダ船のおよそ半数以上はマラッカを経て、インド各地のオランダの商館に向かったのである。

インドとタイ、日本を結んだ三角貿易など、オランダ東インド会社は様々なアジア域内貿易に従事し、そこから生じた利益もヨーロッパ市場向けのアジア商品の購入資金とした。結局、オランダ東インド会社は本国から少額の銀を持ち出し、それをアジア域内貿易で増やしたうえでヨーロッパに持ち帰るアジア商品を購入したのであるから、膨大な粗利益を得たのは当然であった。一方、イギリスやフランスの東インド会社もこうしたアジア域内貿易に乗り出そうと試みたことはあったが、ビジネスとして十分な利益が確保できるほどに成功することはなかった。オランダのみがアジア域内貿易で成功できたのは、根本的には資本金がはるかに他をしのいでいたからである。多数の船舶をそろえ、軍事力も増強させたうえで、海域アジア各地に商館を多数設置し、現地の王権とも優位に交渉を進めることができた。そしてなによりも、アジア域内を帆船で行きかうために様々な知識をあつめたからでもあった。

ともあれ、「コロンブス交換」の開始以来、ヨーロッパ人は、オランダ東インド会社の例が示すように、恒常風と季節風の存在を明確に認識し、それらを組み合わせることで地球上に帆船航路を巡らせることに成功した。これは世界各地の人々の生活にどのような影響を与えたのであろうか。世界中を帆船がめぐるようになるとともに、世界各地を世界商品の生産地へと変化させた。これが大航海時代の到来がもたらした第二の要点である。

たしかにスペインやポルトガル、さらにはオランダ、イギリス、フランスの各国は積極的にアメリカ大陸に進出し、大規模なプランテーション経営を行い、アメリカ大陸をヨーロッパ市場にむけた農業生産物の生産地とした。また、スペインはポトシ銀山やサカテカス銀山の開発にみられるように鉱山開発も行った。このような意味でヨーロッパ人のアメリカ大陸進出は自然環境を開発し、世界商品たる一次産品の生産を行う、いわば環境開発型の経済構造を創り出していったのである。

もちろん、こうした自然環境をある意味破壊し、農業などの開発を行う手法は次第に他の地域にも拡がっていった。もっともヨーロッパ人が積極的に行うこともあれば、世界の一体化による海外需要の増大などによりアジアなどの現地の人々が行うこともあった。とりわけアジアにおいて農業開発を積極的に推し進めたヨーロッパ人はオランダ東インド会社であった。例えば、オランダ東インド会社による台湾やジャワでのサトウキビ栽培を挙げることができよう。オランダは一七世紀なかばに台湾の南部にある現在の台南に拠点を築いた。これは中国大陸と日本を結ぶ中継貿易の拠点であったが、一方、台南地方でサトウキビ栽培事業を推進した。オランダ東インド会社の台湾拠点は、鄭成功《ていせいこう》一派の攻撃で一六六二年に放棄されることになったが、その後、オランダ東インド会社はジャワ島におけるオランダの植民都市バタヴィアの周辺地帯でサトウキビの栽培事業を行った(島田 二〇一三)。

もっとも、台湾やバタヴィアの周辺地域でのサトウキビ栽培の実態は中国人主体であった。当時、中国南部の福建ではサトウキビ栽培が広範に行われていた。オランダ東インド会社としてはバタヴィア在住の華人に資本家としてサトウキビ栽培事業と砂糖製造業を任せ、彼らが福建から技術者や労働者を招聘することで生産がなされたのであった。また、注目すべきことは、こうした台湾やバタヴィアといったオランダの植民地で生産された砂糖の主な販路がアジアであったことである。日本やインド、イランが主たる消費地であった。これはアジアにおける世界商品の生産がアジア内部での需要も重要であったことを示唆している。後述するように、アジア各地では有力な近世国家が並列し、一定程度の社会的・経済的成熟に伴い、砂糖のような当時としては奢侈的要素の高い商品の需要も増大しつつあったのであり、また、このためにアジア域内貿易も成長していったのであった。

ちなみに、オランダ東インド会社は一八世紀初頭に、コーヒー豆栽培をジャワ島で成功させた。コーヒー豆栽培は本来アラビア半島でなされていたが、オランダ東インド会社がジャワ島への移植を成功させたのである。バタヴィアから南下し、インド洋に面した地域はプリアンガン地方と呼ばれ、オランダ東インド会社はこの地の首長層に旧来からの支配権を認める代わりに毎年定められた量のコーヒー豆を一定価格で供出することを命じた。これは義務供出制度と呼ばれ、のちの一九世紀にオランダがジャワ島をはじめとした現在のインドネシアに相当する蘭領インド各地で実施した強制栽培制度の先駆けとなる制度であった(大橋 二〇一〇)。なお、コーヒー豆の販路は、砂糖の場合と異なり、ヨーロッパ市場であった。

以上の砂糖やコーヒーの事例はオランダ東インド会社が生産に直接介入した事例であるが、オランダやイギリスなどの東インド会社がつないだヨーロッパ市場の需要増大に伴い、結果としてそれだけアジアの農業などの産業が活性化された。具体的には、一七世紀中葉以降、インド綿織物の輸出が増大したことに伴うインドでの綿花栽培や綿織物生産の拡大であったり、一七三〇年以降、拡大する中国茶の輸出であったりした。あるいはセイロンのシナモン栽培などもヨーロッパ市場との兼ね合いで生産拡大にむかった(Jacobs 2006)。また、スマトラ島のパレンバン王国下にあったバンカ島や、マレー半島のクダー王国やペラ王国といった地域での錫生産の増大にはヨーロッパ市場のほか、アジア内部からの需要も重要であった(島田 二〇一〇)。

かくしてヨーロッパ人のアジア市場への参入以後、アジアでも、ヨーロッパやアジアで一次産品を主とする需要が増大し、生産の拡大がおこなわれ環境開発が進んだ。結局のところ、一五世紀末以後、コロンブス交換の開始とともに世界の一体化は進展し、人やモノの移動は増え、情報のやり取りも以前に増して急速に進んだが、それによって人々は自然環境をよりよく理解したうえで、自然環境に手を加え、農産物や鉱産物といった一次産品の生産拡大を企図する開発が世界各地で進展することになった。

三、「長期の一八世紀」と近世中期

貿易構成品の変化

一六八〇年代は近世という時代区分のなかでのひとつの転換点であり、時代は近世前期から近世中期へと移り変わる。一五世紀末以降、アフロユーラシア大陸とアメリカ大陸が接合し、世界中を帆船が駆け抜け、世界の一体化が促進されることになった。西ヨーロッパの各国は西アフリカとアメリカ大陸を結び付け、大西洋経済圏を創出するとともに、もとより豊かな海域アジアに進出した。海域アジアではヨーロッパ人の参入をえて、域内貿易は全体として活発となった。だが、こうしたバブルのごとき活況を呈していたグローバル貿易の発展とそれに先導された世界の構造化のリズムは一六八〇年代を境に変調を迎えることとなったのである。奢侈品主体の貿易から一般庶民向けの商品が貿易の中心となる一方、世界各地の社会に一種の安定と経済的成熟がもたらされ、現在から考えると伝統社会というべき社会が形成された。

そもそも一六世紀から一七世紀にかけての近世前期の世界貿易やアジア域内貿易の特質を一言でいえば、奢侈品貿易が中心であったことである。銀が世界を廻った。もちろん銀が流れる逆方向にはアジア商品などが流通していた。アジア各地で生産された胡椒や高級香辛料、さらには生糸や絹織物、綿織物や磁器、あるいはアメリカ大陸やアジアで生産された砂糖といった奢侈品が世界的に流通し、それゆえにこそ、対価として、多量の銀が必要とされていたのである。

ところで、一六世紀に開発が進んだ日本や中南米での銀鉱山から産出される銀が世界を廻った状況について確認しておこう。日本で産出された銀は主に中国に流入した。一方、中南米で産出された銀の一部は、メキシコのアカプルコから太平洋を渡り、マニラ経由で中国に流入した。また、中南米産の残りの銀は、いったんはスペイン本国に入ったが、さらにヨーロッパからアジアへと流出し、最終的には中国やインドなどに流入することになった。**図4**は二〇世紀末ごろまでの実証研究の諸成果をベースにフランクが描いた銀の世界的な流通状況であるが、残念ながら本図で明らかなように数量的に流通状況が不明である点が多い。例えば一六世紀のマニラ経由での銀のアジアへの流入量、あるいは同じく一六世紀におけるヨーロッパからアジアへの銀流入量は本図には記されていない。さらに、一般的にヨーロッパからアジアへの銀流入は喜望峰経由の場合は比較的数量的に把握可能であるが、地中海からペルシア湾な

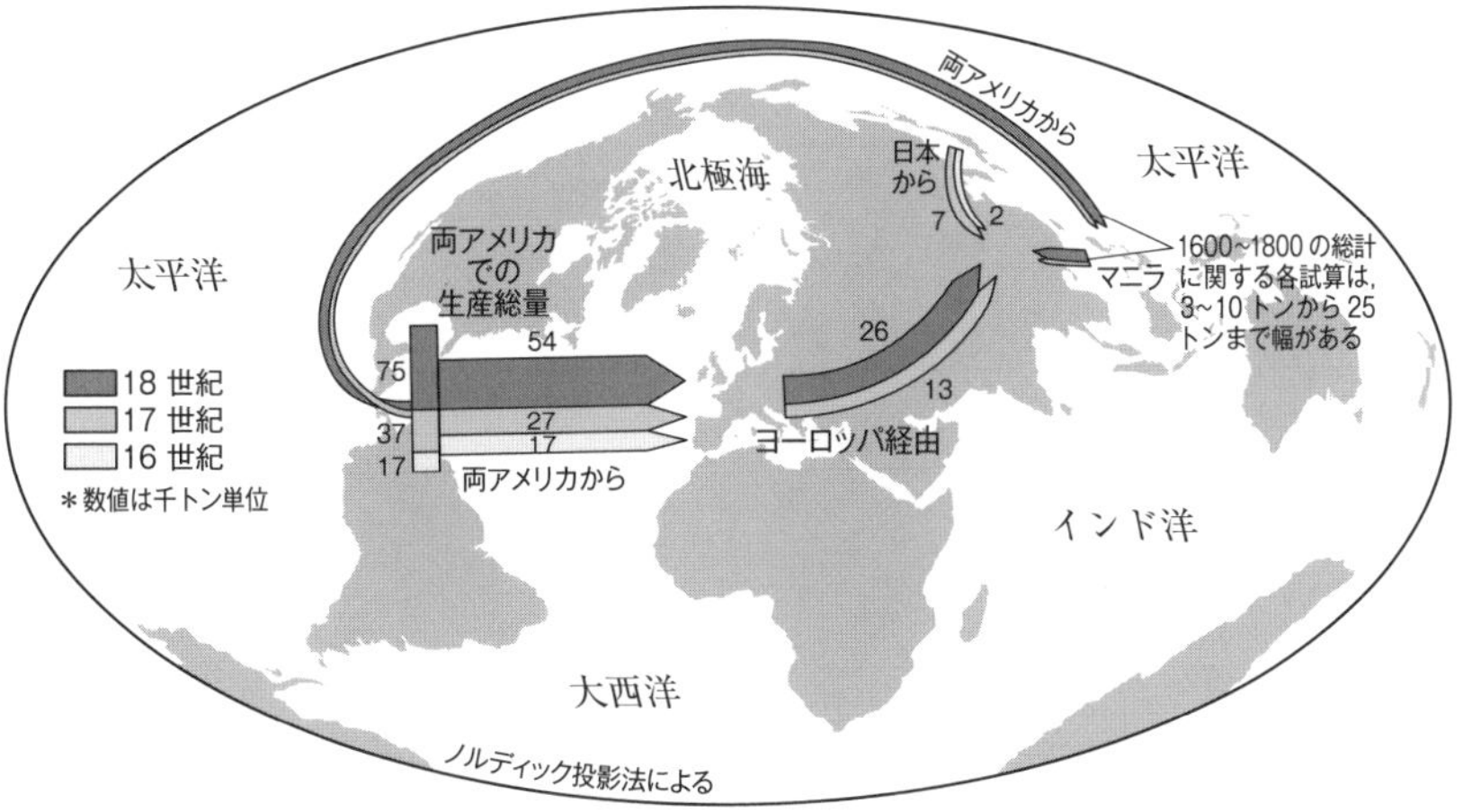

図 4　銀の生産とグローバルな流通，16-18 世紀（フランク 2000：266）

いしは紅海に抜けるいわゆるレヴァント貿易ルートでの銀流通の総量はほとんど把握不可能であるといえる。かつてはポルトガルがアジア貿易に直接参入することによってレヴァント貿易はほぼ完全に衰退したと考えられていたが、現在ではそうした完全なる衰退説は否定されており、想像以上にレヴァント貿易でヨーロッパからアジアに銀が流出した可能性が高いと推測されている。そのため、ヨーロッパに流入した中南米銀の半数前後がアジアに流出した可能性があるともいえる状況にはあるが、最終的にはやはり正確な全体像を把握することは困難である。

ただし、いくつかは確実に言えることがある。日本や中南米で生産された銀の大半はアジアに流入したということと、一八世紀になっても中南米で生産された銀の世界的流通は途絶えることがなかったということである。もっとも、一八世紀には世界貿易やアジア域内貿易における奢侈品の流通という特質は次第に衰え、一般庶民の使用に供するような商品の取引も増大していった。例えばアメリカ大陸からヨーロッパに輸入された砂糖などの商品の価格はアメリカ大陸での生産拡大に伴って低下し、ヨーロッパ市場内部での消費者層を次第に拡大させ、一九世紀には一般庶民が日常的に消費する商品となっていった。同じように一八世紀になると胡椒価格はヨーロッパ市場で低下した一方、東南アジアで生産された胡椒はむしろ中国市場に向かっていった(太田 二〇一四)。ちなみに、一七世紀末に台湾の鄭氏が清朝に降伏し、中国に平和が訪れると経済成長の時代となった。中国における増加する多数の人口を支えるため、東南アジアとの貿易活動は活発化し、タイの米やスマトラ島の胡椒などの農産物輸入が増大するとともに、東南アジアの下層労働力不足を補うため、中国から東南アジアへの労働力移動が広範にみられた。かくして一八世紀の東南アジアは「華人の世紀」(Chinese Century)とも呼ばれる時代となった。

一八世紀には、アジア域内で取引される商品についても、銅や錫といった金属が多量に取り扱われるようになったり、東南アジアのタイで生産されたコメの中国向け輸出が一八世紀前半から拡大傾向にあった。また、ヨーロッパ市場のみならずインドを中心にアジア市場でも大きな需要のあったクローヴなどの高級香辛料は、一八世紀末まで価格は下落することはなかったが、一九世紀になると生産地が世界に広がり価格は低下した(島田 二〇一八b)。

ところで、一八世紀のヨーロッパの海上貿易、とりわけバルト海貿易では、高級品だけでなくステープル商品などが大量に取引されるようになった。ステープル商品、すなわち必需食料品である大麦、小麦、ライ麦といった穀物が東ヨーロッパやロシアから、オランダやイギリスなどの西ヨーロッパに運ばれた。さらに北ヨーロッパからは木材や鉄や銅などの金属が西ヨーロッパに輸入された。こうした奢侈品というよりは一般庶民の消費向け商品の性格を帯びていた海上貿易の性格は同時代のアジア域内貿易と同様な性格を帯びていたといえるだろう。

こうした貿易品構成の基調変化は、世界各地において、およそ一六八〇年代以降に顕著となる(島田 二〇一九)。大航海時代以来、あるいはそれ以前から海上貿易は奢侈品の取引が主体であったが、一六八〇年代以降の海上貿易においては奢侈品でない一般庶民向けの商品の割合が増加した。一般庶民の生活を含めた各国各地の経済が成長し、グローバルな視点からは、いわば世界的な国際分業体制が確実に進展していくのであった。

「長期の一八世紀」

グローバル貿易の商品構成の変化ばかりでなく、そもそも一六八〇年代は世界史の転換期として認識されている。例えば、ジョン・ウィルズは一六八八年に焦点をあて、イギリスの名誉革命のほか、日本の元禄文化も含め世界各地のエピソードをまとめ、奢侈品貿易に象徴される絢爛豪華な時代の成熟というよりも新たな時代に向けての変化のグローバルな共時性を論じている。また、筆者は一六八三年に着目して、台湾を拠点として明朝復活を掲げていた鄭氏が清朝に降伏し、中国に平和が到来したことや、第二次ウィーン包囲でオスマン朝が敗北し、ヨーロッパとの関係に変化がみられたことなどを挙げ、一種の転換期と位置付ける試みを行った(島田 二〇一八b)。いずれにせよ、この一六八〇年代のグローバルな潮流の変化の根本原因は未だ解明されてはいないが、基本的には、後述するように、アジアにおける近世国家が成熟期を迎えたことがひとつの要因であろう。また一方、スペインとポルトガルというヨーロッパの旧海洋帝国と、後に参入したオランダ、イギリス、フランスといった新たな海洋帝国の勢力がいったん均衡状態に入ったことも重要である。例えば、一七世紀半ば以降、アジアの海上貿易において、オランダ東インド会社が一定程度の覇権を確立させ、安定的に貿易活動に従事するようになったことなどである。

とまれ、一六八〇年代を境にグローバル・ヒストリー上の近世(初期近代)に変化が生じ、いわば「長期の一八世紀」という言葉で象徴できる安定的な社会が生み出されることになった。一六八〇年代に始まり、一八七〇年頃までの「長期の一八世紀」の前半部たる近世中期、はじめ世界各地の社会はおおよそ安定的であったが、内実では経済や社会の変化や発展がみられた。一般的にいえば庶民の時代、地方の時代ともいうべき時代であった。なかんずくアジア社会は全般的に一種の成熟期を迎えた。

さらに一八世紀末以降、経済や社会の発展に伴い矛盾が表出する。「長期の一八世紀」の後半部たる近世後期の始まりである。なにもアメリカ独立戦争やフランス革命のみが自由を求める活動であったわけではない。世界各地では自由を求める運動が共時的に生じた（島田 二〇一八 a）。例えば、マラッカ海峡近辺におけるブギス人といった「海賊」はオランダ東インド会社による制限に対抗したし、シベリアでは貿易商人が市場のアクセスへの自由を求めていたといった具合である。

一方、このころには、イギリス産業革命によって実現された化石燃料利用型社会が世界的に拡がり、一八七〇年前後には蒸気船や海底ケーブルも利用した国際電信がグローバル社会に必要不可欠なものとなった。新たな時代、すなわち狭義の意味での近代となり、人・モノ・情報のグローバルな移動・伝達が当然となる。換言すると、「長期の一八世紀」とは絢爛豪華な奢侈品貿易に象徴される近世前期と、一八七〇年頃以降の狭義の近代とを結ぶ時代であった。一六八〇年代に近世中期が始まり、一九世紀の近世後期を経て一八七〇年代以降の狭義の近代に向かった。この近世中・後期には、イギリスでは産業革命期をむかえ、化石燃料に依存する新たな社会が創出され、その新たな社会システムが世界に伝播していくことになった。

ユーラシアの近世国家と西ヨーロッパの海洋国家

近年の日本のアジア史・東洋史研究では、近世国家論ないしは近世帝国論が盛んに主張されている。具体的にはオスマン朝、サファヴィー朝、ムガル朝、明・清朝、それに徳川時代の日本などを総じて近世国家ないしは近世帝国と称している場合が多い。例えば、清代中国史を専門とする杉山清彦は近世ユーラシアの「近世帝国」として、大清帝国、ロシア帝国、ジューンガル帝国、ムガル帝国、サファヴィー帝国、オスマン帝国、ハプスブルク家の七つを挙げている（杉山 二〇一五）。帝国と称する場合、多民族性などの条件があるが、そうすると徳川日本やサファヴィー朝の場合、条件自体の綿密な議論が必要となろう。そこで、ここでは議論を容易にするために近世国家と称することにするが、ともあれヨーロッパ人のアジアへの参入と前後して、アジア各地に強力な近世国家が相次いで成立し、一見したところ、並立しているかのごとき様相を呈していた。このように広大なユーラシア各地に拡がった近世国家をひとつの現象として捉える議論はとくに日本で見受けられる。欧米では中国や日本を並立的に並べたり、あるいはオスマン朝・サファヴィー朝・ムガル朝を近世イスラム帝国と称することはしばしば行われている。しかし、東アジアからヨーロッパまでを並立させて、その共通点を論じるのは、後述する山下範久を含め、日本の歴史学界の優れた特徴といえるであろう。

こうしたユーラシアの近世国家では、スペインやポルトガル、さらにはオランダ、イギリス、フランスといった西ヨーロッパの海洋国家から人々が到来すると、彼らから大砲や小銃などの武器の供与を得たり、あるいはまた輸出貿易の対価として銀が大量に流入するなどした。例外もあったが、近世国家は一般的に政治・軍事の面で安定性の維持と平和を成し遂げたばかりでなく、経済的安定性も維持した。いうなれば、西ヨーロッパ各国がアジアに進出し、各地に拠点を構築し、点と点を結ぶ貿易網から成る海上帝国を構築する一方、ユーラシアの近世国家は陸上帝国として平和を構築し、経済的安定を享受したのであった。

このような近世国家論を比較的初期に唱えた人物のひとりは山下範久である。山下は二〇〇三年に刊行した『世界システム論で読む日本』において、一五〇〇年から一八〇〇年までの時期に東アジアから西ヨーロッパに至る各地域で「近世帝国」が並立的に存在していたと論じた。

そもそもユーラシアの近世国家とは、ウォーラーステインが描いた近代世界システムにおいては、大部分、外部世界に存在する旧来型の帝国である。近代世界システムは当初は東ヨーロッパやアメリカ大陸を含む一種の経済運動体であったが、それが地理的に拡大し、一九世紀にはこうしたユーラシアの近世国家を飲み込むものとされていた。しかし、山下は、このような図式を却下し、西ヨーロッパから東アジアにかけての近世諸国家をいずれも並立させ、一八〇〇年に到り「グローバル化の区切り」が生じ、一九世紀を通じて一挙にグローバル化が進展したと説明したので

あった。(4)

このように山下が提起した仮説的な見取り図は非常に示唆に富む。ウォーラーステインの提起する近代世界システムをユーラシアの近世諸国家と同例とみなし、相対化させたからである。もっとも、西ヨーロッパの海洋諸国家には、完全にユーラシアの近世諸国家と大きく異なる点があった。西ヨーロッパの海洋諸国家は個々には競争関係にあったが、全体としては大西洋の三角貿易に基づき、空間的にみてアメリカ大陸やアフリカ大陸西部に至る経済圏を創出したことは山下の指摘するところである。くわえて、西ヨーロッパの海洋諸国家はアジアへも進出したこともまた重要であった。もちろん、西ヨーロッパの海洋諸国家のアジアへの進出は、海上での商業活動とそのネットワークを維持することに主たる関心があり、そのためアメリカ大陸への進出と比べてアジアへの進出は極めて制限的な軍事的進出を基調としていたことは言をまたない。だが、やはりグローバルな流通ネットワークを構築したことは注目に値する。

いわば世界には西ヨーロッパの海洋諸国家とユーラシアの近世諸国家とが存在したとすべきであろう。それぞれが補完的立場にあった。具体的に言えば前者は中南米銀を手にし、アジアへの銀の供給者であり、後者、とりわけ中国とインドは香辛料や茶などの一次産品ばかりか、当時の工業製品である磁器や綿織物を西ヨーロッパに提供したのである。こうした補完性はむろん西ヨーロッパ諸国のアジア進出によって可能となっていたといえる。

一方、東アジアから東ヨーロッパにかけてのユーラシアでは近世国家とも呼ぶべき強大な国家が並立していた。基本的には陸上国家であることを基調とし、軍事的平和と経済的繁栄を謳歌していた。とくにその絶頂期はいわゆる一六八〇年代以降の「長期の一八世紀」に迎えることが多かった。すでに、オスマン朝、サファヴィー朝、ムガル朝、明・清朝、徳川日本などを例として挙げた。たしかに絶頂期には異同があるが、一般的な傾向としてはやはり「長期の一八世紀」は政治的安定期であり、経済的な成熟期でもあった。こうした近世国家には例えばビルマ(ミャンマー)のコンバウン朝なども含めてよいであろう。ビルマにおいては小農業生産者を含めた経済活動が表向き一定の繁栄状態で安定するとともに、水面下では貨幣経済の浸透で農民の二極分化ともいうべき状況が生み出され、狭義の近代に向けて社会変動が静かに進みつつあった（斎藤 二〇一九）。

むろん、それぞれの近世国家の動きは同一でない。例えば中国とインドを例にして考えてみよう。清朝による中国大陸の征服の過程は約半世紀にわたったが、一六八三年に鄭成功の孫にあたる鄭克塽《ていこくそう》が清朝に降伏し、反清復明勢力が一掃された。中国では一六八〇年代に平和が到来し、その後経済的な成長期を迎えた。アメリカ大陸からもたらされた新作物栽培などで山地の開発が進むとともに、台湾や中国東北部への移住による農業開発も展開された。一八世紀には人口も増大し、東南アジアへの移住も増加するとともに、東南アジアとの経済的な関係が強化された。東南アジアからはコメや胡椒、錫などの産品が中国に多量に輸出された。

インドではムガル朝の領域的拡大が続いていた。第六代皇帝アウラングゼーブは各地で戦争を繰り広げるが、一六八七年にはデカン高原を拠点としたゴールコンダ王国（クトゥブ・シャーヒー朝）を滅亡させるなど、一六八〇年代末までにムガル朝は最大版図に達した。だが、一七〇七年にアウラングゼーブが死すと、ムガル朝は衰退期を迎えることになった。インド全体で見ると、一八世紀には様々な地方政権が並立することとなった。中央集権的なムガル朝が衰退し、各地の地方政権が台頭するにつれ、灌漑や交通路の整備など各地方社会のインフラ・ストラクチャーはかえって整備されることになった（水島 二〇〇六、小川 二〇一九）。しかも、ヨーロッパでのインド綿織物の需要が増大するなど、インド産品に対する海外需要の増大もインド経済の成長に寄与したのであった。

日本では一七世紀に新田開発が進み、人口が増大するとともに、一八世紀には長期的には安定的な経済的繁栄を達成した。速水融は、一八世紀の日本は労働集約的な生産の拡大を成功させ、同時期のイギリスで進んだ資本集約的な「産業革命」(industrial revolution)に相対しうる「勤勉革命」(industrious revolution)を進行させたとさえ述べている（速水 二〇〇三）(5)。またオスマン朝では「長期の一八世紀」には帝国的支配は幾分弛緩したものの、それがかえって地方の郷紳層を主体としたいわば地方の時代を迎えることとなった（永田 二〇〇九）。もちろん、アジアの近世国家についての比較史的検討はこれからの重要課題ではあるものの、一八世紀のアジアは多くの国で経済的な衰退期とされていた旧来の見方には疑問が呈され、近年では経済的繁栄を謳歌していたとする実証研究が増えてきた。いうなれば、アジアの各地では主として小農を中心とした一種の成熟社会が成立したのである。

以上はアジアの近世国家における農村部での変化であるが、近世（初期近代）においては世界各地で新たな都市が開発された。ひとつはユーラシアの近世国家によって形成された都市であり、もうひとつは西ヨーロッパの海洋国家が建設した植民都市である。しかも、このどちらかのタイプにあてはまる都市が現在まで拡大し続け、いわゆるメガシティ（メガ都市）となっている。

メガシティとは人口密集地域の人口が一〇〇〇万人をこえる都市であり、二〇〇七年の時点では一八都市に限られる。この一八都市のうちカイロのみが近世以前に建設されたが、他の一七都市は近世期につくられた。ユーラシアの近世国家が建設した都市としては、東京、大阪、ソウル、上海、ダッカ、デリー、モスクワがある。一方、西ヨーロッパの海洋国家の植民都市としては、マニラ、ジャカルタ、コルカタ、ムンバイ、カラチ、ブエノスアイレス、サンパウロ、メキシコシティ、ニューヨーク、ロサンジェルスがある（村松ほか 二〇一六）。こうした近世に起源をもつ都市が二つのタイプに当てはまることは、当時のユーラシアの近世国家や西ヨーロッパの海上国家の重要性が認識できるとともに、現在のメガシティの大部分を占めるという事実は、近世の経済的な成長が現在まで歴史的な影響を及ぼしていることを思い知らせる。

四、「長期の一八世紀」と近世後期——近代への胎動

自由を求める世界

「長期の一八世紀」が開始されてから一〇〇年が過ぎた一七八〇年代には「長期の一八世紀」後半、すなわち近世後期となる。アメリカ独立やフランス革命を通じて西洋世界において大きな政治的変動が生じた。また、一八〇〇年前後にはイギリス国内で自由貿易を求める運動も展開されたし、あるいは奴隷貿易や奴隷制度の廃止運動も強まった。こうした政治的変動などは一般的に自由を求める人々の行動の結果であり、各種の自由権という基本的人権が確立されることとなった。

もっとも、こうした自由を求める人々の動きは何も西洋世界に限定されたわけではなかった。まさに世界各地が自由を求める時代であった(島田 二〇一八a)。アジアの海の世界では、一八世紀前半にはオランダ東インド会社が絶大な軍事力を誇示し、とくにシナ海地域とインド洋地域を結ぶ貿易ではほぼ独占的な地位を確立していたが、一八世紀後半を通じて、オランダ東インド会社の独占的な地位は大きく崩されることとなった。イギリス系の自由貿易商人やアジアの貿易商人などがアジアの域内貿易に積極的に乗り出した。東南アジアのブギス人のようにオランダ東インド会社からは海賊扱いを受ける一種の商人集団もあったが、いずれにせよ、オランダやイギリスの東インド会社が保持していた独占的な体制が崩壊していく過程は世界各地で見られたのである。

しかし、一九世紀に入り、世界には一挙に新たな体制が生まれたと考えるのは早計である。一八世紀末以後、一八七〇年代まではグローバル化の歴史のなかでは近世後期にあたり、時間をかけてグローバル化が進み、そして一八七〇年代には急激な勢いで新たな段階へと突入した。

グローバルな貿易の秩序は次第に自由貿易を原則とするものとなった。とくに参入の自由が重要視され、アジア各地では通商条約の締結などで自由貿易を明確に規定することが一般的となった。もっとも参入の自由を原則とする自由貿易体制とはいえ、それはイギリス主体で進められた。イギリスは世界各地に植民地ないしは植民都市を築き、グローバルな貿易網の構築に勤しんだ。

しかし、産業革命を経たイギリスが安価なイギリス製綿布を武器として自由貿易促進を唱えたのは事実であるが、安価な綿布が万能なわけではなかった。例えばアヘン戦争後に開放された中国市場も安価なイギリス綿布が幅を利かす市場とはなりえなかったことは広く知られている。次第に植民地化ないしは準植民地化される動きは存在したが、アジアの近世国家が作り上げた成熟した経済システムは容易には変質しなかったのである。また、イギリスは奴隷貿易を一八〇七年に廃止し、さらに奴隷制度自体も一八三三年に廃止したが、世界の奴隷貿易や奴隷制度の全てが廃止されたわけではなかった。抜け道が多数存在したからである。オランダやポルトガルは奴隷制度を継続させたし、年季契約労働者の形に変えることで合法的に安価な労働力の国際的な移動が可能であった。

機械化と化石燃料依存社会の誕生と進展

「長期の一八世紀」における、もうひとつの新たな息吹はイギリスから始まった。産業革命である。しかし、一八世紀半ばから一九世紀半ばにかけて生じたとされるイギリスの産業革命についての評価は、この五〇年以上にわたって大きく揺らいできた。二〇世紀後半、経済史の分野では数量研究が進展し、その結果、イギリス産業革命が革命の名に値するほどの大きな変化であったのかに疑問が呈されるようになった。

産業革命期のマクロ経済指標を推計した各種の研究では、産業革命期イギリスの国民生産の年成長率は最も高い時期でも二%から三%に過ぎなかったことが明らかになった(近藤 一九九八)。この成長率は現在の我々からすると極めて低い数値である。例えば二〇世紀後半における日本の高度経済成長期にはしばしば年成長率は一〇%を超えていた。また、中国では一九八〇年から二〇一〇年にかけて、およそ年一〇%の成長率を維持していた。たしかに年一〇%程度の経済成長が継続すれば、それは革命の名に値する生産の大拡大であったことは間違いない。だが、産業革命期イギリスのわずか数%の年成長率とは、ある意味、イギリス産業革命は数量的にみると存在しなかったも同然であった。しかも、一人当たりの年成長率は一%前後であり、産業革命期の一時期にはマイナス成長であったと示した研究も存在したのであった。このため、一九九〇年代にはイギリス産業革命の評価はかつてないほど低く見積もられるようになった。

こうしたイギリス産業革命に関する歴史的低評価には、一九九〇年代における西洋中心主義の相対化の動きが拍車をかけた。先にも述べたように、一九九〇年代にはアジア経済の台頭が現実のものとなり、近代は西洋から発生したとする西洋中心主義的な発想は以前よりは重視されなくなった。歴史家が描く世界史像も変化してきたのである。かつては新マルクス主義としてウォーラーステインの近代世界システム論は一世を風靡していたが、一九九〇年代には西洋中心主義として多数の批判がなされ、当時、現実のものとなったアジア経済の台頭は近代世界システム論では説明不可能とされた。こうした西洋中心主義への批判が高まる中で、フランクの『リオリエント』が発刊されたのであった。

以上のような状況のなかで、イギリス産業革命の重要性をグローバル・ヒストリー的な手法によって再確認しようとする研究が登場することとなった。一つはケネス・ポメランツ『大分岐——中国、ヨーロッパ、そして近代世界経済の形成』(原著二〇〇〇年刊行)であり、ひとつがロバート・C・アレン『世界史のなかの産業革命——資源・人的資本・グローバル経済』(同二〇〇九年)である。

ポメランツの行った研究は、一八世紀における中国とヨーロッパ、より正確に言えば、両者の経済先進地帯であった長江下流域デルタとイングランドの比較史分析である。しばしば中国史に関する論考と考えられがちであるが、実態としては、中国の先進地帯と対比させることで、イギリス産業革命の重要性を浮かび上がらせることを目的とした比較史分析となっている。ポメランツによれば、一八世紀半ばには両者の地域の一人当たり所得はほぼ同一であり、いうなれば人々の生活水準はほぼ等しかった。どちらの経済も、これまでの分業を伴いながら市場が拡大するという方向性に基づき、スピードは穏やかであるものの一定の経済成長を実現してきた。しかし、このようなアダム・スミス的成長と呼ばれる緩やかな成長を実現しつつも、両地域とも、農地はこれ以上拡大しにくく、またエネルギー源としての森林資源の確保についても限界に近付きつつあった。こうした状況のもと、イギリスだけが旧来型の経済成長路線から大いなる逸脱、すなわち大分岐を実現した。アメリカ大陸を自らの経済圏とし、空間的拡大を実現する一方、化石燃料である石炭を利用し、蒸気機関を通じて機械を動かし、工業化を実現する新たな社会がイギリス産業革命を通じて誕生したと主張した。

アレンの議論もほぼ同様で、とくにイギリス産業革命による機械の発明や石炭という化石燃料の利用の重要性を説いた。結局のところ、ポメランツやアレンの双方に共通する重要な論点は、化石燃料利用型社会の登場である。たしかに、人間は化石燃料という太古から地球に蓄積されたエネルギーを利用し、新たな社会を生み出した。蒸気機関を用いて機械化を行い、安価に製品を生産するという工業化は産業革命の一大特徴として古くから語られてきたが、そもそも蒸気機関を動かす燃料源としての石炭に着目し、化石燃料に高度に依存する社会システムをイギリス産業革命が創出し、この新たな社会システムが現在にまで至る社会の基盤となっていることを改めて認識する必要がある。二〇世紀を通じて石油や天然ガスといった化石燃料も世界では利用されるようになった。そのうえ、大型ダムを建設し、旧来からの水力をさらに大規模に利用することや、原子力を利用することも現在ではなされている。しかし、イギリス産業革命を通じて生み出された化石燃料に高度に依存する社会は、規模が拡大したまま現存し続けている。というのも、原子力や再生エネルギーが活用される現在においても依然として、石炭、石油、天然ガスという化石燃料は現代世界のエネルギー消費の大部分を構成しているからである[図5]。かくして化石燃料に大きく依存する社会の創出こそが、イギリス産業革命をグローバル・ヒストリー的に再評価して得た真実なのであった。

化石燃料依存型社会の創出は単なる経済史上の画期ではなかった。むろん工業化により人々の生活が大きく変化したことはいうまでもない。工場労働者が時間を単位として機械を動かし、安価にして大量に製品を生産する社会が生み出された。遠くアメリカ大陸のプランテーション労働者と同じく、具体的には誰が消費するか分からない商品を製造し続けることになった。こうした工業化によって労働の疎外ともいうべき事態も生じたが、工業化が達成されると人々の生活水準の上昇は明確となり、新たな社会システムを人々は享受するようになった。こうした工場での賃金労働はイギリス産業革命以後、世界にひろがることになった。

さらに、現在に至る工業化の世界的伝播は、化石燃料依存型社会の世界的拡張でもあり、それは現在、グローバルな環境問題とかかわっている。つまり、地球温暖化問題の歴史的起源はイギリス産業革命にあるということである。かくして地球規模の環境史の面からイギリス産業革命はネガティブな意味でも画期であることをポメランツやアレンの研究は示唆しているのである。いずれにせよ、イギリス産業革命によって新たな社会が生み出されたのは世界史上の重要な出来事であったことは間違いのないことが改めて確認されたのであった。

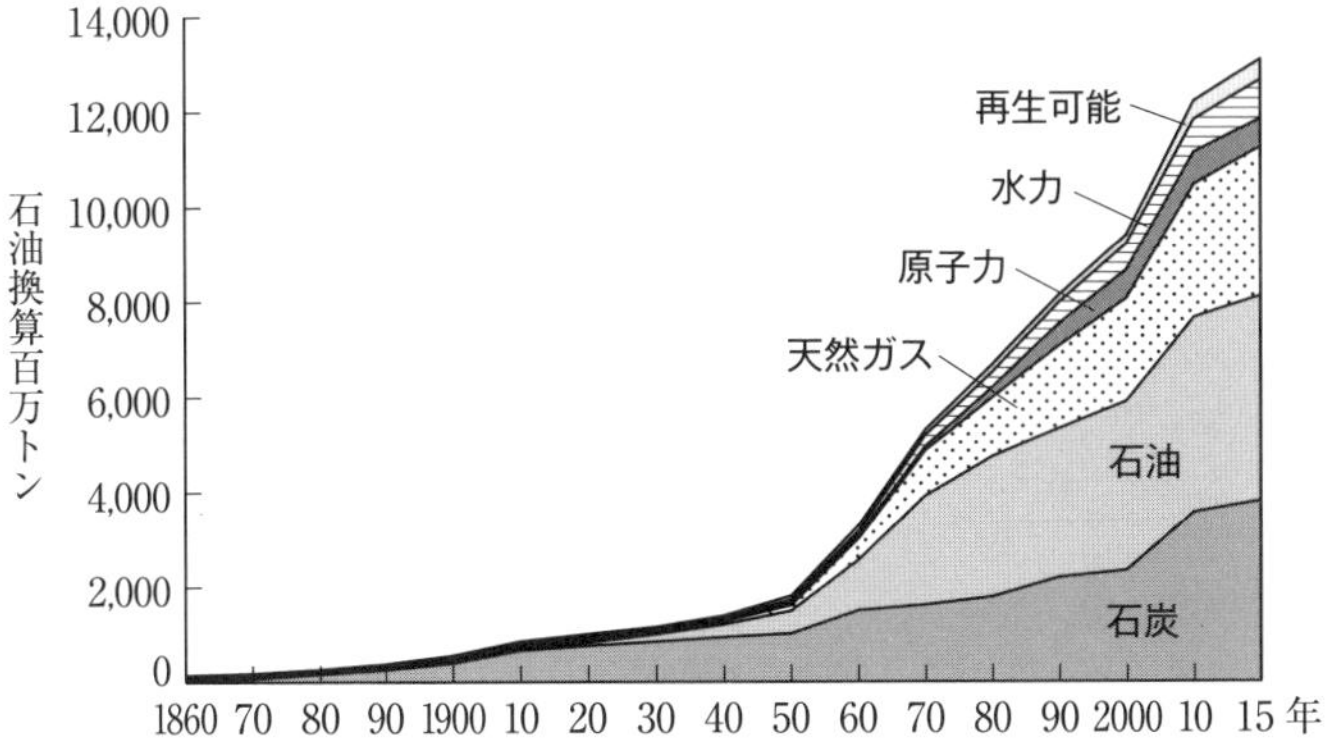

図 5 世界のエネルギー消費の変遷(日本エネルギー経済研究所計量分析ユニット 2017：61)

世界の緊密化

もっとも一八七〇年代に開花するグローバル化の新たな段階に向け、

世界は緩やかなスピードで変化しつつあったことは事実である。蒸気船の開発開始は一八世紀末にさかのぼるが、蒸気船を利用することが商業的に可能となり、そして世界の各地に蒸気船が行きかうようになるには長い時間がかかった。一九世紀前半において世界の海上貿易は依然として帆船が主体であり、季節的な制約を受けていた。しかし、一九世紀後半になると次第に蒸気船の利用が増加していった。

また、一九世紀半ばには、イギリスとヨーロッパ大陸との間で海底電信ケーブルが敷設された。一八六六年には海底ケーブルはアメリカ大陸までつながり、アジアや太平洋地域まで届くのはもはや時間の問題となった(ラークソ 二〇一四、玉木 二〇一四)。人の移動やモノの移動が急速に増大し、グローバルな情報伝達にかかる時間も驚くほど短縮化され、情報量自体も増加することになった。

こうした緩やかなグローバル化が確実に進んだことの証左として、コレラのグローバルな流行を指摘することができる。一八一七年、英領インドのカルカッタ(コルカタ)でコレラが発生し、アジア各地に流行した。いうまでもなく、このコレラの流行はイギリスがアジアで維持した各拠点を媒介にして、国際貿易ルートにしたがって広まっていった(見市 一九九四)。このコレラ流行は「鎖国」時代とされる日本にも朝鮮半島から対馬藩を経由して伝わった(荒野 二〇〇四)。その後、一八二七年にもカルカッタからコレラの第二次パンデミックが発生した。この二回目のコレラ流行はヨーロッパやアメリカ大陸まで到達し、グローバルなパンデミックとなった。以後もコレラはグローバルな規模で流行を繰り返したので、一九世紀半ばから治療方法や検疫方法をめぐって国際的な協力がなされるようになった。一八五一年にパリで第一回国際衛生会議が開催され、以後、一九三八年までに国際衛生会議は合計一四回開かれた。この国際協力は第二次世界大戦後の一九四八年に世界保健機関(ＷＨＯ)の設立につながっていった(永田 二〇一〇)。国際協力というと理想は高いが何やら実現不可能な願望にも聞こえなくはないが、現実的には、この国際衛生の分野では国際協力が進展していったのである。

おわりに

狭義の近代と補完性

一八七〇年前後になると、グローバル化は新たな段階に入った。狭義の近代の到来である。一八六九年にはスエズ運河が開通し、アジア・太平洋地域でも帆船から蒸気船への転換が進むことになった。また、世界各地で海底ケーブルを含むグローバルな電信ケーブル網も整備され、情報伝達の在り方が急速に変わった[図6]。

こうした世界環境の変化のなかで、世界はどのように進んだのであろうか。まず社会制度の近代化という名の西洋化が全世界で推し進められることになった。アジア全般に目を向けると、近代化のなかで植民地化が進展していったといえるだろうが、アジアは意外にも西洋に対して独自の路線を進むことになったことには留意する必要がある。

西ヨーロッパはアフリカ大陸やアメリカ大陸の開発をすすめ、一層、緊密な経済網を構築した。それは西ヨーロッパを中心とした資本集約型の工業化とアフリカやラテンアメリカでの収奪型の資源開発を組み合わせた経済システムであった。一方、アジアでは域内貿易が成長、日本のほか、中国やインドの一部の先進地帯では工業化がなされ、アジア内での競争がなされた。ヨーロッパと北米以外で工業化が成立し得たのである。時を同じくして東南アジアは、工業原料としてのコメの一次産品輸出国として欧米への輸出のほか、アジア各国への食糧供給国としての役割を果たすようになった。東南アジア大陸部、とくにベトナム南部のメコン・デルタ、タイのチャオプラヤー・デルタ、ビルマのエーヤワディー・デルタでは、一九世紀末から二〇世紀前半にかけて、稲作用の農業開発が急速に進展した(加納二〇〇一)。これは、中国やインドなどアジア域内の工業化に伴い、東南アジアが食糧供給地として進化する過程であった。このようなアジアの工業化やアジア域内での国際分業の進展は、一九世紀末になって突如として成立したのではない。近世以来、アジアの域内貿易が進むなど、市場志向型の社会が海域アジア各地で展開され、経済的な合理性を優先するようないわゆる「経済社会」が独自に成立していたことが、一九世紀第4四半期以降のアジア経済の発展の基盤となっていたと考えられる。

付言すると、こうしたアジアの工業化は杉原薫が指摘するように労働集約型の性格をもっていたことは否めない（杉原 二〇二〇）。西ヨーロッパが資本集約的であるばかりか、化石燃料などの資源も収奪的に集中して投入するタイプの工業化を成し遂げたのに対し、アジアでは対極的な労働集約型の経済を構築し、両者は相互に補完してグローバルな経済世界を構築する方向へむかったという。

こうした杉原の見立ては仮説的段階ではあるが、非常に示唆に富む。仮説が示唆することを具体的に考えてみよう。一九世紀半ばから二〇世紀にかけて見られた資本集約的な経済社会と労働集約的な経済社会という西洋とアジアの相互補完性は、今回、検討した近世のグローバル経済を含めると、次のような含意を持つ。およそ一四世紀からの準備期間を経て、一五世紀末から始まる近世を含む広義の近代は、世界が構造化されるプロセスにあった。一見すると、西ヨーロッパで発生した近代資本主義の経済システムが世界に拡張していったように考えがちとなる。とりわけ、イギリス産業革命を経て世界は化石燃料を多用する社会を創出し、それをベースに工業化の道をたどっていったことは否定できない事実である。

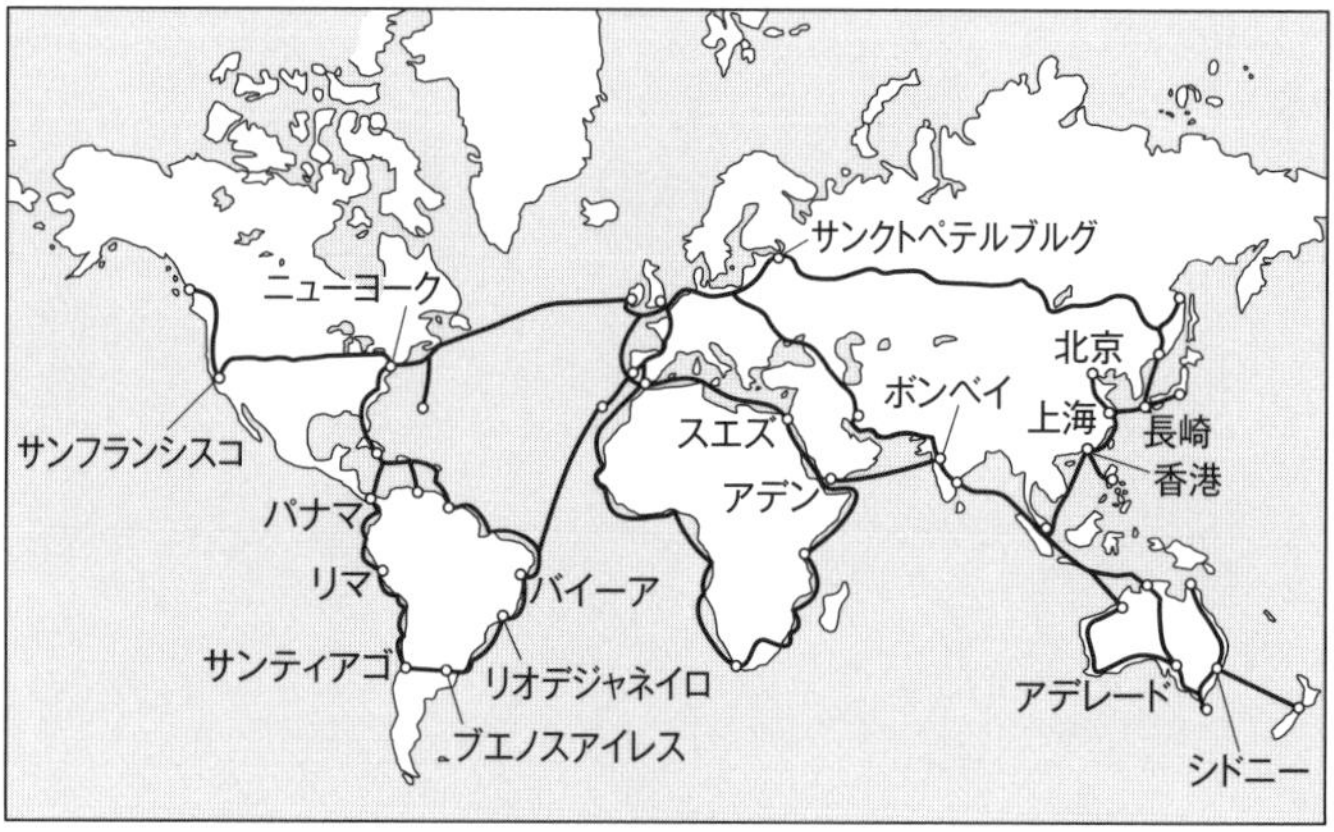

図6　1891年時点の国際電信網（玉木 2014：195）

だが、先述した杉原によるアジア経済史研究の進展があきらかにしたことを含めて考えると、むしろ西洋世界とアジアとは併存し、一見すると、アジアが西洋世界に飲み込まれるように見えながら、実は相互に補完する関係にあった。このことは、なにも狭義の近代に限ったことではない。例えば近世のオランダ東インド会社の活動からも明らかである。近世オランダはヨーロッパ商業・経済の中心であったばかりか、東ヨーロッパからアフリカ大西洋岸、さらにはアメリカ大陸という大西洋経済圏の中心であった。この経済力をベースに、オランダの経済活動はインド洋からシナ海にかけてのアジアとの貿易にも乗り出した。実態としては、アジア域内貿易とヨーロッパ・アジア間貿易を有機的に結び付けることで利益を得たのであった。いわば二つの経済圏の差異から利益を得たのである。こうしたオランダ東インド会社の活動は、イギリスやアメリカ合衆国に引き継がれたが、それもまたアジアと西洋世界という二つのシステムの差異に着目した活動であった。煎じ詰めると、アジアに重点を置くグローバル・ヒストリーが明らかにしようとしていることは、世界はつながり、一体化されつつあるが、実はその一体化のなかに差異があり、相互に補完性があることである。換言すると、世界の多様性がグローバルな経済社会を根本から支えているのである。現在は、仮説的な段階にとどまるが、こうした仮説的見解の下に今後のグローバル・ヒストリー研究の進展が望まれよう。

グローバル・ヒストリーの多様性

現在はアジアを重視したグローバル・ヒストリーがさかんである。アジア史に関する実証研究を多数盛り込み描き出したグローバル・ヒストリー研究は、アジアの歴史的重要性やそれがゆえの二〇世紀後半以降のアジアの「復活」や西洋世界とアジアとの共時的な補完関係を明らかにしつつある。しかしながら、本来、グローバル・ヒストリーの定義に戻れば地球的規模から歴史を考察することがグローバル・ヒストリーなのである。このことを、まるで月から地球を眺める様に筆者はたとえた。

だが、考えてみると、月から地球を眺めると地球の半分しか見えない。つまりどこに立ち位置を定めるかでグローバル・ヒストリーが描き出す歴史像は異なってくる。アジアに力点を置くのではなく、アフリカやオセアニアに力点を置くグローバル・ヒストリーもあり得るであろう。グローバル・ヒストリーは多様であり、人類史をマクロな角度から様々な姿で描写し、我々人類の本源的な疑問、すなわち我々は何処から来て何処におり何処に向かうのかという歴史的問いかけに応えるべく、これからも進化し続けるのである。

本巻の構成

最後に本巻の論文について、その位置づけを概観しておきたい。グローバル・ヒストリー研究は経済史の分野が主導してきたが、現在では、経済史とは異なった視点を重視したグローバル・ヒストリーにアプローチすることが増えてきた。グローバル・ヒストリー研究の多様性であり、グローバル・ヒストリー研究が新たな段階に入ったといえるであろう。こうした状況を踏まえ、本巻の「問題群」の部において、経済史以外の三つの視点から、一四世紀以降のグローバル・ヒストリーを提示する。「一四―一九世紀における「パワーポリティクス」――ポストモンゴルから自由主義的国際秩序までの帝国間関係の変容」(山下範久)は外交や戦争、国際政治などの観点から近世世界の構造化を論じる一方、「宗派化する世界――宗教・国家・民衆」(守川知子)は宗教の観点からの国家と人々の在り方を歴史的に問う。さらに「奴隷たちの世界史」(ルシオ・デ・ソウザ、岡美穂子)は奴隷制度や奴隷貿易に注目し、強制的な労働の在り方についてグローバルな視点から概観するとともに、奴隷貿易という人身売買にともなう「人の移動」という現象も検討し、グローバル化される世界の問題性を浮き彫りにする。これら三つの章は、いずれも近世を中心としながら、現代社会を下支えする歴史的構造の解明に迫る。

「焦点」の部においては、まず「アジア海域における近世的国際秩序の形成――一四・一五世紀の危機と再生」(山崎岳)がモンゴル帝国と衰退から近世の開始という時期の問題を、東アジアを題材にして具体的に検討するとともに、近世とは何かという問題を問う。次いで、「近世スペインのユダヤ人とコンベルソ――グローバル・ネットワークを含めて」(関哲行)と「商品連鎖のなかの西アフリカ――インド綿布と大西洋奴隷貿易」(小林和夫)は近世におけるグローバルな連鎖を、人とモノのネットワークから明らかにする事例研究である。

続いて「東南アジアにおける植民地型政府投資の光と影――一九世紀ジャワ島強制栽培制度下の森林・女性、そして今」(大橋厚子)は、近世後期にいたりグローバルな現象として進行した本格的な植民地化を象徴するジャワの強制栽培制度について、近年の歴史学で注目される環境(森林開発)やジェンダー(女性)の視点を取り入れながら再考察を試みる。一方、「感染症・検疫・国際社会」(永島剛)はグローバル・ヒストリーの重要なテーマのひとつである感染症の問題を取りあげ、最終的には一九世紀における感染症をめぐる国際協力の開始までを検討する。

「焦点」の部の最後の「グローバル・ヒストリーと歴史教育」(矢部正明)はグローバル・ヒストリー研究の成果を歴史教育に生かすための模索と歴史教育の刷新のための記録である。また、本巻には適宜コラムを配し、グローバル・ヒストリーを意識しながら、日々、歴史学にかかわる人々の日常の活動や、その活動によって明らかにされる歴史像の一端を開陳する。

注

(1) なお、マディソンによれば、一人当たりGDPについて、西ヨーロッパが中国を上回ったのは一三〇〇年ごろであったという。このことは、一三〇〇年以前において、中国の生活水準が西ヨーロッパより高かったということを意味する。しかしながら、後述するように、マディソンの一人当たりGDPは彼独特の推測にすぎないことには注意を要する(マディソン 二〇〇四:四七頁)。

(2) グローバル・ヒストリーを厳密に定義すれば、本文で述べたように月から眺めるがごときマクロな研究視角をもった歴史研究ということになるが、現実にはグローバル・ヒストリーと称する研究には、このような厳密な定義に従うことを回避する傾向もみられる。たとえば、グローバル・ヒストリーを扱う国際的な学術雑誌としては*Journal of World History*と*Journal of Global History*がある。前者の雑誌は一九九〇年に、アメリカ合衆国を中心とする一九八二年設立の世界史協会(World History Association)によって創刊され、ハワイ大学出版会が刊行している。世界にグローバル・ヒストリーという用語が本格的に登場する以前に刊行された雑誌であり、特に異文化間接触・交流などを得意とし、掲載される論文は地球全体を覆うようなテーマ設定に限定されているわけではない。一方、*Journal of Global History*はケンブリッジ大学出版会のジャーナルのひとつであり、二〇〇六年に刊行が開始された。グローバル・ヒストリーを標榜するだけに、*Journal of World History*と比べグローバル・ヒストリーの本来の定義に比較的厳密であり、いわば先鋭的で急進的な雑誌となっている。この差異は一九九〇年以降のグローバル・ヒストリー研究の深化を物語るともいえるだろう。また、グローバル・ヒストリー研究は、本来の定義にこだわる場合もあれば、逆に、本来の定義に拘泥せず、旧来の国際関係史なり異文化交渉史といった分野も吸収する場合もあること、つまりグローバル・ヒストリー研究には多様性があることにも留意すべきである。

(3) アジア人研究者によるアジア史研究がグローバル・ヒストリーに新たな視点をもたらすということは、今後、たとえばアフリカ人研究者によるアフリカ重視のグローバル・ヒストリー研究が興隆するなど、立場を変え、新たなパースペクティブを提示する研究が登場することも十分にあり得るだろう。たとえば、南アフリカ人により著されたアフリカを重視したグローバル・ヒストリー研究の一書が近年刊行されている(Fourie 2022)。こうしたことは、歴史叙述におけるポジショナリティー問題(立ち位置問題)に関連する(コンラート 二〇二一)。歴史を叙述する人の立ち位置によって、歴史の叙述は変わってくるのであり、その意味で、グローバル・ヒストリーもまた多様である(羽田 二〇一八)。

(4) ユーラシアの近世国家論として「近世帝国」を初めて論じた山下は一八〇〇年を近世と近代の境界と置いた(山下 二〇〇三)。たしかに西ヨーロッパ史の文脈では一八〇〇年前後を境とすることは普通のことである。しかしながら、グローバル・ヒストリーとしての近世(初期近代)と狭義の近代の境目を考えるとき、とくに人・モノ・情報のグローバルな移動や伝播の視点からグローバル化の進展に着目するならば、一八七〇年頃を境目とした方が良いと思われる。

(5) もっとも、この速水の述べる日本の「勤勉革命」の労働集約性が、労働の質の向上によるものなのか、あるいは単に投入された労働時間が増大した結果なのか、精緻化させる必要がある(斎藤 二〇〇四)。

参考文献

秋田茂編(二〇一三)『アジアからみたグローバルヒストリー――「長期の一八世紀」から「東アジアの経済的再興」へ』ミネルヴァ書房。

アブー＝ルゴド、ジャネット・L(二〇〇一)『ヨーロッパ覇権以前――もうひとつの世界システム』(上・下)、佐藤次高ほか訳、岩波書店。

荒野泰典(二〇〇四)「コレラのきた道――中国・朝鮮ルートの検証」『立教大学日本学研究所年報』三。

アレン、ロバート・C(二〇一七)『世界史のなかの産業革命――資源・人的資本・グローバル経済』眞嶋史叙ほか訳、名古屋大学出版会。

石弘之(二〇一二)『歴史を変えた火山噴火――自然災害の環境史』刀水書房。

ウォーラーステイン、I(二〇一三)『近代世界システム』全四巻、川北稔訳、名古屋大学出版会。

太田淳(二〇一四)『近世東南アジア世界の変容――グローバル経済とジャワ島地域社会』名古屋大学出版会。

大橋厚子(二〇一〇)『世界システムと地域社会――西ジャワが得たもの失ったもの 一七〇〇―一八三〇』京都大学学術出版会。

小川道大(二〇一九)『帝国後のインド――近世的発展のなかの植民地化』名古屋大学出版会。

加納啓良編(二〇〇一)『岩波講座 東南アジア史6 植民地経済の繁栄と凋落』岩波書店。

川勝平太編(二〇〇二)『グローバル・ヒストリーに向けて』藤原書店。

岸本美緒(一九九八a)「時代区分論」樺山紘一ほか編『岩波講座 世界歴史1 世界史へのアプローチ』岩波書店。

岸本美緒(一九九八b)『東アジアの「近世」』山川出版社。

岸本美緒(二〇〇六)「中国史における「近世」の概念」『歴史学研究』八二一。

近藤和彦(一九九八)『文明の表象――英国』山川出版社。

コンラート、ゼバスティアン(二〇二一)『グローバル・ヒストリー――批判的歴史叙述のために』小田原琳訳、岩波書店。

斎藤修(二〇〇四)「勤勉革命論の実証的再検討」『三田学会雑誌』第九七巻一号。

斎藤照子(二〇一九)『一八―一九世紀ビルマ借金証文の研究――東南アジアの一つの近世』京都大学学術出版会。

島田竜登(二〇〇三)「オランダ東インド会社のアジア間貿易――アジアをつないだその活動」『歴史評論』六四四。

島田竜登(二〇一〇)「一八世紀におけるオランダ東インド会社の錫貿易に関する数量的考察」『西南学院大学経済学論集』第四四巻第二・三合併号。

島田竜登(二〇一三)『近世ジャワ砂糖生産の世界史的位相』秋田茂編『アジアからみたグローバルヒストリー――「長期の一八世紀」から「東アジアの経済的再興」へ』ミネルヴァ書房。

島田竜登(二〇一四)「グローバル時代の歴史学――グローバル・ヒストリーと未来をみつめる歴史研究」比較文明学会三〇周年記念出版編集委員会『文明の未来――いま、あらためて比較文明学の視点から』東海大学出版部。

島田竜登編(二〇一八a)『一七八九年 自由を求める時代』山川出版社。

島田竜登編(二〇一八b)『一六八三年 近世世界の変容』山川出版社。

島田竜登(二〇一九)「「長期の一八世紀」の世界」秋田茂編『グローバル化の世界史』ミネルヴァ書房。

杉原薫(二〇〇一)「グローバル・ヒストリーと「東アジアの奇跡」」『環――歴史・環境・文明』六。

杉原薫(二〇二〇)『世界史のなかの東アジアの奇跡』名古屋大学出版会。

杉山清彦(二〇一五)『大清帝国の形成と八旗制』名古屋大学出版会。

スブラフマニヤム、S(二〇〇九)『接続された歴史――インドとヨーロッパ』三田昌彦・太田信宏訳、名古屋大学出版会。

高山博(二〇〇二)『歴史学 未来へのまなざし――中世シチリアからグローバル・ヒストリーへ』山川出版社。

玉木俊明(二〇一四)『海洋帝国興隆史――ヨーロッパ・海・近代世界システム』講談社。

チャンダ、ナヤン(二〇〇九)『グローバリゼーション――人類五万年のドラマ』(上・下)、友田錫・滝上広水訳、NTT出版。

永田尚見(二〇一〇)『流行病の国際的コントロール――国際衛生会議の研究』国際書院。

永田雄三(二〇〇九)『前近代トルコの地方名士――カラオスマンオウル家の研究』刀水書房。

日本エネルギー経済研究所計量分析ユニット編(二〇一七)『図解エネルギー・経済データの読み方入門』改訂四版、省エネルギーセンター。

羽田正(二〇一八)『グローバル化と世界史』東京大学出版会。

速水融(二〇〇三)『近世日本の経済社会』麗澤大学出版会。

フランク、アンドレ・グンダー（二〇〇〇）『リオリエント――アジア時代のグローバル・エコノミー』山下範久訳、藤原書店。
ポメランツ、ケネス（二〇一五）『大分岐――中国、ヨーロッパ、そして近代世界経済の形成』川北稔監訳、名古屋大学出版会。
マクニール、ウィリアム・H（二〇〇七）『疫病と世界史』（上・下）、佐々木昭夫訳、中公文庫。
マディソン、アンガス（二〇〇四）『経済統計で見る世界経済二〇〇〇年史』政治経済研究所訳、柏書房。
見市雅俊（一九九四）『コレラの世界史』晶文社。
水島司（二〇〇六）「インド近世をどう理解するか」『歴史学研究』八二一。
水島司（二〇一〇）『グローバル・ヒストリー入門』山川出版社。
村松伸・加藤浩徳・森宏一郎（二〇一六）『メガシティとサステイナビリティ』メガシティ1、東京大学出版会。
山下範久（二〇〇三）『世界システム論で読む日本』講談社。
ラークソ、S・R（二〇一四）『情報の世界史――外国との事業情報の伝達 一八一五―一八七五』玉木俊明訳、知泉書館。
リード、アンソニー（一九九七・二〇〇二）『大航海時代の東南アジア――一四五〇―一六八〇』全二巻、平野秀秋・田中優子訳、法政大学出版局
ロイ、ティルタンカル（二〇一九）『インド経済史――古代から現代まで』水島司訳、名古屋大学出版会。
Bruijn, J. R. *et al.* (1987), *Dutch-Asiatic Shipping in the 17th and 18th Centuries*, The Hague, Nijhoff.
Chaudhuri, K. N. (1985), *Trade and Civilisation in the Indian Ocean: An Economic History from the Rise of Islam to 1750*, Cambridge, Cambridge University Press.
Crosby, Alfred W. Jr (1972), *The Columbian Exchange: Biological and Cultural Consequences of 1492*, Westport, Greenwood Press.
Fourie, Johan (2022), *Our Long Walk to Economic Freedom: Lessons from 100,000 Years of Human History*, Cambridge, Cambridge University Press.
Ghosh, Shami (2015), "How Should We Approach the Economy of 'Early Modern India'?", *Modern Asian Studies*, 49 (5).
Giraldez, Arturo (2015), *The Age of Trade: The Manila Galleons and the Dawn of the Global Economy*, Lanham, Rowman & Litlefield.
Jacobs, Els M. (2006), *Merchant in Asia: The Trade of the Dutch East India Company during the Eighteenth Century*, Leiden, CNWS Publications.
Parthesius, Robert (2010), *Dutch Ships in Tropical Waters: The Development of the Dutch East India Company (VOC) Shipping Network in Asia*

1595-1660, Amsterdam, Amsterdam University Press.

Roy, Tirthankar (2015), "Economic History of Early Modern India: A response", *Modern Asian Studies*, 49 (5).

Shimada, Ryuto (2006), *The Intra-Asian Trade in Japanese Copper by the Dutch East India Company during the Eighteenth Century*, Leiden and Boston, Brill.

Wallerstein, Immanuel (1999), "Frank Proves the European Miracle", *Review: A Journal of the Fernand Braudel Center for the Study of Economies, Historical Systems, and Civilizations*, 22 (3).

コラム｜*Column*

世界の記憶「オランダ東インド会社文書」と歴史研究

大久保翔平

オランダ東インド会社（一六〇二―一七九九年）が残した多種多様な文書は、他に類を見ず、過去を紐解くための宝庫といえる。会社は、その他の東インド会社に比べて活動範囲が広く、会社にかかわった人々もより多様であったため、相当な厚みの経験や知見が蓄積されているのである。二五〇〇万ページにおよぶ関連文書が、二〇〇三年にユネスコの「世界の記憶」（世界記憶遺産）に選定されたのも頷ける。

まず、会社の活動範囲は、オランダ本国はもとより、アフリカ大陸南端の喜望峰以東、いわゆるモンスーン・アジアの広域にわたった。地域を列挙すれば、現在の南アフリカ、イエメン、イラン、インド、ミャンマー（ビルマ）、タイ、マレーシア、インドネシア、ベトナム、カンボジア、中国、台湾、日本などに貿易拠点や植民都市を有し、各地の政権や社会とかかわった。会社を構成した人々は、ヨーロッパ各地から募られた船員や兵士、商務員、医師、技術者だけでなく、モンスーン・アジア各地出身の船員や兵士、仲介人・通訳、奴隷などであった。これまでも史上初の株式会社として脚光を浴びてきたが、今日では史上初のグローバル・カンパニーとして評価されることも増えている。

オランダ東インド会社文書の特徴には、各拠点が収集した生産、消費、商業、政治、司法、紛争、社会、疾病、気候風土などといった多様な情報を、広い地域にわたってカヴァーしていることがある。それゆえ、モンスーン・アジアの一七・一八世紀に関して、主要な情報源の一つとみなされている。オランダ語に比べれば少ないものの各地の政権や社会で作成された現地語の書簡や記録、翻訳までもが収録されていることにも価値がある。現地語の史料が散逸してしまっている国や地域の場合でも、会社文書を用いることで、当時の歴史を研究できる可能性が飛躍的に高まるのである。

このような背景をもつため、オランダ東インド会社や関連した人物が残した史料は、西洋中心主義的・植民地主義的な視点をそのまま再現することに最大限警戒する必要があるとはいえ、グローバル時代の歴史研究を発展させていくうえで、十分以上のポテンシャルを秘めている。実際、オランダ東インド会社文書と現地語史料、その他のヨーロッパ言語史料を組み合わせるマルチ・アーカイブスの手法を用いた研究が多分野で続々と生み出されてきている。また、グローバル・ヒストリー研究の分野では、ある程度の広域的な空間と長期的変化とを見据えることが重要であるが、約二〇〇年におよぶオランダ東インド会社の貿易や外交、商品、関係をもった競合者・政権などに関する研究テーマを設定すれば、自ずと一

インドネシア国立公文書館の閲覧室（2019年，筆者撮影）

国史や地方史に留まらない展望を描き出すことになろう。

筆者は、調査に赴いたインドネシア国立公文書館の閲覧室で会社のアジアにおける統括機関であった在バタヴィア（現ジャカルタ）東インド政庁の布告集を眺めていた際に、オランダ語とマレー語、福建語で記された法令や証書を発見し、当時のバタヴィアが現代社会に通じる多言語・グローバル都市であったと感じ入ったことがある。同時に、そうした社会状況を反映した様々な史料に目を通すと、当時の人々も現代と同様に、目の前の課題や利害に直面し、問題解決や利益追求に奔走していたという親近感を得ることもできた。

ところで、オランダ語を中心にヨーロッパ・アジア諸語を内包する文書群は、オンライン公開も進み、グローバル時代に対応してきている。まず「世界の記憶」に指定された関連文書は、現在インドネシアとインド、スリランカ、南アフリカ、オランダの文書館に分散して所蔵され、「世界の記憶」以外にも、マレーシアやイギリスなどの文書館・図書館に関連した文書がある。一方、インドネシア国立公文書館のウェブサイト（https://sejarah-nusantara.anri.go.id）は、同館が所蔵する豊富な史料の一部として、東インド政庁の決議録や日誌、地図等をデジタル公開している。さらに、オランダ国立公文書館のウェブサイト（https://www.nationaalarchief.nl）は、会社関連文書のほとんどを公開するだけでなく、一部の史料には手稿認識技術（HTR）を用いて、転写テキストも公開し全文検索を可能とした。膨大な史料の山から必要な情報を探す際に、地名や人名、事項等を検索できる恩恵は計り知れない。将来的には、史料の画像と転写テキスト、AIが処理した各国語への翻訳などを、並列して検討できる日も遠くないと予感させる。

もちろんIT技術の精度やデジタル化されない史料の問題もあり、自宅で完結する研究に寂しさを覚える向きもある。しかし、研究環境や境遇によっては現地調査に赴ける「贅沢・幸運」を誰もが享受できるわけでもないし、実際にコロナ禍で露呈したような障害で渡航が制限されることもある。現地調査の利点はこれまで強調されてきたとおりだが、ここでは敢えて誰しもオンライン上で歴史文書にアクセスできる時代の到来を推したい。デジタル・アーカイブの整備は、世界中の人々に「世界の記憶『オランダ東インド会社文書』」を閲覧できる機会を与え、文字通りの世界記憶遺産にふさわしい普遍性を生んでいる。こうしたデジタル・アーカイブの利用を加えることで、世界はもとより蘭学の伝統を持つ日本でも、さらなる研究の進展が期待されるのである。

問題群 | *Inquiry*

一四―一九世紀における「パワーポリティクス」
――ポストモンゴルから自由主義的国際秩序までの帝国間関係の変容

山下範久

一、初期近代／近世の再考

本稿には二つの大きなテーマが与えられている。ひとつは一四―一九世紀という長い時間の括りのなかで世界史を俯瞰すること、もうひとつは「パワーポリティクス」という、さしあたって「戦争」や「外交」といった事象にかかわる次元において歴史横断的な視座を提示することである。本節ではまず前者について、特に「初期近代／近世」との関係で前提を整理し、次節で後者について本稿のアプローチを説明して、三節以降の本論に進む。

世界史の歴史記述のなかで一四―一九世紀というきわめて長い時代が一括りにされることは普通ない。一般的な括り方で最も近いのは一五―一八世紀を「初期近代」とする場合であろう。それは、従来的な世界史記述の枠組みにおいて、近代をゴールとして、ヨーロッパが他の地域から分岐していく過程を前景化させる。

一般に「パワーポリティクス」が主題化する「戦争」や「外交」といった事象を、そうした「初期近代」の枠組みに置けば、イタリア戦争を契機とする「外交の誕生」や三十年戦争の結果として出現した「ウェストファリア体制の成立」に象徴される近代的国際システムの形成と拡大のナラティブが浮かび上がる。そういったナラティブに浸潤しているヨーロッパ中心主義への批判はすでにクリシェであるが、替わる世界史記述の枠組みの不在ゆえに(あるいはそもそも世界史記述の枠組みなるものへの不信ゆえに)、むしろ隠然と私たちの歴史意識を支配し続けている。(1)

そうしたヨーロッパ中心主義的歴史記述に対するオルタナティブなアプローチのひとつの典型は、「初期近代」を西洋史の文脈からグローバルな文脈にひらき、ヨコの連続性を強調するものである(この場合、英語では early modern という同じ表現であっても日本語では、ゴールとしての(ヨーロッパ的な)近代を前提とする「初期近代」という言い方よりも、中世および近代とは異なる自律的な時代区分としての「近世」という言い方のほうが好まれる)。一五―一八世紀のヨーロッパ世界と非ヨーロッパ世界のあいだに緩やかな共通のベクトルを見る議論の最も早い例のひとつは、ジョセフ・フレッチャーの「統合的な歴史」論文であろう(Fletcher 1985)。同論文でフレッチャーは、「近世」のユーラシア世界に七つの並行現象があると指摘している。すなわち①人口増加、②「テンポ」の加速、③リージョナルな都市の成長、④都市の商業階級の台頭、⑤宗教復興と伝道運動、⑥農村反乱、⑦遊牧民の没落の七つである。もちろん、たとえば清代を通じて中国では顕著な人口増加があったのに対して、江戸時代の日本では人口は一七世紀に急増後、三〇〇〇万人規模で安定しており、ここで挙げられている共通のベクトルの共通度合いはラフなものであるが、「近世」にグローバルな同時代性を見ることで、「ヨーロッパの奇跡」(ジョーンズ 二〇〇〇)を構成すると考えられている変数が必ずしもヨーロッパに固有ではないことが示されれば、その分だけヨーロッパ例外主義は相対化される。

こうした同時代性への着眼は、近年、気候変動との関連で議論の深化がみられる。すでに一九七八年には、ジェフリー・パーカーが、レスリー・スミスと共編で『一七世紀の全般的危機』(Parker and Smith 1978)を刊行し、ホブズボーム やトレヴァー＝ローパーらが西欧における資本主義の形成過程の文脈で概念化した「一七世紀の危機」を、小氷期と結び付けてグローバルなものとして捉え返す視座を提示していた。その後、温暖化問題への関心の高まりに後押しされた気候学の研究の進展とともに、一一世紀から一三世紀前半の中世温暖期と一六世紀後半から一八世紀にかけての小氷期を大きな枠組みとして、さらに小氷期のなかでの相対的な温暖期と寒冷期の交替を変数として、ユーラシア大陸の様々な地域における気候変動が歴史に与えるインパクトについての個別研究の蓄積が進んだ。ユーラシア大陸の東西での「奇妙な並行性」(Lieberman 2003)を論じたリーバーマンの議論もそうした潮流のなかにある。パーカー自身も二〇一三年に、『グローバル危機――一七世紀における戦争、気候変動と破局』(Parker 2013)を著し、気候変動が世界規模での一七世紀の危機の大きな要因であることを再度強調しつつ、一七世紀の諸危機が気候要因と社会経済的、政治的、文化的要因の複合で生じたものであると論じており、そのことが地域による危機の現れ方、それに対する対応、そして結果として形成された社会制度の違いを生んでいることに焦点が当てられている。

「近世」のグローバルな同時代性に関しては、気候変動のように基盤となる条件の共通性に着眼するものだけではなく、むしろ交通によるヨコのつながりに着眼するものが研究の潮流を牽引してきた。いわゆる「大航海時代」は、まさに「初期近代」におけるヨーロッパと他の地域との交通関係の拡大・変容への着眼を表現するものである。しかしかつては、I・ウォーラーステインの近代世界システム論に典型的なように、「初期近代」のヨーロッパにおける資本主義の形成は、むしろヨーロッパ世界内部のステープル(日用品)の分業の枠内で生じたものとされ、ヨーロッパとそれ以外の地域とのあいだの貴金属や奢侈品の交易は、初期近代のヨーロッパにおける「システムとしての資本主義」の再生産にあずからないものとして捨象されてきた(ウォーラーステイン 二〇一三：特に第六章)。

これに対して「近世」の同時代性に注目すると、グレゴリー・クラーク(二〇〇九)やケネス・ポメランツ(二〇一五)らが指摘するように一八世紀に至るまでヨーロッパとその他の地域における経済社会の発達には大きな量的差異がみられない。むしろアンドレ・グンダー・フランク(二〇〇〇)が強力に論じたように、ヨーロッパ人は、新大陸から掘り起こした銀がなければ、彼らが求めるアジアの物産へのアクセスを確保することができなかった。デニス・O・

フリンとアルトゥーロ・ヒラルデスは、論文「グローバリゼーションは一五七一年に始まった」(Flynn and Giráldez 2006)で、銀を一種の国際決済通貨とする域間交易の連鎖が、アカプルコ・マニラ航路の成立によって地球を一周するようになった一五七一年をもって、グローバル化元年とする見方を打ち出している。グローバルな「近世」においては、ヨーロッパにおける資本主義の形成よりも、交易を通じた世界の一体性のほうが基底的なリアリティとなる。

もちろん、気候変動という共通の条件が、単一のグローバルなリズムを刻むわけではないのと同じように、交易を通じたヨコのつながりが、完全にフラットなグローバル・エコノミーを意味するわけでもない。むしろグローバルなヨコのつながりは実体としては、リージョナルなシステムの連接で構成されており、さらにまたそのリージョナルなシステム自体も——二〇世紀以降の国際システムが少なくとも形式的にはナショナルな主権国家という斉一的なコンポーネントから成るのとは異なって——異種混淆的に構成されていることのほうが常態である。サンジェイ・スブラフマニヤムが『接続された歴史』(スブラフマニヤム 二〇〇九)で描いたように、コミュニケーションが、相互理解というよりもむしろ暗黙に半ば誤解であることを相互に了解しあうなかでの関係の継続に近い状況では、つながりは一元性ではなく、むしろ多元性の表出にほかならない。

このように、「初期近代」という時代区分を、グローバルな「近世」へと開いて、ヨーロッパ中心主義を脱しようとする過去半世紀ほどの歴史学の流れは、ヨコの連続性に沿って従来の枠組みを置き換え、そのうえで地域ごとの偏差をどう位置付けるかという課題へと向かうようになった。その課題は、従来「ヨーロッパの特殊性」と括られてきたものを、同時代的な共通性の上での偏差としていかに捉え返しうるかと言い換えてもよいし、単につながりの有無やフローの量だけではなく、むしろつながりやフローがどのように管理・規制されているか、体制や制度の質を問う問題にシフトしたと言い換えてもよい。あえて古風に言えば、比較「文明」論的アプローチの再導入ともいえる。

一五世紀から一八世紀を世界史的な視野からひとつの時代として輪郭を与える議論の古典であるフェルナン・ブロ

ーデルの『物質文明・経済・資本主義』(ブローデル 一九八五)は、近世の社会を構造的に捉える枠組みとして「三階建て」のモデルを提示していた。すなわち、まず所与の地理的条件において自然のシステムと社会のシステムとのあいだで形成される物質生活のかたちの層である「物質文明」の一階、つぎに価格メカニズムに従って行動するミクロなアクターが織りなす「経済」の二階、そしてその上にさまざまな権力(パワー)と結びついた巨大なアクターが跋扈する「資本主義」の三階があるというモデルである。主に経済史に牽引され、同時代的な条件の共通性と地域をまたぐフローの連続性を強調する「グローバルな近世」論は、このモデルでいう二階を中心に上下の階の二階と接する部分に関心を集中させる傾向があった。これを右に述べた意味で比較「文明」論的に開き、多元的な地域間の偏差に関心を向けるならば、一階と三階、言い換えれば一方で技術環境を含む物質代謝の体制と他方で規範構造を含む政治体制とに着眼を広げていく必要があるであろう。

つまりいったんヨコに(空間軸方向に)開かれた「初期近代」/「近世」を、一四世紀から一九世紀という期間を設定することでさらにタテに(時間軸方向に)開きなおそうというとき、グローバルな「初期近代」/「近世」のヨコのつながりが主にブローデル的な意味での「経済」に照準して描かれてきたことを踏まえると、それをタテに開きなおすにあたっては、その外側である技術環境と規範構造に照準すべきことが示唆されるということである。その枠組みのなかで「パワーポリティクス」がいかに捉え返されるか、そのために採られるアプローチについて次節で述べる。

二、帝国が並存する世界とそれを記述する言語

本稿において「パワーポリティクス」の語はきわめて緩い意味で用いられている。そもそもこの語をテクニカルタームとする国際関係論において、「パワーポリティクス」は主権国民国家からなる「国際関係」を前提としているが、

そのような「国際関係」は本稿の時間的射程である一四―一九世紀のほとんどの部分において不在である。

ただそうした狭義の「国際関係」を緩めて捉え、複数の高次の政治的権力が、実力の行使を含んで互いに「国益」――当然ここでいう「国」を単純に主権国民国家のイメージで捉えることはできないが――を追求する闘争的・戦略的な過程に着眼して、一四―一九世紀の世界を見ることはもちろん可能である。その際にひとつの有力な視点となるのは帝国である。イギリス帝国史家であるジョン・ダーウィンは二〇〇七年に刊行された『ティムール以後』(ダーウィン 二〇二〇)において、ティムールが没した一四〇五年を世界史のひとつの象徴的な画期として、四つのことを指摘している。すなわち第一にユーラシアの東西にまたがる統一帝国の試みの終焉、第二に遊牧帝国から定住国家へのパワーバランスの移行、第三に「旧世界」の重心の極東および極西へのシフト、そして第四に遠隔地交易の主要ルートの陸から海へのシフトである。その結果、「ティムール以後」の世界史は、複数の帝国が①グローバルな連関のなかにおかれ、②とりわけヨーロッパの帝国が拡張的で特殊な役割を果たしつつ、③他の地域の帝国がヨーロッパの拡張に対するレジリエンスを示すような帝国間関係をベースとするようになったという視角を打ち出している。

ユーラシアの東西にまたがる統一帝国の建設というティムールの野望は、モンゴル帝国のプロジェクトを引き継いだものである。遊牧帝国によるユーラシア世界全体の統一の終焉という観点から、モンゴル帝国の解体を世界史の大きな画期と見る議論は、古くは岡田英弘(一九九九)やジャネット・アブー＝ルゴド(二〇二二)から、森安孝夫(二〇一五)や杉山正明(二〇一〇)のような日本の中央ユーラシア史学の学統、最近では岡本隆司(二〇一八)などが、それぞれ異なる立場から互いに重なり合う指摘をしているが、ダーウィンの主張が本稿にとって示唆的であるのは、モンゴル帝国のプロジェクトが挫折したことで、世界が複数の帝国の並立状況を常態とするようになったということである。もちろんすぐ後で述べるように、ここでいう「帝国」は歴史横断的に普遍的な概念であることを前提とするものではない。したがってダーウィンに拠って一四世紀以降の世界を「帝国間関係の時代」と性格づけたとしても、なにか斉一的な「帝国」を単位とする帝国間関係によって、一四世紀以降の世界史全体をモデル化できるわけではない。だが、帝国の多元性・多様性に注意を払いつつ、競合する政治的な共同体の利益の顕在的・潜在的な暴力による調整の過程としての「戦争」や「外交」をひとまず帝国間関係の地平にひらいて捉えるアプローチは、一四―一九世紀の世界における「パワーポリティクス」を描く導入的な枠組みとはなるだろう。

そしてこの枠組みに、前節で述べた技術環境と規範構造への照準が重ね合わされる。前節では、「初期近代」／「近世」を一四―一九世紀というより長期の文脈におく際に、技術環境と規範構造とが重要な照準先となることが示唆されると指摘した。技術環境と規範構造への照準が具体的に何に目を向けることを意味するのかを考えるとき、まず指摘できることは、両者がいずれも大規模な暴力の動員の条件として作用するということである。

技術環境への照準とは、かみ砕いて言えば、人間とモノ、あるいは社会のシステムと自然のシステムの界面に着目するということである。その界面にはたとえば、寒冷化のインパクト、移動手段の変容、エネルギー技術の進展といったような変数が浮かび上がる。そしてグローバルに広げた視野を一四―一九世紀に伸ばした時間軸で見れば、そういった変数が、遊牧民の盛衰、ランドパワーとシーパワーの角逐、グローバルな技術競争と資源としての世界の分割といったような「パワーポリティクス」的事象を前景化させる。

他方、規範構造に照準するということは、戦争や外交がむき出しの力の衝突や均衡ではなく、何らかの正当性の理念によって統制されている、その統制の枠組みに注目することである。それはたとえば「戦争」がいかに始められ、遂行され、終わらせられるかとか、どのように取り交わされた約束が拘束力をもつのか、約束が破られた際にどのような代償が求められるのかとかいったことをもちろん含むが、より根底的には、そもそも「戦争」とは何か、他の暴力とどのように区別されるのか、そしてその「戦争」との関係で他の概念――国家や主権、国交や通商、反乱や内戦、征服や保護、革命やパルチザン――がどのように意味を定められるのかといった概念体系への問いにさかのぼる。

今日、「戦争」をめぐる概念体系は、慣習法と条約を法源とし、もっとも基盤的な条約法として国連憲章に立脚する国際法をベースとしている。そしてその国際法は一般に近世以降のヨーロッパ国際法の発展の延長線上に理解されている。もちろんたとえば、その国際法体系の礎石にあたる「主権」の概念とその変容を問おうとするとき、それが埋め込まれているヨーロッパ的文脈を無視することはできないが、すでに述べた通り、一四─一九世紀という時間的枠組みのなかでは、それら諸々の「パワーポリティクス」的概念の系を、現代の国際法の前提である主権国民国家間システムの枠組みの意味合いのまま無造作に過去に当てはめることはできない。

技術環境の水準の分析が、物理的な次元では空間を横断する分析をむしろ容易にするのに対して、規範構造の水準の分析は、それが言語的秩序、つまり文化に埋め込まれているがゆえに、タテに伸びる系譜学的分析を促す反面、文明圏をヨコにまたぐ分析のためには、慎重な翻訳の手続きを経なければならない。さらにいえば技術環境を構成するモノの秩序も実際にはある種の言語であり、その側面においては、やはり同じ手続きを要する。

いずれにせよ、政治的な共同体の間における潜在的、顕在的な暴力の動員をともなう(モノまで含めた)相互関係の過程を、文明圏をまたいで通歴史的に記述することのできる十分に普遍的な言語は、あらかじめ用意されたようなかたちでは存在しない。またそうした言語自体の再構築はもとより本稿の射程を大きく超える。しかし、しばしば主権国民国家(とそれによって構成される国際関係のモデル)のネガに置かれてきたことに照らして考えて、さしあたって「帝国」を足掛かりとしつつ、それを所与の歴史横断的な単位としてではなく、むしろそれぞれの文脈におけるさまざまな関係の渦が成す場として捉え返すことを出発点とすることはできよう。

そうした作業にヒントを与える取り組みはすでにある。たとえば、デイヴィッド・アーミテイジの『〈内戦〉の世界史』(アーミテイジ 二〇一九)は、ラテン語の bellum civile にさかのぼって「内戦」概念を系譜学的に分析し、ローマに由来するこの「内戦」という語が、近世のヨーロッパにおける主権概念とその系(君主政/共和政、国際法と戦争、革命など）の構築に際してどのように想起され、異なる意味価を与えられて政治の言語のなかに位置付けられたか、そして一九世紀から二〇世紀にかけて、民族自決の規範の適用範囲がグローバルに拡大するなかで、いかに内戦が国際人道法のもとに統制されるようになり、そしてアジアやアフリカに内戦が広がって、さらには「グローバルな内戦」という概念が現実化したかを描いている。

そもそも「帝国」の概念はラテン語の imperium に由来し、この語の意味価の変遷も、あるていど「内戦」のそれと文脈を共有している。ゆえに「帝国」の語を用いる際に、そうした系譜学的な視点を意識することはまず重要である。くわえて今日において日本語で世界史を記述する際に「帝国」と呼ばれているものが、それぞれの時代や地域において必ずしも「帝国」（ないしは「帝国」を訳語とする語）と呼ばれていたわけではない。したがって単に系譜学的な視点だけではなく、広域的な交通や関係のなかでの高次の権力についてフラットな視点に立つことが同時に要請される。

こうしたフラットな視点をいかに確保するかについてはやはり西洋史の外部の視点が有益である。日本近世史の松方冬子は、「外交」の概念をめぐり、前近代の外交史の見方が、「対等」な「国家」間関係を基礎とした「国際関係」を規範とする枠組みに縛られていることを批判し、たとえば外交官外交か国書外交か、外国人や国際取引を律するものは条約か約条と契約か、貿易からの収奪は関税か礼物かといった、広い意味での外交を構成する複数の要素について、「外交官外交」、「条約」、「関税」というヨーロッパ近代的な組み合わせを規範視することが、前近代におけるそれ以外の外交における諸要素の組み合わせの多様性を不可視化し、東アジアのケースでは、前近代の外交関係を一様に（条約体制のネガとしての）「朝貢体制」などのラベルで塗りつぶしてしまう帰結を招いていると述べている（松方 二〇一九）。一種のオリエンタリズムである。また松方は、日本語で世界史を記述する際、たとえば「国」という言葉は、漢語の「国」の文脈と和語の「くに」の文脈をあわせもつばかりでなく、英語やフランス語、ドイツ語の翻訳語としての文脈にも埋め込まれており、そこでは英語でいう country（土地）、nation（人々）、state（偉い人たち）、power（権力）、

domain（領地）といった複数の意味内容が含まれるとも論じており、一見十分に抽象化されているように見える概念語の背後にある複数の系譜的文脈をふまえて、そうした概念語を開き、歴史記述の言語自体を、拡張ないしシフトさせる必要があることを指摘している。(2)

以下の本論では、「帝国」という言葉のタテヨコ双方向の文脈に留意しつつ、気候や技術などのモノの水準と正統性や法などの規範の水準に特に照準することで、一四―一九世紀という長い時間的枠組みにおける「パワーポリティクス」の構造的変容を跡付ける。

三、一四世紀の危機とグローバルな交通空間の変容

一〇世紀に始まる中世温暖期は、中央アジアの寒冷地における草原地帯の回復・拡大によって遊牧民の活動を活発化させる一方、ユーラシア大陸各地の定住農耕地域における農業生産力もおおきく底上げした。主たる伝染病は相対的に収束しており、技術（特に鉄器）が進歩し、制度革新の基礎が敷かれて、人口と経済生産が安定的に成長する時期が続いた。西ヨーロッパでラテン・キリスト教世界が再生するのと並行して、アジアでは宋朝、チャンパー、大越国、アンコール朝、パガン朝および南インドのチョーラ朝などが台頭し、それらのあいだの交易が盛んになって個々の交易圏が連接し統合された交易の世界システムが生まれた。モンゴル帝国は、遊牧民の軍事力のもとに交易ネットワークを収め、農耕社会の征服を推し進め、それを完成させることで、この「一三世紀世界史システム」（アブー＝ルゴド）に、ひとつの帝国としてのかたちを与えた。

この中世温暖期の帰結としての一三世紀世界システム＝モンゴル帝国は、つづく小氷期に大きな転換を迎える。寒冷化や天災の頻発、疫病の流行、そしてモンゴル帝国自体を含むユーラシアの諸社会の崩壊、すなわち一四世紀の危

機である。ブルース・キャンベルは著書『大遷移』(Campbell 2016)において、その危機の過程を「大遷移」(Great Transition)と名付け、三期に分ける分析を提示している。まず第一期は一二六〇／七〇年代―一三三〇年代である。ウォルフ極小期に重なるこの時期、北半球で気温が低下し、エルニーニョ現象が頻発して南北アメリカで降雨量が大幅に増し、循環パターンがほぼすべての地域で不安定化して、異常気象と連続的な大凶作がユーラシア大陸全体に経済的混乱をもたらした。異常気象はそれ自体農業生産におおきな損害を与えるが、疾病の拡大、特に羊疥癬や牛疫などを通じてさらに経済に大きな影響を与え、経済の縮小と疾病の拡大は、戦争へとつながった。

つづく第二期(一三四〇年代―七〇年代)をキャンベルは「大遷移」の最も重要な転機としている。すでに第一期に中央アジアで発生していたペストはこの時期にヨーロッパ全域に拡大した。一三四〇年代までに軍事的な緊張は深刻さの度を増し、イタリアと、今やイスラーム化していたイル＝ハン朝やキプチャク＝ハン朝との関係は急速に悪化して、一三四三年にはモンゴル軍がカッファにあるジェノヴァの重要な港を包囲した。またモンゴルのキプチャク＝ハン朝とイル＝ハン朝の抗争や一三四七年のエジプトのマムルーク朝による小アルメニア王国の征服など、軍事的な抗争と衝突が交易ルートを寸断し、それによって東西交易は大幅に縮小した。戦争はヨーロッパ内部でも激化し、イタリアでは都市国家間の戦争が頻発して、イングランドとフランスの間でいわゆる百年戦争が勃発した。戦争は必然的に略奪や海賊行為などを伴う一方、課税は徴発の負担の増加によって、さらに経済を荒廃させた。ヨーロッパではこの状況にペストが襲いかかり、結果として人口の激減が生じた。第一期に始まった経済の縮小、疾病の拡大、戦争の増加の三つ組が互いに互いを強め合って、それが社会のありかたをシステミックなレベルで変えたのである。

一三七〇年代―一四七〇年代にかけての第三期は「長い衰退」と性格づけられている。特にヨーロッパについて言われることの多い人口減によるさまざまな資源制約の緩和や生存者にとっての機会や権利の増大は、この時期には一般に言われるほど広範にみられたことでも、持続的なものでもなかった。一四世紀後半にいったん寒冷化は緩んだが

(チョーサー極大期)、同世紀末からのシュペーラー極小期に再び寒冷化が進み、一五世紀後半まで気候的・疫学的要因と商業的・経済的要因とが互いに結びついて社会経済的停滞が続いた。具体的なメカニズムには地域ごとの偏差がありながらも、この傾向はユーラシア大陸の西と東で並行して生じていたことである。

実質的に二世紀に及ぶ社会生態系の混乱は、中世温暖期に機能していたレジリエンスを破壊した。その結果、一五世紀末からの気候的・疫学的・経済的な「回復」は、もはやもとのシステムへの回帰ではなく、新たな均衡、つまり縮小し、内向化した状態を前提としたところから技術革新や制度構築、交通空間の再編をもたらした。ヨーロッパであれば、地中海から大西洋に交通の重心が移る中での艦船建設や航海術の進歩などの技術進歩、貴金属の不足を補う信用制度の拡大、絹、綿、砂糖、香辛料、陶磁器などのアジアの物産の「輸入代替」の進行によって、カリブ海地域を中心にアメリカ大陸の沿岸部を含めた「ヨーロッパ」世界＝経済が凝集した。中国では、明朝が当初、貨幣使用の抑制と海禁という文字通り内向的な姿勢を打ち出した。そこからの「回復」は、交易によって流入する(日本産および中南米産の)銀に依存する商業経済の拡大と遠征を通じた朝貢貿易の拡大を経て、最終的に海禁政策の廃止というかたちをとった。ティムール帝国は、「大遷移」以前の「世界征服」を志向するモンゴル帝国の理念を引き継いではいたが、その野望はティムールの死をもって短期間で潰え、ユーラシア大陸の中央部には、トルコ、インド、ペルシアなどに帝国が並び立つ状況が現れた。総じていえることは、一四世紀の危機、あるいは「大遷移」は、それを境として統一的な世界帝国によるグローバルな一体化の時代から、複数の帝国の並存割拠が常態である時代への転換をもたらしたということである。

前節に強調したように、ここでいう帝国は、近代国際体系における主権国民国家のような(共通の法的形式の基礎に立つ)斉一的な単位ではなく、個々の帝国はそれぞれの文脈に存立しつつ、事実のレベルで並存しているにすぎない。ここで二つのことが確認されねばならない。第一に、この事実のレベルでの帝国の並存状況は、オスマン帝国や清朝のような帝国が近代的国際体系(「万国公法」)の秩序に入り、レーニンやウィルソンを経て民族自決が国際秩序の普遍的文法となる一九世紀後半から二〇世紀前半の時期まで完全にはなくならないということ。第二に、帝国の並存が事実のレベルである(規範的枠組みの明示的な制度がない)ために、その並存のあり方を統制する様式は、帝国間の交通量におおきく左右されるということである。さしあたって、「大遷移」から近代国際体系までの時代としての一四—一九世紀の間に、この事実のレベルでの帝国の並存の様式は、相対的に帝国間の交通量が限定的であり、個々の帝国の論理によって一定の均衡を保つ局面(一七/一八世紀まで)、技術環境の変化をともなって帝国間の交通量が増し、帝国の並存状況が力動化して規範構造の変容が始まる局面(一八/一九世紀)、そして近代的国際体系による「パワーポリティクス」の文法の書き換えが生じ、帝国が非正統化される局面(一九/二〇世紀)に大きくわけられよう。それぞれの局面において、今日の歴史記述において一般に「国家」と名指されているものの外延がどのようなものであるか、それら「国家」間の平時の交通が、広い意味でどのような制度のうえに統制されていたか、そして(特に「国家」との関係で)どのように戦争が概念的・規範的に統制されていたかが、論点となる。

四、近世的な地域秩序の形成

中世温暖期を条件にウマを主要な交通技術として遊牧民と商人のネットワークが切り開いた大交通空間は、小氷期の「大遷移」を経て再編成されることとなった。一五世紀末から諸地域における「回復」は、各地域の自律的な経済圏の再構築とともに、並行的な帝国の建設となって現れた。ティムール帝国の崩壊のあとには、オスマン帝国、サファヴィー帝国、ムガル帝国が鼎立した。東アジアには明朝が成立した。そしてロシアでは、モスクワ大公国がキプチャク＝ハン国から自立してツァーリズムへと歩みを進めた。

従来的な歴史記述のなかでは、これら求心力の高い諸帝国の建設と対照させるかたちで、ヨーロッパでは「多くのバラバラの管轄区域が、それぞれの支配者・軍隊・法律・財政制度とともに存在していて、同時に、その全てが生存のために競争をくりかえす一つの…文明」(ダーウィン 二〇二〇：上巻一五一頁)が形成されたことが強調される。すぐ後で、本節の主題として述べるように、この対照は相対化して捉えられる必要があるが、それに先立って確認すべきことは技術環境の変化、すなわちウマから船への遠距離交通の技術前線のシフトと火力兵器の発達による遊牧民の軍事的優位の減殺である。

すでに宋代、特に元代からジャンク船による海上交通は盛んであり、またダウ船によるインド洋の交通も古くから盛んであったが、一五世紀以前において、より強くパワーと結びついていたのはウマを基盤とする陸上交通であった。だが「大遷移」後の回復は、社会経済が縮小するなかでの代替の努力からの再構築であり、特にヨーロッパにおいては、貴金属の不足に対して信用やその他の金融手段を拡大するといった対応とともに、遠距離交易によって入手していた物産をより容易に入手できるルートの開拓というかたちで進められた。その際、「大遷移」の過程で蓄積が進んだ造船技術や航海術(海図の発達と羅針盤の使用)などの技術革新は、そうした新たな商業圏の構築の方向性に作用した。他方、火力兵器の発達によって遊牧民の軍事的優位が減殺されたことによって、陸上交通に基盤をおいたユーラシア規模の超広域的なシステムの再構築のモメントは弱まった。こうしたいわゆる「長い一六世紀」(一四五〇年頃—一六四〇年頃)における交通空間の(再)拡大は、ヨーロッパだけではなく、ユーラシア大陸の諸地域で生じ、結果として多元的な地域システムが互いに緩やかに関係しつつ、並行的に形成されることになった。

さて、そうした地域システムの並行的形成のなかで、東アジア、南アジア、西アジア、北ユーラシアなどにおける秩序形成が「帝国」の視点で捉えられる一方、ヨーロッパにおけるそれはむしろ「帝国」の不在として捉えられてきた。その典型が本稿の冒頭でも触れた、いわゆるウェストファリア史観である。すなわち、イタリア戦争、そして宗教改革にともなう戦乱から、三十年戦争の講和として一六四八年に締結された「ウェストファリア条約」(オスナブリュック条約とミュンスター条約の総称)によって、神聖ローマ帝国が実質的に解体されて主権国家からなる近代的国際システムの基礎が確立したという歴史記述の枠組みである。この史観において、主権国民国家を基礎単位とする現代の国際システムの起源は近世のヨーロッパに据えられ、それ以外の地域の高次の政治権力間の関係のバリエーションは、この「近代的」な国際システムとの対照において大幅に後景化され、もっとも極端な場合、複数の主権国家の並存を前提とする秩序としての「近代的」国際システムと単一の帝国を前提とする秩序としての「前近代的」な帝国システムの二分法で近世のグローバルな時空を裁断する見方を帰結する。

しかし、こうした見方は単にヨーロッパ中心主義的であるというだけでなく、「パワーポリティクス」の観点からも、大きく二つの点で近世的秩序を見誤らせる。まずひとつには、いわゆるウェストファリア条約の段階でのヨーロッパの地域秩序は、決して斉一的な主権国家によって構成されるものではなかったということである。そもそもウェストファリア条約は君主や諸侯、自治都市など異質なアクターが多数締結主体として参加しており、均質で対等な主権国家間関係を取り決めた条約と呼ぶには程遠い。しかも近世のヨーロッパ「国際」政治の主なアクターとされるフランスやスペイン、あるいはイングランドの「絶対王政」国家は、均質な国家であるどころか、内実において多くの異質な要素を抱え込んで成り立っており、王権は、伝統的な諸々の法に制約されており、身分的・職能的な社団の「自由」を無視しては存立しえないものであった(古谷・近藤 二〇一六：二頁)。また神聖ローマ帝国も決してウェストファリア条約によって消滅したわけではない。ひとつの「国家」としての神聖ローマ帝国は、選帝侯によって推戴された皇帝のもとに、複数の王国、領邦、都市共和国などが複合して成り立っているばかりか、版図には教皇領や聖職領を抱える一方、プロイセンやハンガリーのように帝国の境界をまたいで広がる領域や、ハンザ都市のような超国家的な同盟まで含むものであった。さらに同君連合的に異なる王国や公領が統合されることもありふれたことであった。つまり近世ヨーロッパの「国際」システムは均質で対等な主権国家ではなく、複合的な要素の入り組んだ国家が、そこここで互いに貫入して成り立つものだったとみるべきである。

近年のヨーロッパ近世史学の文脈では、こうした異種混淆性は「複合」(composite)や「集成」(Aggregat)、「礫岩」(conglomerate)などの形容で呼ばれる。本稿の関心において、それらの細かいニュアンスの差異よりも重要なのは、そうした異種混淆的な政体の君主は、対外的にも対内的にも、統治する「国家」が抱え込んだ多様性を前提とするために、自らの正統性が普遍性に直結すると主張するほかなかったということである。たとえばフェリペ二世やアンリ四世はもとより、イングランドのジェイムズ一世も神の命を受けた「普遍君主」(universal monarch)としてふるまった。注意すべきは神聖ローマ皇帝をのぞいては、それらの「普遍君主」は決して「皇帝」を名乗らず、「王」を名乗り続けたということである。それはつまり彼らのあいだで、ヨーロッパにおける帝国の単一的な普遍性、端的に言えばローマ帝国だけが帝国であるという理念が共有されていたことを示している(近藤 二〇一三)。つまり近世ヨーロッパの諸君主が「王」を名乗るのは、現実において帝国が不在であることよりも、むしろ理念において帝国の存在が前提になっていることの証左なのである。

他方、ウェストファリア史観を解除して非ヨーロッパ世界を見るとき、たとえば東アジアの地域秩序を明・清帝国と同一視することはできない。もちろん現に巨大な版図を擁する帝国としての中国がある以上、ヨーロッパのように現実のレベルで帝国が不在であるとは言えないが、東アジアの地域秩序を構成する主体には、朝鮮や日本、ベトナムなどが含まれており、帝国が地域秩序そのものではないからである。具体的なあり方や程度の差はあれ、同じことは南アジアにおけるムガル帝国、西アジアにおけるオスマン帝国についても当てはまる。それらの地域の地域秩序を帝国そのものと同一視することはできない。この点でシビル＝ハン国を服属させた後、以東に高次の政治権力による統一国家が存在せず、毛皮などを求める私的な武装集団による占領の拡大を事後的に追認していったロシア帝国(森永二〇〇八：特に第二章）はむしろ例外的であるが、ロシア帝国は他方でヨーロッパの地域秩序にも参加している側面があり（程度は異なるがオスマン帝国も同様の側面を持つ）、地域秩序と帝国との自足的な一致があると考えることはできないことにかわりはない。

しかし、現実のレベルにおいて政治的重心となる帝国が存在することは、理念のレベルにおいて地域秩序に帝国的な正統性の枠組みを介して作用する。たとえば東アジアのケースでいえば、帝国としての中国の政治的重心の大きさがあればこそ、理念としての中華帝国の規範的枠組みに従って、冊封を受け、朝貢を行うことが、周辺王朝にとって支配領域における権威を高めるとともに、通商関係を円滑化して、政治的にも経済的にも地域秩序の凝集に作用した。(3)

重心となる帝国の正統性の論理に従う度合いは、理念のレベルでの帝国による地域秩序の凝集の度合いに影響する。たとえば南アジアではイスラーム帝国であるムガル帝国と周辺のヒンドゥー諸王朝とのあいだでは、東アジアほどの凝集力は働かず、西アジアでは、スンナ派王朝であるオスマン帝国に対して、シーア派王朝であるサファヴィー帝国は激しく争ってむしろ遠心力が働き、イラン国家の形成へと向かった。またマムルーク朝の滅亡によって形式的には現実のレベルでの帝国の内部に入ったエジプトも、必ずしもスルタンの権威が受け入れられていたわけではない（オスマン帝国のスルタンがカリフを兼ねてスンナ派世界の最高指導者と認められたという、いわゆる「スルタン＝カリフ制」は一八世紀以降のオスマン帝国衰退期に体制護持のためにつくられた虚構であるというのが今日では通説である）。重要なことは、現実のレベルの帝国がそれ自体で地域秩序であるというよりも、理念のレベルを介して地域秩序の凝集に作用しているということである。

そして、この理念のレベルの帝国も決して単一の論理で成り立っているわけではない。たとえば清帝国の皇帝は、南東の海に面しては中華の皇帝として冊封を授け、朝貢を受けていたが、他方で北西の陸に面しては満洲人の王であり、モンゴル帝国の継承者であり、チベット仏教の庇護者としての顔をもって多民族統治にあたった。清帝国にかぎらず、帝国は本質的に多民族的な政体であり、皇帝権力が、それぞれ異なる固有の正統性原理を持つ被統治集団に対してメタレベルの正統性を占める位置に立つ(茂木 二〇一七、杉山 二〇一五)こと自体は、たとえばミッレト(宗教共同体)ごとの自治を高度に認めたオスマン帝国のケースなどむしろ通有のことである。

さらにいえば、こうした帝国の中心からの正統性の論理は地域秩序の周辺の諸主体によってさまざまに解釈、転用された。典型的なものは、帝国から提示されている正統性を理念的な次元で受け入れつつ、その正統性の根拠となるなんらかの普遍的価値が、(現実のレベルの)帝国と同じかそれ以上に自分たちの領するところであるとするイデオロギーである。東アジア近世の文脈ならば、それはしばしば小中華主義と呼ばれる(桂島 二〇〇八)。こうした思想的ダイナミズムは、近代以降はナショナリズムの契機として現れやすい。正統性の根拠となる普遍的価値が近代的なもの——あるいはむしろ近代そのもの——に入れ替わっても、同じメカニズムが作動するからである。周辺において挫折させられた近代化が、むしろ(西欧の)先行する近代社会よりもラディカルな近代を掲げ、あるいは西欧近代の不徹底やダブルスタンダードを批判しようとするところに、ナショナリズムの根源があるというのが、『想像の共同体』(アンダーソン 二〇〇七)や『三つの旗のもとに』(同 二〇一二)などにおけるベネディクト・アンダーソンの洞察であった[4]。

話を戻せば、非ヨーロッパの諸「帝国」秩序は、現実のレベルの帝国では自足しておらず、やはり周辺の王朝や部族社会などの主体との雑多な関係を抱え込んだ地域秩序として存在した。帝国の存在は、理念のレベルを介して地域秩序に求心性を与えたが、その理念も決して一元的なものではなく、さまざまな立場によって分有され、解釈、転用された。

このようにしてみると、「大遷移」後の近世における、ヨーロッパと非ヨーロッパの諸地域の地域秩序の質的な違いは相対的なものであると捉えるべきであり、実体のレベルでは雑多な主体が、理念的なレベルにおける帝国を介して地域秩序として一定の求心的枠組みのなかに組み込まれていた点でベースの構造は共通していた。あえてさらに図式化を推し進めれば、近世のグローバルな「パワーポリティクス」は大きく二つの層から見ることができよう。すなわち第一に個々の地域秩序の内部[5]における理念的なレベルでの帝国の規範的枠組みのなかでの外交や戦争の層、そして第二にそうした地域秩序の枠組みを横断して生じる政治的・経済的利害の調整や衝突の層である。もちろん二つの層の区別は分析的なもので、二つの層にまたがる現実があることは明らかである。たとえば、一七―一八世紀におけるヨーロッパの王朝間政治に占めるロシアの役割は、第一の層においてだけ、あるいは第二の層においてだけで理解できるものではない。また神聖ローマ帝国カール五世への対抗関係のなかで、オスマン帝国のスレイマン一世とフランスのフランソワ一世とが結び、これに対抗してカール五世がサファヴィー朝への接近を狙ったような事例も同様に二つの層を横断する現実である。

にもかかわらずこの二つの層を分析的に分ける意味は、第二の(域間関係の)層では、第一の層で参照される理念のレベルの帝国の作用が弱く、その分だけローコンテクストなコミュニケーションに接近するからである。先に引いたアーミテイジは、グローバルな視野から近世の思想史の再構築を進めるなかで、長く忘れ去られていた国際法学者であるチャールズ・H・アレクサンドロヴィッチ(一九〇二―七五年)による「諸国民の法」(law of nations)概念を再評価している(アレクサンドロヴィッチ 二〇二〇:特に編者による序文)。一六―一八世紀におけるヨーロッパ諸国と非ヨーロッパ諸国の間の交易関係は、ヨーロッパの「国家」と非ヨーロッパの「国家」の間に法的な関係をともなうものであった。この時の法的関係を、ヨーロッパ諸国は自然法思想に由来する普遍主義的な枠組みで理解しており、したがって互いに同格の法的主体として法的関係を取り結んでいた。しかし一九世紀以降、ヨーロッパ諸国は、一方で実定法思想に立ち、他方で「文明」の基準を持ち出して、「国際法」(international law)システムにおける非ヨーロッパ諸国の主体性を否定した。この意味で「諸国民の法」と「国際法」のあいだには、ヨーロッパ側の一方的な態度変更に伴う不連続があり、それにもかかわらず、二〇世紀における脱植民地化をもって非ヨーロッパ諸国がはじめて国際的な法的主体として包摂されたかのように語るナラティブにはヨーロッパ中心主義的誤謬があるというわけである。

アレクサンドロヴィッチの「諸国民の法」概念は、近世における文明間関係を自然法的普遍主義によって理想視しすぎているところがあり、また国際的な法的主体として「ネイション」を近世に投影する時代錯誤を含む部分もある。しかし、前述したように理念としての普遍帝国がまだ生きていた近世のヨーロッパで、普遍君主としてふるまう諸王がどこまでも「王」を自称した一方で、オスマン帝国やムガル帝国の皇帝を「皇帝」と呼ぶことにはあまり躊躇がなかった(近藤 二〇一三)。つまり理念としての帝国を参照して維持される地域秩序にはあいまいながら境界があり、その境界の向こう側に別の地域秩序の文脈があることに対しては実際的な対処があったのである。そのひとつの現れが、アレクサンドロヴィッチが跡付けたように、対内的に自然法的な正当化をしたうえので対外的な約定の取り交わしでもあるわけであるが、たとえばロシアと清とのあいだに結ばれたネルチンスク条約のように、イエズス会士のサポートでラテン語を正文として書かれた双務条約が、北京に持ち帰られて漢文に翻訳される際には、清朝の皇帝がロシア王に片務的に義務を課す形式に改められるというような操作もなされた(吉田 一九八四)。近世のグローバルな交通空間においては、偽使や国書の改竄など、境界をまたいで関係を取り持つ人々の実践につねにこのようなうさん臭さがついて回った(スブラフマニヤム 二〇〇九、田代 一九八三)。それを可能にした重要な条件のひとつは、技術的な限界による限定的な交通量である。逆に言えば、技術進歩を伴って域間交通のチャネルが広がり、ボリュームが増せば、そうした秩序は変わっていかざるを得ない。一八世紀後半から一九世紀にかけての時期に起こったのはまさにそうした変化である。

五、ユーラシア革命——技術、法、力

前節では帝国の概念を開きつつ、近世的な地域秩序の形成について概観した。それら地域秩序間の政治的関係は、限定的な交通量を条件として相対的な自律性を保っていた。しかし近世における技術進歩と制度発展は、一八世紀後半から一九世紀前半の時期にその閾値を超え、グローバルな政治空間は構造変動の局面に入った。つまり端的に言えば、交通量の増大が、近世的な地域秩序の相対的な自律性を突き崩したわけである(Campbell 2016: ch. 1)。そこから生じる構造変動の主軸はヨーロッパの帝国と非ヨーロッパの帝国のあいだの力のバランスの変容である。先述のダーウィンは『ティムール以後』において、それを「ユーラシア革命」と呼んでいる(ダーウィン 二〇二〇:第四章)。ダーウィン自身の議論にも拠りつつ本稿の視角に沿って若干敷衍すると、そこにはおおむね三つの次元がかかわっている。すなわち、統治機構としての国家の発展、内包的発展に基づく経済成長、そして文明間関係にかかわる規範構造の変化である。そしてそのいずれにも技術変容がかかわっている。

まず国家の発展について、近世において国家による社会の統治の深度は、ヨーロッパに限らず、他の地域でも高まった。それをドライブした最も大きい目的が常設的な軍隊の維持とそれをファイナンスする徴税機構の整備であることも、地域をまたいで基本的に共通している。ただ、実際にどの程度効果的・効率的な制度化を実現することができたかについては当然、地域間でも地域内でも差がある。この点で顕著な変容を遂げた例が、いわゆる「財政=軍事国家」(ブリュア 二〇〇三)としてのイングランドである。イングランドの成功の背景には、市民革命を経た議会が課税への合意調達装置として機能したこと、戦費のファイナンスにあたって長期国債による借り換えを行う中央銀行という制度的イノベーションを実現したこともさることながら、土地への課税から商業への課税へという課税ベースの拡大が大きな意味を持った(O'Brien 1988)。発達する商業社会への統治権力の浸透が財政=軍事国家を可能にしたのである。そして財政=軍事国家としてのパフォーマンスの高さによって、イングランドはいわゆる「第二次百年戦争」を通じてフランスを圧倒し、七年戦争の終わりにおいてほぼヘゲモニーを確実にしていた。

もっとも財政＝軍事国家の形成が、イングランドあるいはヨーロッパに固有の変容であったかといえば、必ずしもそうではないという指摘もある。一八世紀に、四次にわたってイギリスとのあいだに「マイソール戦争」を戦ったマイソール王国は、効率的な徴税制度による強力な軍隊を保持しており、これを一種の財政＝軍事国家と見ることもできる。統治機構としての国家の発展は必ずしもヨーロッパに固有のものではない(Bayly 1994)。

この点で、ヨーロッパと非ヨーロッパを分けたのは、内包的発展に基づく経済成長の存否であり、それと絡み合う技術発展そのものの差異である。一八世紀に至るまでヨーロッパの経済成長と世界のその他の地域の経済成長との間に本質的な差異はないことは、計量経済史の研究の蓄積が著しい(Coyle 2009: ch. 1, 2)。いわゆる「大分岐」は、特にヨーロッパと東アジアの最先端地域に焦点を当てたうえで、一九世紀以降の両地域の経済発展のコースの分岐を名指したものである。その分岐の原因が、ポメランツの主張するように要素賦存などの偶有性によるのか、それまでにそれぞれの地域で発展してきた制度の経路依存性によるのか、議論には依然として幅があるが、確実に言えることは、一九世紀以降ヨーロッパにおいては、いわゆる「マルサスの罠」を抜け出しうるだけの技術革新の連鎖が生じたということである。人類の歴史において、生産性の向上をもたらす技術革新自体は、ヨーロッパと非ヨーロッパとを問わず一九世紀以前においては散発的であって、向上した生産性は人口増加によって食いつぶされ、さらなる技術革新へ向かう投資にはつながらなかった。このマルサスの罠が共通の条件となって、一八世紀まで、ヨーロッパを含む世界の各地域の経済的パフォーマンスには本質的な差異がなかったわけであるが、産業革命に象徴される、ヨーロッパにおけるクラスター状の技術革新の連鎖は、このマルサスの罠の重力から離脱する推力を与え、それが大分岐となって現れた(クラーク 二〇〇九)。

一九世紀における技術革新の強度・速度の差異は、単に内包的経済発展の存否という分岐を生んだだけでなく、ヨーロッパと非ヨーロッパとのあいだの地政学的な関係の物質的条件となって展開していった。帝国主義の技術史において開拓者的な作品を多数、世に問うてきたダニエル・ヘッドリクは、「産業革命の劇的な側面が、帝国の拡大にそれほどの影響を与えなかったとしても、技術一般が重要でない、ということにはならない。帝国の辺境において、どの発明が重要であったかを見出すために、ヨーロッパだけでなく、アフリカとアジアを見、帝国主義者の技術だけでなく、現地の技術と自然の阻害要因を見なければならない」(ヘッドリク 一九八九：八頁)と指摘したうえで、ヨーロッパによるアジア・アフリカの植民地化の過程を「浸透と探険の段階」、「征服と支配の強制の段階」、そして「植民地化によってヨーロッパに利益がもたらされる段階」という三つの段階に分け、まず浸透段階においては蒸気船とキニーネが、征服の段階においては速射ライフル銃と機関銃が、そして植民地支配の確立の段階では、汽船航路、スエズ運河、海底電信線、そして植民地鉄道などによって構成されるグローバルな交通・通信インフラが、それぞれ決定的重要性を持ったと論じている。このプロセスにおいて、交通空間の拡大とそれを支える技術発展とは互いに互いの方向性を規定しあって進行した。

文明間関係にかかわる規範構造の変化も、こうした技術的条件の上で生じたパワーバランスの変化と相互に作用しつつ展開した。近世の初期においてエジプトやインド、そしてなにより中国といった非ヨーロッパの諸文明に対するヨーロッパ人の態度には、しばしばオリエンタリズム的な他者の本質化による転倒を伴いつつも、主に歴史の古さ(古代における偉大な達成)や人文学的な叡智に対する一定の畏敬や憧憬が編み込まれていた。しかし、マイケル・アダス(Adas 2015)が明らかにしたように、近世が終わりに近づくにつれて、機械文明の発展の度合いによって非ヨーロッパ社会の「進歩」の度合いを測る見方や心性が形成され、産業革命以降はそうした表象体制が一般化した。

「パワーポリティクス」の観点から見たとき、こうした文明間関係の規範構造の変化は表象や心性のレベルだけでなく、むしろ国際法規範にはっきりとあらわれる。さきにアレクサンドロヴィッチを引いたように、一般に国際法の歴史は、ウェストファリア条約やグロチウスに起点を置いて、ヨーロッパ公法がいかにグローバル化したかというナラティブで語られがちであるが、それは一八世紀から一九世紀にかけての規範構造の変容を不可視化するヨーロッパ中心主義的バイアスである。ビトリアやスアレスはもとよりグロチウスまで含めて、今日の「国際法」思想だとみなされている、一六世紀から一七世紀半ばまでの議論は、当時の文脈においてより正確に言うならば、(キリスト教世界の立場からの)「普遍人類法」であり、主権国家を単位とする原子論的な国際法の考え方は徹底していない。近世前半のヨーロッパにおいては、植民地獲得と国際通商における激しい国家間競争、そしてなにより宗教戦争が国際法的な思索を刺激したことはたしかであるが、そうした国家実践から無媒介に近代国際法が生まれたわけではない(田畑 二〇〇八:一三―四八頁)。

一八世紀から一九世紀にかけてのグローバルな規範構造の変容を、ヨーロッパの文脈で準備したのは、一八世紀における勢力均衡の成立とエメール・ド・ヴァッテルにおいて画期をみる平等な主権国家を単位として体系化された国際法理論の確立である(同:四九―五六頁)。

ヨーロッパ国際政治において一七世紀後半から一八世紀は、俯瞰すれば、ブルボン王朝(ルイ一四世)とハプスブルク王朝(レオポルト一世)との対抗関係を軸とする構図から、そこにウィリアム三世のイングランドが加わって次第に英仏間のヘゲモニー抗争へと構図がシフトした時期にあたる。しかし視点の高度を一段下げれば、この構図のシフトの過程は、巨大な普遍的帝国の出現を阻止するための不断の同盟関係の調整として進行した。その過程はプファルツ侯位継承戦争において、フランスへの対抗上、イングランドがアウクスブルク同盟に加わった(一六八九年)ところから始まる。続いて、一七〇〇年のカルロス二世の逝去に伴って、フェリペ五世がスペイン王位を継承する条件とされていたフランス王位継承権の放棄の合意がルイ一四世によって放棄された。これによってフランスとスペインが統合された大帝国となる可能性が生じたため、今度はイングランドを中心にハーグ同盟が結成され、スペイン継承戦争が戦われた。ところが一七一〇年代に入り、ハプスブルク家内でカルロス三世によってスペイン王位が神聖ローマ皇帝位に統合される可能性が強まり、(一七〇七年合同法を経た)イギリスはフェリペ五世がスペイン王位を継承しないことを条件にフランスと講和した(ユトレヒト条約)。イギリスはこの過程でフランスおよびスペインから、ニューファンドランド島やハドソン湾、ジブラルタルなど多くの海外領土の割譲を受け、フランスと対等の勢力を持つシーパワーとしての立場を確立した。

これと並行して北欧では、北方の大国であるスウェーデンに対して、ロシア、ポーランド、デンマークのあいだに同盟関係が形成され、一七〇〇年のデンマーク軍のスウェーデン侵攻を皮切りに大北方戦争が戦われた。結果、スウェーデンの国力は減退し、代わってヨーロッパ国際政治におけるロシアのプレゼンスが大きく高まった(6)。

さらに一八世紀半ばに入ると、今度は反ハプスブルク帝国で一致したフランスとプロイセンに対して、イギリスとロシアがオーストリアを支援する構図でオーストリア継承戦争が戦われた。この戦争でヨーロッパ国際政治の主要アクターとしてのプロイセンの地位が確立されるとともに、ここにいたってオーストリアもフランスもヨーロッパの普遍的帝国を目指すだけの国力や意思がすでにないことが決定的になり、ここに英仏墺普露の五大国を軸とする勢力均衡体制が成立することとなった。

このようにヨーロッパ内部において普遍的帝国の論理が説得力を失ったことが、プフェンドルフからヴォルフを経て、ヴァッテルに至る主権国家の独立性・平等性に立脚し、自然法から実定法に根拠の重心をシフトさせる国際法思想の展開を促した。それによってヨーロッパ内の「パワーポリティクス」は正戦論の規範的枠組みから、無差別戦争観の規範的枠組みへと転換を遂げていくことになったわけである。

そしてまたそうした規範的枠組みの転換は、国家の正統性の根底にある暴力についての概念枠組みの組み換えを伴った。先に引いたアーミテイジは、「戦争」が概念として主権国家間のものに厳しく限定されるのと相即して、革命と内戦をどう区別するかという問題が浮上したと指摘している(アーミテイジ 二〇一九:一一一—一二一頁)。アーミテイジによれば、ヨーロッパにおいて一七世紀まで「革命」はアジアの王朝の転覆などを指す言葉であったのが、フランス革命を境にネイションの政治的・歴史的発展を肯定的に捉える言葉に変わっていった。それと並行して内戦は政治社会の堕落や崩壊とより強く結びつけられた。勢力均衡の成立と入れ替わって、ヨーロッパにおいて普遍的帝国の理念が失効した一八世紀の文脈についてはすでに述べた。一八世紀末に入って、帝国からの離脱としての主権国家の形成が生じはじめ、南北アメリカにそれが広がったとき、国家の分離独立を「革命」と呼ぶか「内戦」と呼ぶかは、きわめて政治的なものとなったわけである。

さらにヴァッテル的な主権国家の独立不可侵を原則とする国際法思想は、内戦を――まさにそれが単一の独立した主権国家の破綻を意味するがゆえに――国外権力による干渉を正当化する状況に位置付けた。今日の破綻国家が、まさに「グローバルな内戦」状況と相関していることに照らして考えれば、「内戦」は、主権国家の独立平等を規範的枠組みとする世界に、いわば裏口から帝国を招き入れる通路となったともいえる。

六、「文明の基準」と「自由主義的国際秩序」

一八世紀から一九世紀にかけての「パワーポリティクス」の転換への過程をヨーロッパの視点からグローバルな視点に再度移すと、単純に帝国の時代の終わりとは言えない光景が広がる。いわゆる帝国主義の時代に入ったからともいえるが、一四―一九世紀という長期の視点に立つ本稿の関心からは、個々のヨーロッパの大国の帝国主義よりも、むしろ総体としてみた「ヨーロッパ」が非ヨーロッパ世界に対して帝国として立ち現れる次元に照準したい。

ヨーロッパの植民地主義は近世にすでに始まっており、ルイ一四世の対外戦争から英仏第二次百年戦争に至る一連のヨーロッパ大国間の戦争は、都度(現地の政治社会を巻き込みつつ)アメリカやインドにおける植民地主義権力間の紛争を伴っていた。それは基本的にヨーロッパにおける国家間関係が植民地の文脈に波及したものであり、いわばヨーロッパでなされた宣戦布告によって、植民地における(現地の政治社会を含む)諸主体間の関係が戦時化されたことで生じたものである。

しかし勢力均衡が確立され、特に一八一五年のウィーン会議以降、外交官外交が制度化されると、ヨーロッパの国家間関係は機械的な力の均衡から大国間の協調体制へと移行した。一九世紀を通じて、ヨーロッパの大国は激しい帝国主義的拡張競争を繰り広げ、もちろん武力的な衝突を引き起こすケースもあったが、一八世紀までの植民地における戦争との対比でいえば明らかに協調的であり(カール・ポランニーは『大転換』でウィーン会議から第一次世界大戦前夜までの時期を「平和の百年」と呼んだ)、むしろ断層線はヨーロッパと非ヨーロッパの間に深く刻まれた。

この断層線は一八八〇年頃まではゆっくりとしか動いていない。つまり総体としてのヨーロッパ帝国の「版図」は一八八〇年頃までは、概して言えば近世にすでにヨーロッパ人にとって知られた地域、ヨーロッパ人にとって交渉のあった政治社会との関係を変えていったにとどまっていた。あえて図式的に言えば、近世において文明間関係であったものが、文明といまだ文明に至らざるものとの間の関係に書き換えられていったということである。

それが端的に現れているのが、一九世紀における欧州国際法の非ヨーロッパ地域への適用問題である。一九世紀に入って、おおむね自然法の考え方に由来する普遍的国際法と、おおむね実定法的にとらえられた欧州国際法は不完全にしか区別されず、欧州国際法と文明国間の普遍的国際法の区別は曖昧であった。近代国際法が実証主義のパラダイムに移行するにつれてこの傾向は顕著になり、欧州の実定国際法学は、一方で「欧州公法」や「欧州国際法」を適用範囲の限定を伴う法とみなしながらも、他方でこれらの普遍的な法としての性質をも否定しなかった(中井 二〇二〇:一五七頁)。

しかし実定法として根拠づけるならば、近代国際法が欧州国際法であるかぎりにおいて、その適用には限界がある。

ここに非ヨーロッパの諸国家の国際法主体性をどう認めるのか(認めないのか)という「国際法の適用範囲」問題が立ち現れる。そして持ち出された基準が「文明の基準」であった(7)。結果、良く知られているように一九世紀に欧州文明を共有しないアジア等の諸国に国際法の法主体性は認められず、日本はそれを克服するために、ヨーロッパの大陸系の国内法体系を整備し、欧州国際法に順応するために多大な努力を払わねばならなかった。近代的な欧州文明を共有することが国際法の適用の条件であるとしたうえで、非ヨーロッパ社会を国際法の外部において力を行使する一九世紀のヨーロッパ人の態度は、自然法的普遍法に訴え、「国際法違反」を根拠に植民地の先住民への暴力による干渉を正当化した近世のヨーロッパ人の姿勢とは、その論理において対照をなしている。

ゆえに、表層的なヨーロッパ中心主義や抽象的な植民地主義のもとに、近世のパワーポリティクスを律する規範的枠組みと現代のパワーポリティクスのより直接的な起源にあたるポスト近世の規範的枠組みとのあいだに無媒介な連続性を見ることはできない。逆に様々なネイションによって構成される世界をグローバルな前提として、すべてのネイションが主権国家として包摂されている建前となっている現代の国際法秩序からみると、その起源は、第二次世界大戦後の国連による秩序と脱植民地化に置かれることが多いが、実際にはそこに至る移行のプロセスはそれ以前から始まっている。一八八〇年代から第一次世界大戦までの時期に、帝国としてのヨーロッパの前線は急激に拡大してほぼグローバルな規模に達した。いわばヨーロッパ帝国の版図が膨張したことで、上述した欧州国際法と普遍的国際法のあいだの矛盾はさらに強まった。そのなかでグローバルな規範枠組みの更新は、重なり合いつつ時間軸の異なる三つのレイヤーの変化が絡まりあって進行した。すなわち第一に五大国による勢力均衡の解体、第二に多元的な地域秩序の相互作用による普遍的国際法の形成、そして第三にネイション概念の適用範囲の段階的拡張である。

一九世紀に成立した英仏墺普露の五大国による勢力均衡の協調体制は、一九世紀後葉から崩れ始める。それはヨーロッパ帝国の版図の拡大によって維持すべき秩序の範囲や複雑さが膨張したことにも起因するが、より直接的にはドイツ、アメリカ、日本という新興国の台頭によるパワーバランス自体の変化と秩序変更の要求の高まりであった。特に普仏戦争の勝利を経て誕生したドイツ帝国は急激に国力を増し、五大国間の関係のなかだけでバランスをとることが困難になっていった。五大国間の協調は不安定になり、秩序の再編成には、アメリカや日本のような非ヨーロッパのパワーが引き入れられていった。

非ヨーロッパのパワーがグローバルな秩序の再編に引き入れられるプロセスは、グローバルな規範的枠組みの形成が、ヨーロッパからの一方的な押し付けではなく、双方向的な変容である側面をせり出させることにもなった。上述の通り、キリスト教文明を共有しない政治社会が国際法秩序に参入する際には非対称的な力学が働いたことは確かだが、それが完全に一方的なプロセスではないことには留意が必要である。たとえば、そもそもいわゆる治外法権や最恵国待遇といった概念、あるいは条約港のような制度は、中国を近代的国際法体制に引き入れるにあたってはじめて導入されたものであり、そこにはもちろん非対称性があるとは言え、他者を包摂する過程がかならず包摂する側にも変化をもたらすことを示している。またたとえば日本のケースでも不平等条約の改正交渉の過程では、文明の相違をこえた普遍的な「諸国民の法」としての国際法という観念への訴えかけが(主にお雇い外国人を通して)行われ、文明の相違は真に普遍的な国際法によって乗り越えられるべきであるという認識はヨーロッパの国際法学界でも一定の説得力を持った(中井 二〇二〇:一六五—一六六頁)。

さらにいえば、中井愛子が最近明らかにしたように、ラテンアメリカ地域は、文明的な差異がないとされたがゆえに逆に欧州国際法が直接的に延長されていたが、地域的に形成されていたラテンアメリカ国際法が、同じく地域的な国際法である欧州国際法と同格の文明国の法体系であるという主張から、欧州国際法が唯一の文明国の国際法ではないという認識が受容され、そこから実定国際法に支配される文明世界と、自然法、人道、道徳だけに支配される非文明世界とを隔てる絶対的な基準がキリスト教的なヨーロッパ文明であるという規範枠組みは完全に過去のものとなり、すくなくとも潜在的に多元的地域的国際法を包摂する多元的な国際法観念への転換が果たされた(同：第Ⅳ章)。

最後にネイション概念の適用範囲の段階的拡張について、一九世紀は、ヨーロッパの内部におけるネイション概念の適用範囲の拡張の時代であった。自由主義思想を媒体として東欧をはじめヨーロッパの周辺部においてネイションの自律を求める動きが広がった。それは裏を返せば、ヨーロッパの内部においてハプスブルク帝国やオスマン帝国のような多民族帝国の政治的正統性や求心力が失われていく過程でもあった。グローバルなレベルではヨーロッパがひとつの帝国として立ち現れる一方で、ヨーロッパの内部では政治社会の正統性のフォーマットとして、帝国からネイションへの移行が生じたということである。(8) そして、帝国としてのヨーロッパのグローバルな拡張が果たされた一八八〇年代から第一次世界大戦の時期を経て帝国からネイションへの正統性のフォーマットの移行もグローバル化の段階に入った。その起点となったのがレーニンとウィルソンそれぞれによる民族自決原則の導入である。そこから始まる「短い二〇世紀」は、いわば帝国が否認される時代であり、その別名が自由主義的国際秩序である。

以上、一四–一九世紀の「パワーポリティクス」を帝国間関係の視点から概観してきた。「大遷移」によって出現した複数の帝国の並立を常態とする世界は、近世に帝国を理念的参照枠組みとする地域秩序の並立と連接というかたちで一定の安定化を遂げた。その安定は、ユーラシア革命を介して破られ、ヨーロッパは外向きにひとつの帝国として非ヨーロッパ世界の包摂を進めつつ、内向きには帝国からネイションへの正統性のフォーマットの転換が進んだ。そのプロセスの終点にはグローバルな規範構造の枠組みとして帝国が否認される時代としての「短い二〇世紀」が始まった。帝国的な「パワーポリティクス」の回帰の傾向や自由主義的国際秩序の危機が叫ばれる現代が、この長期的な過程のなかにどのように位置付けられるかは、史学的課題であると同時に、大きな実践的課題でもある。

注

（1）比較的新しい主なウェストファリア史観批判として、テシィケ（二〇〇八）、明石（二〇〇九）、その理論的概観として山下・安高・芝崎（二〇一六）。

（2）これをふまえて松方は、「またがって活動する人々」の活動に乗って「偉い人たち」が直接の統制が利かない相手との関係に間接的に影響を与えようとする営みとして、近世の外交を捉えようとしている。この作業仮説の下に「国書」概念を再構成し、そこから近世のシナ海世界からユーラシア世界全体までを射程にいれた「外交」の多様性を包括する概念として「国書外交」という視点を打ち出している。

（3）今日批判はあるが、いわゆる冊封体制論については西嶋（二〇〇二）、朝貢貿易論については浜下（一九九〇）が古典的な参照枠組みである。

（4）アンダーソンの議論におけるこの「挫折させられた普遍主義」としてのナショナリズムの論理を明晰かつ詳細に分析したものとして、大澤（二〇〇七）。

（5）この「地域秩序の内部」が現実の地理空間においてどこまでを占めるかは固定的ではない。理念としての帝国に地域秩序を閉じさせる作用があるのは、帝国の正統性が全世界性にかかわるからであるが、逆に言えば全世界性を脅かさない範囲であれば（相手が物質的、精神的に圧倒的に劣位にあることが主観的に十分明らかであれば）、本来「世界」そのものであるべき帝国にとって「まつろわぬもの」を平定することは、外部の他者との交渉というよりむしろ潜在的な内部の確認である。ロシアの東漸、清帝国の内陸への拡大、さらにはヨーロッパ人によるアメリカの植民地化も含めて、近世において地域秩序と地域秩序のあいだには、そのように潜在的に回収の対象となる隙間が相当に広がっていた。

（6）ロシアはこの段階から、近世的な秩序のなかの帝国の側面とポスト近世的な秩序のなかのヨーロッパ国際政治の大国としての二面性を帯びている。

（7）中井は、純粋に国際法学的には「文明の基準」はあくまでキリスト教文明を共有するかどうかの文明の差異の問題であって、文明の優劣の問題としては必ずしも論じられていなかったことを指摘しているが、一九世紀のグローバルな「パワーポリティクス」において「文明の基準」が非ヨーロッパ諸国に不利に作用したことは否定できない（中井 二〇二〇：一六一―一六五頁）。

（8）もっとも一九世紀においてすでにネイションは同化の限界に突き当たっていた。マーク・マゾワーは、マイノリティに対する隔離主義的な姿勢という点で、帝国としてのヨーロッパの非ヨーロッパ世界に対する態度と、ヨーロッパ各国におけるマジョリティのマイノリティに対する態度に本質的な連続性があったと論じている(マゾワー 二〇一五)。

参考文献

アーミテイジ、デイヴィッド(二〇一九)『〈内戦〉の世界史』平田雅博・阪本浩・細川道久訳、岩波書店。

明石欽司(二〇〇九)『ウェストファリア条約――その実像と神話』慶應義塾大学出版会。

アブー=ルゴド、J・L(二〇二二)『ヨーロッパ覇権以前――もうひとつの世界システム』(上・下)、佐藤次高ほか訳、岩波現代文庫。

アレクサンドロヴィッチ、C・H(二〇二〇)『グローバル・ヒストリーと国際法』J・ピッツ、D・アーミテイジ編、大中真ほか訳、日本経済評論社。

アンダーソン、ベネディクト(二〇〇七)『定本 想像の共同体――ナショナリズムの起源と流行』白石隆・白石さや訳、書籍工房早山。

アンダーソン、ベネディクト(二〇一二)『三つの旗のもとに――アナーキズムと反植民地主義的想像力』山本信人訳、NTT出版。

ウォーラーステイン、イマニュエル(二〇一三)『近代世界システムI 農業資本主義と「ヨーロッパ世界経済」の成立』川北稔訳、名古屋大学出版会。

大澤真幸(二〇〇七)『ナショナリズムの由来』講談社。

岡田英弘(一九九九)『世界史の誕生』ちくま文庫。

岡本隆司(二〇一八)『世界史序説――アジア史から一望する』ちくま新書。

桂島宣弘(二〇〇八)『自他認識の思想史――日本ナショナリズムの生成と東アジア』有志舎。

クラーク、グレゴリー(二〇〇九)『一〇万年の世界経済史』(上・下)、久保恵美子訳、日経BP社。

近藤和彦(二〇一三)「礫岩政体と普遍君主:覚書」『立正史学』一一三号。

ジョーンズ、E・L(二〇〇〇)『ヨーロッパの奇跡――環境・経済・地政の比較史』安元稔・脇村孝平訳、名古屋大学出版会。

杉山清彦(二〇一五)『大清帝国の形成と八旗制』名古屋大学出版会。

杉山正明(二〇一〇)『クビライの挑戦――モンゴルによる世界史の大転回』講談社学術文庫。

スブラフマニヤム、S(二〇〇九)『接続された歴史――インドとヨーロッパ』三田昌彦・太田信宏訳、名古屋大学出版会。

ダーウィン、ジョン(二〇二〇)『ティムール以後――世界帝国の興亡一四〇〇―二〇〇〇年』(上・下)、秋田茂ほか訳、国書刊行会。

田代和生(一九八三)『書き替えられた国書――徳川・朝鮮外交の舞台裏』中公新書。

田畑茂二郎(二〇〇八)『国際法 第2版』岩波書店。

テシィケ、ベンノ(二〇〇八)『近代国家体系の形成――ウェストファリアの神話』君塚直隆訳、桜井書店。

中井愛子(二〇二〇)『国際法の誕生――ヨーロッパ国際法からの転換』京都大学学術出版会。

西嶋定生(二〇〇二)『東アジア世界と冊封体制〈西嶋定生東アジア史論集3〉』岩波書店。

浜下武志(一九九〇)『近代中国の国際的契機――朝貢貿易システムと近代アジア』東京大学出版会。

フランク、A・G(二〇〇〇)『リオリエント――アジア時代のグローバル・エコノミー』山下範久訳、藤原書店。

ブリュア、ジョン(二〇〇三)『財政=軍事国家の衝撃――戦争・カネ・イギリス国家 一六八八―一七八三』大久保桂子訳、名古屋大学出版会。

古谷大輔・近藤和彦編(二〇一六)『礫岩のようなヨーロッパ』山川出版社。

ブローデル、フェルナン(一九八五)『物質文明・経済・資本主義I―1 日常性の構造1』村上光彦訳、みすず書房。

ヘッドリク、D・R(一九八九)『帝国の手先――ヨーロッパ膨張と技術』原田勝正ほか訳、日本経済評論社。

ポメランツ、ケネス(二〇一五)『大分岐――中国、ヨーロッパ、そして近代世界経済の形成』川北稔監訳、名古屋大学出版会。

マゾワー、マーク(二〇一五)『暗黒の大陸――ヨーロッパの二〇世紀』中田瑞穂・網谷龍介訳、未來社。

松方冬子(二〇一九)『国書がむすぶ外交』東京大学出版会。

茂木敏夫(二〇一七)「中国的秩序の理念――その特徴と近現代における問題化」『北東アジア研究』別冊第三号。

森永貴子(二〇〇八)『ロシアの拡大と毛皮交易――一六～一九世紀シベリア・北太平洋の商人世界』彩流社。

森安孝夫(二〇一五)『東西ウイグルと中央ユーラシア』名古屋大学出版会。

山下範久・安高啓朗・芝崎厚士(二〇一六)『ウェストファリア史観を脱構築する――歴史記述としての国際関係論』ナカニシヤ書店。

吉田金一（一九八四）『ロシアの東方進出とネルチンスク条約』近代中国研究センター。

Adas, Michael (2015), *Machines as the Measure of Men: Science, Technology, and Ideologies of Western Dominance*, Ithaca NY, Cornell University Press.

Bayly, Christopher (1994), "The British Military-Fiscal State and Indigenous Resistance", Lawrence Stone (ed.), *An Imperial State at War: Britain from 1689-1815*, London, Routledge.

Campbell, Bruce M. S. (2016), *The Great Transition: Climate, Disease and Society in the Late-Medieval World*, Cambridge, Cambridge University Press.

Coyle, Diane (2009), *The Soulful Science: what economists really do and why it matters* (revised ed.), Princeton NJ, Princeton University Press.

Fletcher, Joseph (1985), "Integrative History: Parallels and Interconnections in the Early Modern Period, 1500-1800", *Journal of Turkish Studies*, vol. 9.

Flynn, Dennis O. and Arturo Giráldez (2006), "Globalization Began in 1571", *Journal of History for the Public*, vol. 3.（「グローバリゼーションは一五七一年に始まった」平山篤子訳『パブリック・ヒストリー』第3号）

Lieberman, Victor (2003), *Strange Parallels: Southeast Asia in Global Context, c. 800-1830* (2 vols), Cambridge, Cambridge University Press.

O'Brien, Patrick (1988), "The Political Economy of British Taxation, 1660-1815", *Economic History Review*, 2nd Series, vol. 41, no. 1.

Parker, Geoffrey (2013), *Global Crisis: War, Climate Change and Catastrophe in the Seventeenth Century*, New Haven CT, Yale University Press.

Parker, Geoffrey and Lesley M. Smith (1978), *The General Crisis of the Seventeenth Century*, London, Routledge.

問題群｜*Inquiry*

宗派化する世界
——宗教・国家・民衆

守川知子

はじめに

ポスト・モンゴルの一四世紀から一五世紀にかけては、モンゴル人が席巻したユーラシア全域において彼らの支配力が弱まり、その間隙をついて各地が自立し、それぞれの地域が再編へと向かう変動期にあたる。ジョチ・ウルスに対するモスクワ大公の初の実質的な勝利(一三八〇年のクリコヴォの戦い)、一三八六年のポーランド・リトアニア王国の成立、一三六八年の明朝と一三七〇年のティムール朝の成立、上座部仏教を採用したアユタヤ朝(一三五一—一七六七年)、そして一四五三年のビザンツ帝国の滅亡と新たな大国として躍り出たオスマン朝(一三〇〇頃—一九二二年)など、ポスト・モンゴル期の世界は大きく変わろうとしていた。これら新生国家の多くは、一六世紀以降、それぞれの地域においてより恒久的な国家として安定的な支配を築き、「近世国家」へと変貌を遂げる。一方、このポスト・モンゴル期の宗教事情に目を向けると、地域社会における宗教的な多様性は担保されており、ときに宗教コミュニティごとの住み分けがあったものの、各地で異教徒を含む多宗派が共存・併存する社会がみられた。それとともに、人々は緩やかな支配体制のもと、伝統的な価値観にもとづいて暮らしていた。もっとも、キリスト教世界やイスラーム教世界などの一神教世界は旧套墨守な教条主義が蔓延し、教義面においては硬直化した側面もあった。

本稿では、ポスト・モンゴル期から近代へ向かう時期の国家と人々との関係を、宗教を軸に見ていきたい。「宗教」の観点から読み解くことにより、社会が大きく変容し、構造改革を起こしていく様子を追うことが可能であり、ひいては、国家と人々との関係も見えてくるだろう。その際、変容の大きな起点となるのは、ヨーロッパでの宗教改革である。宗教改革とほぼ時を同じくして「大航海時代」を迎えると、人々の移動がそれまでとは打って変わって大規模なものとなり、「グローバル化」する。このグローバル化の潮流に乗り、宗教改革の激動の余波が世界各地に伝わるのである。つまり、「宗教のグローバル展開」もまた「大航海時代」がもたらした新たな変容なのである。

このような宗教改革後の世界について、本稿では、厳格化する各地の宗教政策、国家が推奨する宗教の地域社会への浸透と個々人の中での宗教の内面化、社会の構造変容に呼応して大衆化した宗教の表象として隆盛する聖地巡礼、という三つの段階を切り口に、近代の「国民国家」成立への一要件となる宗教と国家および人々について検討する。

一、グローバル化する宗教改革

一五一七年、マルティン・ルターの発した「九五カ条の論題」は、ヨーロッパ社会に大きな影響を与えた。ローマのサン・ピエトロ大聖堂修築の資金集めのために販売された贖宥状をめぐる問題は、活版印刷とも相まって瞬く間にドイツ中に知られるところとなった。ローマ・カトリック教会への痛烈な批判は、教会のパトロンでもあり、当時のヨーロッパ世界の大部分を握っていたハプスブルク家への対抗とともに、同家の支配領域にくさびを打ち込んだ。ローマ・カトリック教会とハプスブルク家にとって、カルヴァンやルターに触発された領主や領民の動きは、自分たちの既得権益を脅かしただけでなく、支配の正統性にも疑問符を突き付けたのである。ハプスブルク家の覇権をめぐる権力闘争の側面もあった宗教戦争の後、ドイツは「宗派化」(confessionalization)へと向かい、地域や領主ごとにルター派、カルヴァン派、そしてカトリックへの一元化が進展する。[1]

西アジアでの宗派対立

ヨーロッパでの宗教改革とほぼ時を同じくして、西アジアでも国をあげてイスラーム教内での宗派、すなわちスンナ派とシーア派を国是に掲げた激闘が繰り広げられた。そもそもそれまでの西アジア社会では、「スンナ派」や「シーア派」という区別はさほど明確ではなく、イデオロギーで区分し得るような社会ではなかった。とりわけ一般民衆のあいだでは、ときに宗派による諍いも起こったが、宗派や宗教や信仰が社会問題化することはほとんど見られなかった。ちなみに、シーア派は、第四代正統カリフのアリー(在位六五六―六六一年)とその直系子孫を重視する一派であり、歴史的にはいくつかの政権がシーア派を標榜している。[2] 宗派としての明確な区別はなかったとはいえ、アリーをはじめとするシーア派の歴代イマームや預言者ムハンマドの末裔であるサイイドたちへの敬慕や親愛の情はムスリム全般に広く見られるものであった。だが、この状況は一六世紀に一変する。

一五〇一年にイラン北西部で「シーア派国教化宣言」とともに成立したサファヴィー朝(一五〇一―一七三六年)は、「スンナ派の盟主」を自認するオスマン朝の領域(とりわけアナトリア)内に深く入り込み、シーア派を喧伝する宣教活動を行っては遊牧民らを扇動し、オスマン朝への蜂起をうながした。このとき、サファヴィー朝に与したトルコ系やクルド系の遊牧民らは、サファヴィー朝の君主にしてサファヴィー教団の指導者《シャイフ》であるシャー・イスマーイール(在位一五〇一―二四年)に臣従を誓い、一二のひだと紅い芯のあるターバンを頭に巻いたことから、「紅頭《キズィルバシュ》」と呼ばれるようになる。

シーア派国家の台頭に大いなる危機感を抱いたオスマン朝のセリム一世(在位一五一二―二〇年)は、一五一四年、

「異端(=シーア派)の撲滅」を掲げてイラン遠征を行い、両者は現在のトルコ=イラン国境付近のチャルディラーンの地で相まみえた。この戦いは、火器の登場による戦力差を見せつけた日本の長篠の戦(一五七五年)にも比される。結果は、火器を用いたオスマン軍の圧勝であり、サファヴィー朝の若き君主は辛くも戦場から逃げ出した。サファヴィー朝の首都タブリーズを制圧したオスマン軍は冬を前に撤退したため、誕生したばかりのサファヴィー朝を打ち倒すにはいたらず、彼らの東方への進出もここで足踏みを余儀なくされた。セリムの跡を継いだスレイマン一世(在位一五二〇―六六年)は一五三三年から五四年にかけて三度にわたってイランに遠征し、イラン西部を脅かすとともに、イラクを征服した。だが、決定的な勝利をつかむことはなく、一五五五年には両国家間で初の和平協定が結ばれた。

オスマン朝とサファヴィー朝は一六三九年に二度目の和平協定を締結し、この協定によりおおよその国境線が画定するが、その間も国内ではそれぞれに二つのことが進行していた。一つは国家の推進する思想信条を「正統化」する動きであり、もう一つは他の信仰や宗派・宗教に対しての排他的な言動と他宗派を「異端視」する趨向である。一六世紀からこれら二つの動きが国家の主導のもと進められ、オスマン朝ではスンナ派を強化する施策が、またサファヴィー朝ではシーア派に転向させる施策が採られた。その帰結として、一七世紀には両国ともに領内の異教徒たちへの強制改宗の圧力が強まっていくことになる。いわば、西アジアにおける「宗派化」である。

たとえば、オスマン朝の対イラン遠征は、サファヴィー朝が「逸脱した異端を奉じた」ことが根拠とされた。同じイスラーム教徒でありながらも、スンナ派とは異なるシーア派という別の宗派であることを理由に、オスマン朝はサファヴィー朝への攻撃を正当化したのである。オスマン朝では早くも一六世紀の中葉には、最高位の法学者であるシェイヒュルイスラーム[3]から、「過激で逸脱した」サファヴィー朝のシーア主義への非難とともに、そのような「異端」であるサファヴィー朝への戦争が合法であるという次のような法判断が出されている(Atçıl 2019: 101-104)。

問い「紅頭《キズィルバシュ》と戦うことは法的にも宗教的にも認められるか? 紅頭《キズィルバシュ》を殺す者は聖戦士《ガーズィー》とみなされるか?

彼らに殺された者は殉教者とみなされるか？」

回答「そのとおりである〔彼らとの戦いは認められる〕。それは最高の報奨に値する聖戦であり、彼ら〔聖戦士〕こそは偉大な殉教者である。」

同様に、別の法判断では、「もしバクル某が、紅頭《キズィルバシュ》意識《アイデンティティ》をもち正統なカリフたち[4]への呪詛を行っているザイド某を殺すとするならば、バクルには何らかの法的な影響があるか？」という問いに対し、「もし殺害が呪詛の直後に行われたことが立証されれば、バクルに責任はない」と判断されている。これらの法判断から明らかなように、当時のオスマン朝にとって、スンナ派イスラームの教義を揺るがすサファヴィー朝の特異な「シーア主義」は、異教徒撲滅の「聖戦」を実施する口実をもたらすものであった。

一方、サファヴィー朝側もまた、オスマン朝や、中央アジアに成立していたシャイバーン朝（一五〇〇―九九年）との対立から、領域内の人々に対してシーア派信仰を貫徹させようと先鋭化した。サファヴィー朝下では最初期から、モスクでの説教時や街中の辻で、第二代正統カリフのウマル（在位六三四―六四四年）に対して、「ウマルに呪いあれ！」と叫ぶ集団がいた。呪詛の対象はウマルに限らず、アリーと対立したウマイヤ朝のムアーウィヤ（在位六六一―六八〇年）や、アリーの次男フサイン（六八〇年没）をカルバラーで「殉教」せしめたその息子ヤズィード（在位六八〇―六八三年）など、シーア派が最も重視するアリーやフサインらに敵対した人々にも及んでいた。「〇〇に呪いあれ」と公言するこの呪詛行為は、サファヴィー朝期には、その人物がシーア派であるか否かを問う「踏み絵」の役割を果たしており、特に、アリーに先行する三人の正統カリフらへの呪詛は同朝のシーア派信仰を体現し象徴するものであった（守川 一九九七：三〇―四〇頁）。

その結果、とりわけ一七世紀には、西アジアでの宗派対立はきわめて激しいものとなり、サファヴィー朝では公の場でスンナ派への挑発が行われ、一方のオスマン朝ではシーア派への敵意と憎悪を激しく煮えたぎらせ、シーア派のことを「不信仰者《カーフィル》」と蔑み、サファヴィー朝下の人々を「異端」や「不信仰者」と言って憚ることはなかった。こうして西アジアでは、宗派の相違による対立関係が一六世紀から一七世紀を通じて大きく横たわっていた。そして、このような宗派対立を助長したのが、カルヴァンやルターらの起こした宗教改革への対応に迫られた、カトリックの宣教師たちである。

宣教師らによる対外布教

宗教改革という新たな潮流に対するカトリック側の刷新運動において、修道会の果たした役割は決して小さくはない。ドミニコ会(一二一六年創設)やフランシスコ会(一二〇九年創設)、カルメル修道会(一二世紀ごろ設立)、アウグスチノ会(一二四四年創設)といった中世以来存続する托鉢修道会に加えて、一六世紀には、一五二五年にフランシスコ会から分かれたカプチン会やイグナチオ・デ・ロヨラ(一四九一―一五五六年)によるイエズス会(一五三四年創設)などが新たに設立された。これらの修道会は、宗教改革運動が盛んなヨーロッパだけでなく、アジアや南北アメリカへの布教活動を熱心に行った。

なかでもイエズス会は、「イエスの軍団」や「イエスの戦闘部隊」と呼ばれるほどに積極的な布教活動を主体とした修道会であり、会の創設者であるロヨラは「異教の地をことごとく征服すること」を最上の使命とみなし、ローマ教皇のお墨付きを得ると、海外宣教にも力を注いだ。日本への宣教で知られるフランシスコ・ザビエル(一五〇六―一五五二年)は、インド、マラッカ、マカオ、日本で活動したが、彼に続く者たちは、ペルシア(イラン)、スリランカ、ビルマ、シャム(タイ)などアジアの海域世界を中心とした地域で宣教活動を行った。ブラジルや中南米もイエズス会が熱心に布教活動を行った地域であり、彼らは実にグローバルに活動を展開した(バンガート 二〇〇四、高橋 二〇〇六)。

当初、アジア各地でローマ・カトリックの宣教師らの活動は歓迎された。日本では、イエズス会士のルイス・フロイス（一五三二―九七年）が一五六九年に織田信長から畿内での布教活動の許可を得て信者獲得に尽力したり、同じくイエズス会士のアレッサンドロ・ヴァリニャーノ（一五三九―一六〇六年）が巡察師として各地をめぐり、一五八二年の天正遣欧使節の派遣に一役買ったりした。宣教師らは、九州や畿内に聖職者を養成すべくセミナリオやコレジオを設立し、一六〇三年の報告では、キリシタンの数は三〇万人、教会は一九〇、布教活動従事者が九〇〇名にのぼったという（川崎 二〇一二：一四一頁）。また中国では、一五八三年に来朝したマテオ・リッチ（一五五二―一六一〇年）が士大夫の服装や行動様式を取り入れ、現地社会に順応して布教を行った。その後も北京の天文台長となったアダム・シャール（一五九二―一六六六年）や坤輿全図を作成したフェルディナント・フェルビースト（一六二三―八八年）らイエズス会士が自然科学分野の貢献をなすことによって中国社会に受け入れられた。

日本や中国ではイエズス会士たちの活動が目立つが、それは彼らが現地の言葉を習得し、「適応主義」とも呼ばれる方法でアジアの文化的背景を理解し現地社会に溶け込むことによってキリスト教を広めていこうとしたからである(5)。一方、カプチン会やフランシスコ会など現地社会の「ラテン化」を進める会派もあり、競合の激しい修道会のあいだでも彼らの宣教方法は決して一様ではなかった。いずれにせよ、アジアでの宣教において、地域、宣教対象者の社会的身分、都市部と農村部などに応じて、彼らは様々な手法で自らの、またキリスト教の「現地への定着化《ローカライゼーション》・土着化」を試みた（Amsler *et al.* 2020）。

二、国家による宗教統制と「国家宗教化」——寛容性の喪失と宗教的先鋭化へ

当初は為政者らに好意的に受け止められたカトリックの宣教師らであったが、徐々にアジア各地ではキリスト教への反発が強まるようになる。本節では近世期に各地で起こった「反キリスト教」運動や政策について見ていこう。そ

の際、国家と宗教の関係を、各地の世俗国家や地域社会が宗教的に先鋭化し「宗派化」していく世界的な構造変化のなかに位置づけていきたい。

日本でのキリスト教禁令と宗門改

日本で最初のキリスト教への公的な反発は、一五八七(天正一五)年の豊臣秀吉の伴天連追放令である。これはキリスト教そのものというよりは、その名のとおり、海外から布教にやってきたカトリック宣教師に対する禁令である。日本に宣教師たちが入ってきてからわずか数十年という短期間で早くも追放令が出されていることから、宣教師らの活動の活発さと、社会的な影響力の大きさがうかがい知れる。この追放令の背景には様々な理由があったとされるが、そのなかには、「キリスト教徒によって神社仏閣が打ち壊された」というものがあり、日本社会内部で、外からやってきた宣教師らによる既存の宗教への「攻撃」が反発を招いたことが見て取れる。このような認識は、とりわけ「攻撃」され糾弾された仏僧のあいだで広がっており、早くも信長の時代に確認し得る。一五六三年には、比叡山の僧侶たちが、都からの伴天連追放や教会の破却を河内や大和の領主に願いでており、その訴えの第一条では、宣教師らが「人々ならびに祖先が大いに崇拝して来た偶像を悪し様に言う。かくて一般庶民は、釈迦や阿弥陀の経典に対して畏敬の念を失」うとされている。また、悪魔憑きに陥った女性が、「伴天連どもが、私の仏様、お釈迦様、阿弥陀様を罰するならば、拝むものがなくなってしまう。それ(悪魔)に打ち勝つ者は誰もいない。私は誰も拝まないぞ」と歌い出したことに見られるように、キリスト教の教義そのものではなく、既存の信仰対象への「攻撃」こそが当時の日本社会においては受け入れがたかったことが浮かび上がる(フロイス 一九八一―八二:三巻二〇八頁、六巻一三四頁)。

伴天連追放令の起草は、秀吉の主治医かつ側近の施薬院全宗(一五二六―一六〇〇年)によっており、比叡山に入山して、その後還俗したこの人物の思想信条が強く影響したことは想像に難くない。もっとも、この追放令は、そのとき日本で活動していた宣教師らに国外に出ていくよう命じたものであり、実際には「仏法の妨げをなさざる」商人の往来やその後の宣教師の入国を全面的に禁じたわけではない。伴天連追放令はほどなく空文化していき、宣教師らは表立っての布教こそ慎んでいたが、日本国内で比較的自由に動き回っていた。(6)

徳川幕府の時代になると、家康は、最初は宣教師やキリスト教に対しても好意的であったが、対ポルトガル交易と、キリシタンの岡本大八とキリシタン大名の有馬晴信が関わった一六一一（慶長一六）年の贈収賄事件を契機にキリスト教禁教に方向転換し、まずは大名や幕臣のキリスト教信仰を禁じた。一六一三（慶長一八）年には「黒衣の宰相」の異名をもつ金地院（以心）崇伝（一五六九―一六三三年）によって「伴天連追放之文」が起草され、「神国」にして「仏国」である日本では、キリスト教が本格的に禁じられることになった。崇伝の起草した同禁令では、宣教師やキリスト教徒たちは「邪法を弘《ひろ》め正宗を惑わそうとする」とみなされ、キリスト教は「邪法」であり、「神を尊び仏を敬う」神道や仏教は「正宗」であると明確に対峙されている。ましてや、「嫌疑神道、誹謗正法（＝仏法）」するキリスト教は、「非邪法何哉、実神敵仏敵也（邪法にあらずしてなんぞや。実に神の敵、仏の敵なり）」と激しい口調で弾劾される。

家康の死後、秀忠の時代にはキリスト教徒はさらなる迫害の対象となった。一六一九（元和五）年に再度禁教令が出されると、五二名のキリスト教徒らが投獄され、京都で市中引き回しのうえ、火あぶりの刑に処せられた。一六二二（元和八）年には、今度は長崎で子供を含めた五五名が処刑され、その後も立て続けに江戸、仙台、盛岡、秋田、平戸など全国で信徒が処刑された。これらの弾圧による犠牲者の数は数千人にものぼるとされている。弾圧を免れた場合でも、キリスト教徒となった高山右近（一六一五年没）が国外へ追放されるなど、政府や国家の推進する宗教と異なる信仰を個人が維持するためには、国や地域社会から排斥されるという側面があったことを忘れてはならない。

一六三七（寛永一四）年の島原・天草の乱は幕府のそれまでの禁教政策に拍車をかけた。「武家諸法度」の寛文令（一六六三年）では、はじめて「耶蘇宗門の儀、堅く禁止すべき事」としてキリスト教が禁止された。徳川政権はその後も徹底した禁教政策を敷き、信徒のあぶり出しと強制改宗を行った。その一環として行われたのが寺請制度や宗門改である。寺が身元保証を行い、信徒(門徒)の宗旨を確認するなか、とりわけキリシタンから改宗した「転びキリシタン」に対してはその類縁にいたるまで厳しい監督下に置かれた。こうして一七世紀には、幕府は仏教を「強制」し、檀那寺に門信徒がキリシタンでないことを証明させるようになった。

幕府によるこれら一連の施策から明らかなように、この時代の日本の民衆は、自らの思想信条が何であるかを個々に(実際は家ごとに)表明し「信仰告白《コンフェッション》」する必要があった。これにより、誰しもが「自分は何者か」ということに加えて、自らの帰属や宗教アイデンティティを問い直したことであろう。さらに国家レヴェルでみると、より重要なことに、キリスト教に対する禁教令と歩を一にして、既存の「伝統宗教」である仏教へのシフトが図られている。まさにこれこそは日本型の思想統制であり、宗教を通じて信徒・門徒である民衆をすべからく管理する、国家主導の「宗派化」が推し進められたと言うことができよう。

各地での禁令

近世期の日本で見られたこのようなキリスト教への反発や敵対は、他の地域ではどうであったのであろうか。

一六八八年、シャムのアユタヤ朝では「革命」と呼ばれるほどに激しいクーデターが起こるが、このクーデターは、ギリシア人の寵臣フォールコンと結託し勢力を伸ばそうとしたフランス・カトリック勢力への反発という側面が多分にあった。それまでのアユタヤでは、「商人王」の異名をもつナーラーイ王(在位一六五六―八八年)がキリスト教徒やムスリムなどの外国人に対してオープンな施策を採り、国際交易を奨励してオランダ、イギリス、日本、インド、ペルシアなどと広範囲に交易を行っていた。そのようななか、シャム進出に後れをとったフランスは一六六〇年代以降精力的に使節団を派遣し関係構築を目指すが、使節団の構成員は主として軍人と、ローマ教皇からの認可を受けた宣教師であり、フランス側は「国王のキリスト教への改宗」を重視した。一方、交易の発展を望んだ王は改宗こそ拒絶したものの、ローマやパリへ返礼使節を派遣し、シャム国内で宣教師らを手厚く遇す。だが、ナーラーイ王が死の床につくや否やクーデターが起こり、それまで王の寵愛を得て外交・軍事・交易を一手に握っていたカトリック教徒のフォールコンは処刑され、フランス人たちはシャムから一斉に追放された(Smithies 2002)。このシャムの事件もまた、外国勢力との結託にしびれを切らした仏僧らが中心となった排斥運動であった。この際の人々の流言の中には、「国王がキリスト教に改宗して、すべての寺院を破壊する」(飯島 一九七五：五七頁)というものがあることから、日本と同じく、既存宗教への「攻撃」や、仏教の保護者であり神の化身と崇められた国王の転向がシャムの人々に受け入れられず、フランス勢力全体の排除と、さらには外国人との関係を断つ鎖国体制へとシャムを導いてしまうのである。

中国でのカトリック宣教師への最初の反発は、天文学に精通していたドイツ人宣教師アダム・シャールへの死刑宣告である。天体の運行と人間界の吉凶を結びつける中国の伝統的な考え方を否定したシャールに対し、安徽の楊光先《ようこうせん》は、「キリスト教は清朝を滅ぼす邪教である」と宣伝した。彼の主張は幼少の康熙帝(在位一六六一―一七二二年)の即位直後の権力闘争のなかで利用され、事態は宣教師たちへの厳しい尋問とシャールらの投獄にいたった。一六六五年にはシャールに死刑宣告が出される。だが実際の日蝕観測で彼らの暦法の正確さが証明されると、刑の執行は停止された(上田 二〇〇五：三一八―三二一頁)。この間、イエズス会は中国人の祖先祭祀を認める「適応主義」を採り、清朝と良好な関係を築いたが、遅れて中国布教を開始したドミニコ会やフランシスコ会が中国の伝統文化を否定する態度をとった。ローマ教皇も介入したこの典礼問題は、康熙帝が一七〇六年に、中国の習俗を容認する宣教師には滞在を許すが、教皇の指示に従う者にはマカオへの退去を命じることにより、宣教師排除の方向へ舵を切った。その後、清朝側の態度はより硬化し、雍正帝(在位一七二二―三五年)は一七二四年にイエズス会士らのキリスト教布教を全面的に禁止し、最終的には、チベット仏教に深く帰依する乾隆帝(在位一七三五―九五年)が登場するに及んで、宣教師らとの

「蜜月」は終わりを告げた。

先鋭化するムスリム政権——ムガル朝・オスマン朝・サファヴィー朝

インド以西では、そもそもカトリックの宣教師らによる布教活動はほとんど成功しなかった。「棄教」は死をもって償わなければならないムスリムや、「自分の霊魂の救済に関心のない」ヒンドゥー教徒らを改宗させることはまったく容易ではなかった。そのため、イエズス会をはじめとする宣教師らは、主に現地の少数派である東方諸教会系のキリスト教徒を改宗対象とした。

なかでもインドでは、いち早く進出したポルトガル系のキリスト教徒らのつなぎ止めが後の宣教師らの主要な任務であり、ムガル朝のアクバル(在位一五五六—一六〇五年)やシャー・ジャハーン(在位一六二八—五八年)は、宣教師らが教会を建設することを認めるなど、外来のキリスト教徒に対して比較的穏健な態度をとっていた。だが、最大版図を現出したアウラングゼーブ(在位一六五八—一七〇七年)がそれまでの国内のヒンドゥー教徒らとの融合政策を大きく転換させ、ムスリムのあいだでの団結をはかろうとする。この過程で「排斥」の対象とされたのが、人口の大多数を占めていたヒンドゥー教徒である。アウラングゼーブは一六六九年にはヒンドゥー寺院を破壊するよう全土に命じ、ムスリムとヒンドゥーの子弟が同じ学校で学ぶことを禁止した。その一〇年後には、アクバル以来一〇〇年以上にわたって廃止されていたヒンドゥー教徒らの人頭税《ジズヤ》を復活させた。この人頭税の課税によって、多くのヒンドゥー教徒が税逃れのためにイスラーム教に改宗したとされる。同じく、一六六〇年代にムガル朝領内で布教活動を活発化させたシーク教徒も、アウラングゼーブの粛清の対象となった(クロー 二〇〇一:二二九—二四二頁)。

これらの「不寛容政策」は、アウラングゼーブ個人の資質、すなわち禁欲的で教条主義的で他人と打ち解けない狂信性に帰されることが多いものの、一七世紀後半という時代性に鑑みると、国内外の他の宗教との接触が増えていたこの時期ならではの事象であるとも言えるだろう。アウラングゼーブを含め、歴代のムガル朝君主が一世紀半もの時間をかけて支配下に置いた各地は、ベンガルであれラージャスターンであれデカン地方であれ、いずれも住民の圧倒的多数はヒンドゥー教徒の地であった。そのような地域を自国に組み入れることは、国家としての一体性を根幹から揺るがす恐れがあった。事実、ムガル朝では常にどこかで反乱が起こっていた。そのため、最大版図となったこの時期に、支配者と住民、あるいは住民間での宗教の相違が抜き差しならなくなると、国内の「異質性」を排除し、同一の思想信条という新たなアイデンティティを創出する必要に迫られたのであろう。アウラングゼーブが自国のムスリムに対してもイスラーム法に反する行為を厳に戒めたことは、彼の宗教政策が国家を維持するための上からの思想統制であり、領域内のすべての住民を対象としていたことを物語っている。

一方、ヨーロッパと地理的に近い西アジアでは、早くからカトリック宣教師の布教活動が見られたが、宗教改革以降はその活動が一段と激しさを増した。宣教師らが布教の対象としたのはムスリムだけでなく、西アジアでもともと暮らしていた東方諸教会系のキリスト教徒やユダヤ教徒などであった[7]。カトリック宣教師らの過度な宣教活動に対して、これらの宗教マイノリティから国王に苦情や訴えが出されることさえもあった。このようなムスリム政権下の国内の「臣民」への布教は現地政府との軋轢を生み、修道会どうしの競合や対立が日本などと同じように頻発した。

一七世紀後半のオスマン朝下で出された法判断には、「ムスリムと異教徒の双方の住民のいる町で、もし異教徒らが町の中に教会を建てた場合、地元の〔オスマン政府の〕裁判官はその教会を取り壊すことができるのか？――そのとおり〔可能である〕」というものがある(Antov 2019: 43)。これは、町に異教徒しかいなかった場合には教会建設は可能であるという法判断があった一方で、都市の中で異なる宗教の住民が混在する場合、イスラーム教以外の他宗教への姿勢が厳しくなっていることを示している。

この状況は一八世紀にはさらにエスカレートする。一七一〇年代に一年五カ月間のみオスマン朝の最高位法学者《シェイヒュルイスラーム》であった人物の出した法判断は、大きな村でムスリムと異教徒が混住し、モスクなどの宗教施設が存在している場合、村のキリスト教徒が教会の鐘を鳴らしたり、豚肉を食したり、キリスト教徒の祝日に着飾って練り歩いたりすることに対して、地元のオスマン政府の裁判官はこれらの行為を禁止することができると断言する。その際、異教徒の側が「人頭税を支払っているのだから、誰からも妨げられない」と言って続けようものなら、「これらの行為は禁じられており、厳しく罰するべきだ」と一蹴している。ほかにも、本来であれば強制による改宗や酩酊状態でのイスラームの信仰告白は無効とされているにもかかわらず、この最高位法学者《シェイヒュルイスラーム》はこのような改宗も有効であるとし、父親がムスリムとなった場合は未成年の子供たちも即座にムスリムになるとの法判断を出している(*Ibid.*: 40, 44-45)。

一方のサファヴィー朝下では、宣教師らの活動が活発になるにつれて、キリスト教徒やユダヤ教徒、ゾロアスター教徒など、異教徒への風当たりもまた強くなった。ユダヤ教徒の強制改宗について当時のペルシア語年代記は次のように伝える。シャー・アッバース二世(在位一六四二―六六年)は、イスファハーン市内に暮らすユダヤ教徒に対して、「もし自分たちの不埒な信条に固執するのであれば、その者たちのために市の外側に彼らの場所を定め、イスラームの民と区別できるよう、定められた色の服を着用させるように」と命じた。その際、もしムスリムに改宗するのであれば、元の居所に残り続けることを保証し、改宗した者には一人あたり二トマン(当時の国庫税収は数十万トマン程度とされるので相当な金額)の現金を支払うとした。結果、イラン全土で約二万戸のユダヤ教徒が改宗したという。さらに、一七世紀後半になると、アルメニア教会[8]の忠実な信徒で、首都イスファハーンに専用の新ジュルファー街区を構えていたアルメニア人たちからの改宗者が増加する。改宗の理由は、異教徒への差別の増加、服装規定や居住場所の規定の厳格化、政権主導の強制改宗政策および改宗者への特別待遇の賦与、それ以前は免除されていた人頭税等の課税強化、そして何よりも国際交易で成功し莫大な財産を築いたアルメニア人商人たちによる財産保全のためであったと考えられる。

一七世紀後半の西アジアの宗教事情──「異なる宗派」への敵愾心

アジア全域で外来宗教の排斥や伝統宗教への回帰や強制改宗が進められていくなか、西アジアにおいては、オスマン朝とサファヴィー朝という同じ宗教を奉じるムスリム政権同士が手を結ぶことはなく、むしろ隣国との違いがことさらに強調された。強制であれ自発的であれ、キリスト教やユダヤ教からの改宗ムスリムが多々見られたこの時代に、サファヴィー朝下のイスファハーンからヴェネツィア、オスマン領ブルガリア、イスタンブル、アルメニア人の故地エレヴァンへと遍歴し、最終的にイスファハーンに戻って晩年を過ごしたアルメニア人改宗者の足跡を以下にやや詳しくたどることにより、一七世紀後半の西アジアから地中海にかけての「宗派化した世界」を見ていきたい(守川 二〇一八)。

このアルメニア人商人の回想録をひもとくと、一〇代後半にアルメニア教会を棄てイスラーム教(サファヴィー朝下のことなのでおそらくはシーア派。ただし、この時点ではイスラーム教内の宗派の別は自覚されない)に改宗した彼は、イスファハーンのアルメニア人街区・新ジュルファーの同胞アルメニア人たちから猛反対をされる。なかでも家族の反対はすさまじく、「どうして自分はイスラームを選んでしまったのだろう?」と自問自答して、三カ月間も床に臥せった。同時期にアルメニアやイランを訪れたフランス人商人らは、「アルメニア人は頑なに彼らの宗教を固持し、他の者に耳を貸そうとは決してしない」と述べるほどに、アルメニア人コミュニティの宗教的紐帯は強いものがあった。若くしてムスリムに改宗したとはいえ、この人物は、交易先のヴェネツィアでは表面上はキリスト教徒として生活し、途中バルカン半島で出会ったオスマン朝の裁判官の娘と結婚して裁判官の故郷ブルガリアでともに暮らしていたときは、アルメニア人ネットワークから離れてスンナ派ムスリムとして暮らした。義父の裁判官が亡くなると、経済的に困窮したためイスタンブルに行くが、そこでは「スンナ派とシーア派のどちらが真理なのか?」と逡巡する。サファヴィー朝下のエレヴァンで一〇年を過ごす中でシーア派ムスリムであることを確信した際の彼の発言が興味深い。〔夢の中で火獄へと追い立てられた〕私は誓いを立てて言った。「私は知らなかったのです。〔イスタンブルの〕スンナ派の学者は自分たちが真理だと言っていましたし、シーア派の学者は我々の教えこそが真理だと言っていました。私は「異教徒《カーフィル》」でした。ムスリムになったばかりで、どちらの教えが真理か理解できていませんでした。今や、私はどちらの教えが真理かはっきりとわかりました。」そこで彼らは私を解放し、言った。「我々は、おまえが正しく判断できるよう言ったのだ。地獄に落ちてしまわないようにな。」ここで私は夢から覚めた。すぐさまウマルとアブー・バクルとウスマーンへの呪詛を行った。私の心は落ち着いた。なぜなら、これまでシーア派の教えかスンナ派かで考えあぐねていたからだ。

ここからいくつかのことが明らかとなる。まず、アリーを除く三人の正統カリフへの呪詛を行うことによりシーア派であることが言明される点である。換言すれば、サファヴィー朝下では、呪詛を行わない限りシーア派とはみなし得ない、と判断されているのである。この改宗アルメニア人は呪詛に対してさほどよい感情を持っておらず、当初は躊躇《ためら》いを見せていたが、火獄への怖れからウマルらへの呪詛を行うようになった。この表明のあと、彼はエレヴァン総督から住居を与えられているが、これは明らかに彼が名実ともにシーア派になったことへの「褒美」である。

またこの人物ほどにその生涯の大半を「宗教マイノリティ」として送った人物はほかにいないであろう。イスファハーンの新ジュルファー街区生まれのアルメニア人として、ムスリムが大多数のイスファハーンでは彼は少数派であった。また、改宗ムスリムとなった際には、新ジュルファー街区では少数派であり、それはヴェネツィアなどのヨーロッパの「キリスト教国」でも同様であった。オスマン朝下において、彼は安住の地を見つけたかに思えたが、スンナ派とシーア派というイスラームにおける宗派の相違のもとでは、シーア派になじんでいた彼は少数派であった。サファヴィー朝下のエレヴァンでも、アルメニア人の同胞コミュニティの中での彼はアルメニア教会の司祭と信仰をめぐって論争した。彼が安住の地を見出したのは、イスファハーンを発ってから実に三〇年近くを経てからのことであり、シーア派のサファヴィー朝のおひざ元こそが彼の安住の地であった。そして、宗教マイノリティであった彼は、遍歴した各地で投獄され、イェニチェリに追われ、家族や教会の司祭から糾弾された。なかでも、彼がオスマン領東端のジョージアのバトゥーミでシーア派を理由に拘束されたことや、「アルメニア人の故地」でありつつもサファヴィー朝の支配下にあったエレヴァンで、その総督のもと呪詛を行うようになったことは象徴的である。ここに、一七世紀後半の西アジアにおける「領域国家」化の進展や、その「領域国家」の中での地域社会と宗教・宗派との一体化が垣間見られるからである。

このように、サファヴィー朝の成立から二世紀近くを経た一七世紀末には、オスマン朝であれサファヴィー朝であれ「領域国家」化が進む地域社会では、各地で政権が支持・推進する宗教や宗派を受容し、それを信仰が異なる「他者」にも強要するようになっていた。サファヴィー朝では異教徒への強制改宗の圧力や他者を排斥する風潮が増し、首都イスファハーンでは数世紀前の著名な学者であっても、スンナ派である場合には墓が破壊されることもしばしば行われた。そしてこのような破壊は、政権やイスラーム教の高位の学者による「教導」があったとはいえ、過度な宗教心に煽られ、突き動かされた民衆が率先して行ったのである。そして宗派の相違を「異端」「邪教」という呼称や「呪詛」という行為に単純化し、宗教や宗派を理由に他者を誹謗し排斥した。すなわち、ヨーロッパでの宗教改革やその後の宗教戦争という激動の時代と軌を一にして、西アジアにおいても、「異教徒」や「異宗派」をめぐって信仰上の齟齬や乖離を理由とした軋轢が生じ、改宗であれ追放であれ、信仰の異なる「他者」を地域社会の中から徹底的に排除しようとする時代が到来したのである。

一八世紀初頭、イスファハーンに二〇年間滞在したポーランド出身のイエズス会士によると、「トルコ人とペルシア人の見解の相違は注目すべきである。彼らは互いを「異端」であると見下している」とあり、さらに、

> トルコ人、とりわけ法律の徒〔法学者〕が道義心や信心の点においてペルシア人に対して抱いている嫌悪やいわばある種の憎悪ははなはだしく、いつでも彼らを攻撃する構えでいる。学者連中は彼ら〔ペルシア人〕をあまりにも嫌っているため、「故意の殺人であっても、一人のキリスト教徒を殺害するのと同様に、四〇人のペルシア人やシーア派どもを殺害することはたいした罪ではない。合法な戦争においては、四〇人のキリスト教徒を殺害するよりも、一人のペルシア人を殺害する方がより賞賛に値する」と彼らはつねづね言っている。

とあり、ペルシア人シーア派ムスリムに対して、オスマン朝下のスンナ派ムスリムの抱くこのような憎悪は、「すべてのトルコ人にとって押しなべて一般的なこと」であり、彼らは「ペルシア人のことを最も危険な異端であるとみなしている」と続けられている（守川 二〇一八：九六頁）。

以上は、西アジアのイスラーム社会の事例であるが、これらの大国においてさえも、宗教の固定化や宗教的不寛容さが加速度的に進展している様子がうかがえよう。宗教と地域社会が一体化し、地域社会に国の推進する「宗教」が根ざしていくにつれて、異教徒であれ異宗派であれ、信仰を異にする者を許容しない地域社会の姿が浮かび上がる。

宗教・宗派の地域化《ローカライゼーション》と宗教マジョリティの創出

ヨーロッパのカトリックと非カトリックの宗教戦争や、信仰の自由を認めたナント王令の廃止（一六八五年）、日本の禁教令や宗門改制度、鎖国化するシャムや中国、オスマン朝やサファヴィー朝やムガル朝の宗教政策の厳格化など、一七世紀後半には世界各地で思想調査や宗教統制が加速した。このような近世期の宗教政策は、地域社会における宗教的寛容性や多様性の喪失を促進した一方で、国や地域社会での宗教・信仰の一般民衆への浸透、および人々の信仰の同一化に寄与することとなった（深沢・高山 二〇〇六）。すなわち、政権が一つの宗教を「国教」もしくはそれに準じるものとして採用する国家宗教化が「民」の信仰の画一化をもたらし、国家や地域のなかでの圧倒的な宗教マジョリティを生み出したのである。

この時期の特徴の一つとして、宗教や宗派が地域ごとに固定化していく点が挙げられる。たとえば、宗教改革を経たヨーロッパでは、フランスはカトリック、ドイツは領邦ごとにプロテスタントやカトリックというように、宗派と地域社会が一体化へ向かう傾向が見られる。西アジアでは、オスマン朝領域はスンナ派、サファヴィー朝領域はシーア派となり、日本や中国やシャムでは伝統宗教への回帰が図られる。このような宗教・宗派の地域化には、当然のことながら政権の思惑が絡んでいる。その意味で、この一七・一八世紀は、政権が宗教を基盤に地域支配を徹底していく時期であったとも言うことができるのである。他方、ムガル朝のように、そもそもが少数派のムスリム政権と圧倒的多数派の領域内の人々というねじれた構造の中で思想統制に失敗すると、宗教や宗派の異なる地方が離反し、支配領域からこぼれ落ちてしまう場合もある。人の移動が活性化し、外来者をはじめ、多様な宗教・宗派の人々と接触する近世期には、民の思想統制を可能とする物理的な範囲があるのだろう。

こうして地域社会とそこに暮らす人々の宗教や信条とが一体化し、「宗派化」が浸透すると、地域社会の宗派構成にも変化が見られるようになる。たとえばギリシア独立後のオスマン朝(一九世紀中葉)では、三五三五万人の人口のうち、約六割がムスリムであった(Karpat 1985)。ただし、「アジア」「ヨーロッパ」「アフリカ」と大陸別に算出されているこの統計[**図表1**]を仔細に検討すると、全土でムスリムが多数派を占めるのではなく、大陸ごとに宗教マジョリティが異なっていることがわかる。たとえばギリシア独立後もオスマン領のままであったバルカン半島では、一五世紀から一六世紀の二〇〇年間をかけて徐々にムスリムへの改宗者が増加し、一七世紀中葉に改宗曲線はおよそピークを迎えるとされる。バルカン半島のなかでも地域によって改宗者の多寡は見られるものの、総じて、まずは上層部の改宗があり、その後、地域の一般民衆の改宗があったことが明らかとなっている(Krstić 2011)。

このような改宗事情を踏まえたうえで図表を見ると、エジプトのコプト教徒らの存在が一切反映されていない「ア

図表1　1844-56年のオスマン朝の宗教別人口

		ヨーロッパ	アジア	アフリカ	合計
ムスリム		4,550,000	12,650,000	3,800,000	21,000,000
キリスト教徒	ギリシア正教徒	10,000,000	3,000,000	―	13,000,000
	カトリック	640,000	260,000	―	900,000
ユダヤ教徒		70,000	80,000	―	150,000
その他		―	―	―	300,000
合計		15,260,000	15,990,000	3,800,000	35,350,000

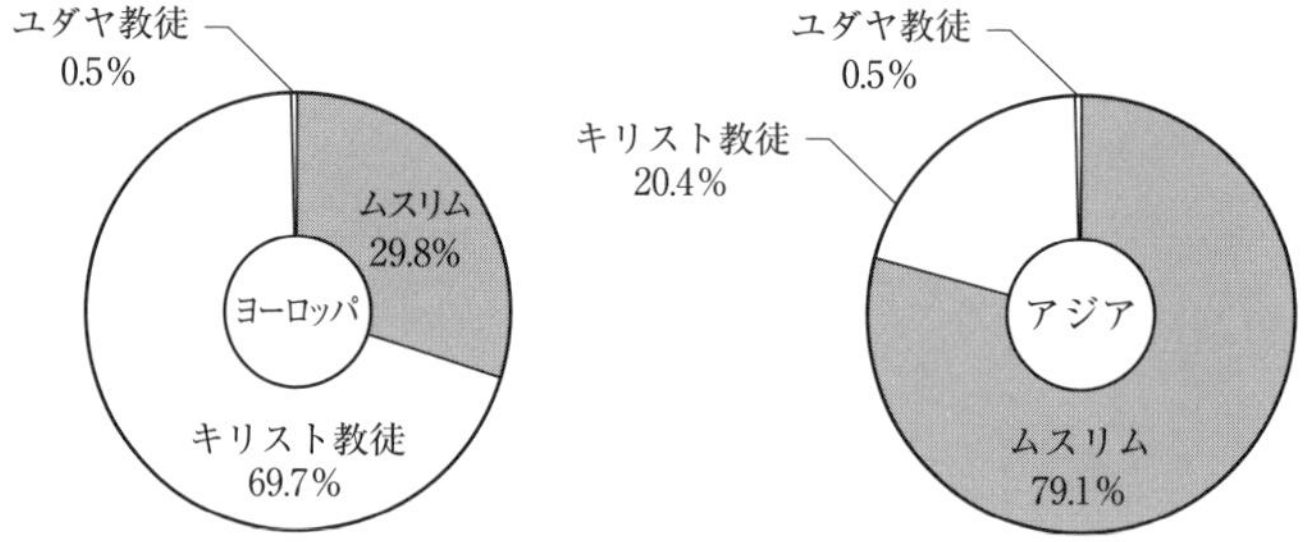

出典：Karpat(1985: 116)をもとに作成．
注：「その他・合計」の項の30万人は大陸別では計上されていない．ここでの「ヨーロッパ」にはトラキア，ルメリア／テッサリア，ブルガリア，アルバニア，ボスニア／ヘルツェゴヴィナ，ワラキア／モルドヴァ／セルビア，エーゲ海諸島が含まれ，「アジア」にはアナトリア(小アジア)，シリア／イラク(メソポタミア)／クルディスタン，アラビア半島が，また「アフリカ」にはエジプト，トリポリ／フェザーン，チュニスが含まれる．

フリカ地域」を含めたとしても、一九世紀中葉のオスマン朝下の人口は、ムスリムが五九・四%でおよそ六割を占め、一方のギリシア正教徒やカトリック教徒といったキリスト教徒が三九・三%とおよそ四割を占める。これを、アフリカ地域を除いて見てみると、アジア地域では一五九九万人のうちムスリム人口は一二六五万人で約八割を占めるのに対し、ヨーロッパ地域では一五二六万人のうち、ムスリム人口は四五五万人で三割に満たず、キリスト教徒が一〇六四万人とほぼ七割となる。すなわち、アジア地域での多数派はムスリムである一方、首都のイスタンブルを含めたヨーロッパ地域での多数派はキリスト教徒であることが歴然とする。[2] これは何を意味しているのであろうか。

　国家や地域社会が主導する「宗派化」が貫徹された地域では、社会のありようが大きく変化した。多様な宗教を内包し共存・併存する社会から、地域の大多数が信仰する宗教や宗派とは異なる宗教マイノリティは、その地に暮らし続ける場合は「改宗」を選び(表面上の場合を含む)、宗教を保持し続ける場合は「移住」という名の「亡命」をするしか生き延びる道はない時代へと移り変わっていったのである。一方、国家や政権の側からすると、国家の推奨する宗教・宗派と異なる信仰をもつ人々が多い地域については、その支配は決して安定的なものとはならず、反乱分子の温床として離反の可能性がつねにつきまとった。そのような地域を支配領域に組み込むためには、「宗派化」をどれほど進められるかが鍵であっただろう。しかし、宣教師や外国人など第三者の介入もあり、多数派宗教の総入れ替えは容易ではなく、結果として、宗教の色分けが進んだ一九世紀から二〇世紀初頭には、バルカン半島のように、「異教徒」「異宗派」の地域は分離独立へと向かうのである。

三、宗教の大衆化——聖地巡礼の隆盛と下からの聖地創造

聖地巡礼の隆盛

一九世紀には、各地の宗教に新たな展開が到来する。それは、宗教の大衆化ともいうべき現象である。国家による宗教の統制や、地域化・局地化する宗教の浸透の結果、それまでは聖職者や宗教学者・法学者らに多くを拠っていた宗教が一般の民衆レヴェルにまで浸透する。こうした国家宗教化および地域社会ごとの宗教マジョリティ創出の結果が、近世期以降、各地で大規模に見られた聖地巡礼である。

島国であるとともに国外への往来が制限された日本では、ひと足早く江戸時代から巡礼が盛んになった(原 二〇〇七、島薗他 二〇一五)。これは、江戸初期を通じて厳格な宗教統制を行った結果でもある。また、治安や交通路の改善や農民層への貨幣経済の浸透に加えて、一般の人々にもわかりやすく図示された霊場記・道中記や参詣曼荼羅などの絵図やガイドブックの出版、および伊勢講や富士講、成田講などの「講」による巡礼の組織化は、宗教の大衆化を促

し、一般民衆の巡礼ブームに火をつけた。こうして伊勢参詣など年間数十万人の参詣者を集める巡礼が生まれ、江戸時代に幾度もあった「おかげ参り」には数百万もの人が参加した。なお、一八〇三（享和三）年刊行の『二十四輩順拝図会』は親鸞の高弟二四人のゆかりの地を門信徒が巡礼するための案内書であるが、宗派・宗門ごとに巡礼先が細分化される点も、この時期の聖地巡礼の特徴の一つである。

日本に限らず、キリスト教世界やイスラーム教世界など、一九世紀には、世界各地で聖地巡礼が盛り上がりを見せる。一九世紀のこの新たな潮流は、「巡礼の新しい黄金時代」とも呼ばれている（Pazos 2020）。とりわけ女性たちの巡礼や、ときには国を越えた遠方への巡礼が増加するのも大きな特徴である。メッカ巡礼が広く世界的な傾向になるのはまさしくこの時代からであり、それまでは年に数千人から多くても一－二万人程度であった巡礼者は、一九世紀後半には一〇万人近くにまで膨れ上がる。その背景には、蒸気船などの「交通革命」が大きな影響を及ぼしているが、交通の便がよくなったというだけでは説明のつかない現象でもある。ちなみに、メッカ巡礼を信徒の義務行為である「五行」の一つと捉えているイスラーム教を別にすると、巡礼という行為が創唱時から教義に含まれている宗教は、じつは非常に少ない(10)。伊勢神宮や四国遍路やブッダガヤやサン・ピエトロ大聖堂など、創唱者にゆかりの場所や「聖地」とされる場所に行くことは、聖書や仏典に明記されているわけではなく、信徒の宗教的な義務行為ではない。それにもかかわらず、人々が「聖地」へ巡礼するのは、教義によって強制されるからではなく、個々人の内面に信仰が根ざし、ひいては社会の中に宗教が内在化しているためである。

ヨーロッパ・キリスト教社会の新たな巡礼潮流――新設の聖地と巡礼熱の盛り上がり

一九世紀には、ローマや、パレスチナ、サンティアゴ・デ・コンポステーラをはじめ、イギリスからポーランド、ギリシア、ロシアまで、様々なかたちでの巡礼が隆盛した（Pazos 2020）。この中には既存の聖地だけではなく、一九世紀に新たに「創設」されたところもある。なかでも最も有名な聖地はフランス南部のルルドである。ルルドは、一八五八年に、一四歳の少女ベルナデット・スビルーが薪を拾いに洞窟に行った際に「無原罪の御宿り」である聖母マリアの出現を体験した場所である。一九世紀中葉に突如として現れたルルドは、ベルナデットのもとに聖母が出現するといううわさを聞きつけた人々が自発的に集まり、その数は回を追うごとに増加し、さらにはベルナデットが見つけた泉の水によって病に苦しむ人々が治癒される奇跡が相次ぐという、人々の側から推されてできた聖地であった。

一八五八年の最初の「出現」以降、複数回の「出現」がベルナデットによって主張されたが、教会がそれらを認定するよりも早く、人々がルルドに押し寄せた。四年間の調査の末、ようやく一八六二年に教区司教がまずルルドの洞窟に聖母マリアがあらわれたことを承認し、その地に聖堂が建てられた。一八六六年の献堂式は、司祭三〇〇名、信者六万人がつどう盛大なものであった。その一〇年後にローマ教皇の勅命によって建てられたマリア像の除幕式には、各国から司教三五名、司祭三〇〇〇名、信者一〇万人が集まった。年を追うごとにルルドの名声がとどろき、その勢いをカトリック教会の上層部が認めていった過程が見て取れよう。このルルドの「聖地化」について、一九一一年に東京・小石川の関口教会から出版された小冊子『ルルドの洞窟《ほら》』に興味深い一文がある。

一九世紀のように物質的文明の非常に進歩した社会においては、ルルドの出現やその奇蹟なる病気の平癒などの譚《はなし》は最も奇異《ふしぎ》とし驚くところである。この故に欧米各国にますます大評判となって、聖母マリアの御守護を願うためにルルドに参詣するものが年々増加し、今は毎年十数万の参詣者がある。

（一部表記を改めた。カレル『ルルドへの旅』所収、二一九頁）

ここでは、「物質的文明の非常に進歩した社会」である「一九世紀」であるからこそ、病気が癒えるルルドの奇跡性が強調されたのだと、関口教会の主任司祭であった著者ドルワール・ド・レゼーは述べているのである。

さらに、このルルドの聖地化において興味深いのは、最初は懐疑的であった政治権力や何よりも教会権力が、人々の熱意や目の当たりにした数々の奇跡に押されるかたちで、それを追認せざるを得なかった、という点にある。すなわち、聖地ルルドは「下からの聖地創造」と言うにふさわしい現象なのである。

イスラーム教社会の新たな巡礼潮流――既存の聖地巡礼の活性化

既存の聖地への巡礼もまた、一九世紀には大きな広がりを見せる。メッカやメディナへの巡礼は、それまでの西アジアや北アフリカやインドからだけではなく、東南アジアや中央アジアやヨーロッパやアフリカからの巡礼者を惹きつけ活発化するが、そのほかにも、オスマン朝下のイェルサレムへ毎年数千人規模の巡礼者が「国境」を越えて訪れ、さらには同じくオスマン朝下のイラクにあるシーア派の諸聖地には、とりわけイランやインドから毎年一〇万人ものシーア派ムスリムが巡礼した。各地の比較的大きな聖者廟が巡礼者を得て一段と大きくなるのもこの時期である。

なかでもシーア派ムスリムのイラク巡礼は、ナジャフのアリー廟やカルバラーのフサイン廟が「スンナ派の盟主」たるオスマン朝支配下のイラクにあったために様々な問題を惹起した。一八四七年にオスマン朝とイランのカージャール朝(一七九六―一九二五年)間で結ばれた和平条約により両国家間の往来が解禁されると、国境を通過する者にはパスポートの携帯と検疫と関税のための荷物検査が義務づけられた。この結果、国境を越えて巡礼する一般の人々にとって、国境通過は「イラン人であること」と、「シーア派であること」という二つの意識を否が応でも認識する場となった。イラン＝イラク国境の検問所は検疫所と税関を兼ね備え、かつ何百人もの巡礼者がキャラバンで押し寄せるためにトラブルには事欠かず、巡礼者たちからすれば怨嗟の対象であった。そのため、この多大なる辛苦と長旅の先に聖地に到達した者たちにとり、スンナ派国家の中に位置するシーア派諸聖地は真の意味での「聖地」として彼らの眼前に現れ、聖地巡礼の成就は感動もひとしおであった(守川 二〇〇七)。ここに、イランのシーア派ムスリムの自己アイデンティティが確立する要因があったと同時に、信徒に強く働きかける聖地巡礼の「効能」が認められる。

これは、同時代にイラン出身のアフガーニー(一八三九―九七年)がイランやイラクでシーア派教育を受けた後、一〇代でインドに行き、その後メッカ巡礼を成し遂げてアフガニスタン、イスタンブル、カイロ、パリ、ロンドンなど各地をめぐり、スンナ派やシーア派といった垣根を越えてムスリムの団結を訴え、パン＝イスラミズムを主張したのとは大きく異なる。確かに一方で、アフガーニーのような「西洋・キリスト教世界」対「東洋・イスラーム世界」という大きな枠組みで考える人物が登場したが、他方、「宗派化」を経験した地域に暮らす多くの一般の人々にとっては「世界」はより小さく、宗派の異なる隣国にある、自らの奉じる宗派の聖地へ巡礼することにより、「シーア派」「イラン人」といった、より限定的で閉鎖的なアイデンティティを持つようになったこともまた事実であろう。

「宗派化」の完遂と宗教の大衆化

こうして、ルルド、ローマ、メッカ、イェルサレム、四国遍路、西国巡礼、シーア派のイラク巡礼など、一九世紀になると、信仰を理由とした長距離かつ大規模な移動が盛んになっていく。このことは、それぞれの宗教や信仰が人々のあいだに着実に根を下ろしたことの証左でもある。すなわち、国家による宗教統制・国教化という「宗派化」の時代を経て、体制側の宗教と民衆の宗教が一致する時代が到来し、一六世紀来、近世諸国家において模索された「宗派化」が完遂したと結論づけることができるのである。

「人工的」に創造される新たな聖地や巡礼は人々の側から生まれた自発的な運動であり、国家が「民」に対して思想統制や宗教を管理することから距離を置くようになった結果のことである。すなわち、国家による宗教の押し付けや管理がなくとも、人々や地域社会はすでにその宗教や宗派を自身のものとして受け入れているため、国家の世俗化への度合いと正比例して、聖地巡礼が盛んになっていると考えられるのである。また、宗教の大衆化のバロメーターともいえる聖地巡礼は、教義教則でがんじがらめになった宗教から、固く厳格な教条主義の側面が色あせていく過程とも合致する。先述のように、聖地巡礼は決して教義の中で「義務」として課されたものではなく、あくまでも信徒や信者たちの間で自然に沸き起こるものである。そして、各地から訪れる人々とともに巡礼することで、誰しもが手軽に宗教やその宗派の本質を体感することができる。

一方、宗教が「大衆化」し民衆と近くなるということは、聖職者らの立場をそれまでとは異なるものにした。すなわち、国政や社会における専門分化や専従とそれに伴う政教分離への移行である。一六世紀の宗教改革の時代には、主権国家の君主や領邦君主がとりわけプロテスタントの聖職者らを保護した。領域内の人々から十分の一税という「教会税」をあまねく取り立てるローマ・カトリック教会は、ヨーロッパの君主層にとっては目の上のこぶであった。国家権力をもしのぐ存在となっていた教会権力を批判し、君主や領主らの権限を認めようとするプロテスタント聖職者らを「敵の敵は味方」とみなして彼らが接近したのは道理である。だが、地域社会が「宗派化」し、宗教を地域に根づかせる《ローカライゼーション》と、国家はもはや聖職者の助けを必要としなくなった。教会や寺院が人々を「教導」する必要もまた、なくなったのである。教皇至上主義を唱えるイエズス会に対して、ポルトガルやスペインやフランスなどの世俗国家の圧力のもと、一七七三年にローマ教皇が活動禁止を命じたのはその先駆けとも言える（一八一四年に復興）。さらにこのことは、たとえばイランでも見られた。サファヴィー朝後期にはきわめて強い権限を有し、社会のシーア派化を推し進めた法学者らは、西洋化や近代化を目指したそれ以降の政権下では権限が限定され、政治の場で必要とされることはなかった。その不満が、一八九一―九二年のタバコ・ボイコット運動や二〇世紀初頭の立憲革命で表面化する。いずれにしても、宗教と政治、宗教界と国家が密接な関係をもっていた時代は終わり、教会などの宗教勢力が政治の世界において、むしろ厄介な足かせとなるのである。

おわりに――政教分離と世俗主義の時代へ

国家と「民」の、また人々の間での宗教や信仰の「統一」は、一九世紀の「国民国家」成立に向けての一つの指標を提供した。自と他の区別の中に、「宗教」もまた組み込まれていくのである。こうして一九世紀に各地で「国民国家」が成立すると、今度は「自分たち(わたしたち)」の中で共有され自明となった宗教を、植民地支配の名のもとに、宗教的寛容性を装いながら外に向けて発出する。ミッショナリー・スクールの海外植民地等への進出は、人々が主導する「下からの宗派化」の一形態であるとともに、宗教の「再輸出」という側面もあわせ持つ。他方、国内では、圧倒的マジョリティとなった宗教を信奉する人々は、改めて宗教マイノリティを攻撃したり吸収したりする必要もなく、宗教的平等を謳う余裕ができたとも考えられる。それが二〇世紀に各地で加速する世俗主義のうねりとなる。

フランスでは、一九〇五年に政教分離法が定められる。俗にいう「ライシテ法」である。「共和国は良心の自由を保障する」「自由な礼拝の実践を保護する」(第一条)、「共和国はいかなる宗派も承認しない」(第二条)とあるように、ライシテ法によって「宗派主義」からの決別が図られ、「宗派化」時代は終わりを告げた。ただし、「脱宗教化」の時代が訪れたとはいえ、一直線に事が進んだわけではなく、また脱宗教化後も宗教マイノリティへの差別がなくなったわけでは決してない(ボベロ 二〇〇九、伊達 二〇一八)。また、一九二九年のラテラノ条約は、「カトリック国」イタリアにおいて、ようやく教皇庁と世俗国家の和解が成立した画期的なものであった。この条約において、国王の戴冠から破門まで一手に握っていた教皇と教皇庁はヴァチカン市の支配権を認められた。だが一方で、「神と世俗君主を媒介する教皇」という中世以来の伝統をくつがえし、正式に承認されたイタリア王国に対しての権限は失うこととなった。これは、世俗の主権国家に対して抗う力が教皇庁にはもはや残されていなかったと見ることも可能であろう。カトリック教会が強い権限を有したフランスやイタリアと同様に、西アジアでも、オスマン朝の滅亡でもって一九二三年に成立したトルコ共和国は政教分離の原則を掲げ、イスラーム神秘主義教団《タリーカ》の廃止や宗教学校《マドラサ》の公教育からの排除、スカーフ着用の禁止などの政策を打ち出していく。同じく、イランのパフラヴィー朝（一九二五－七九年）はイスラーム法にかわって西洋近代法を主軸に据え、ヴェール着用の禁止や一部での男女共学、イスラーム太陰暦（ヒジュラ暦）からイラン太陽暦への変更など、世俗化政策を漸次導入した。フランス、イタリア、トルコ、イランなど、宗派化が貫徹された地域ほど、近現代には政教分離が促進された。「宗派化」議論を踏まえた近世から近代そして近現代への移行は、世界規模でさらに検討すべき課題であろう（たとえば伊達 二〇二〇）。

　ポスト・モンゴル期を経て、地域社会の中での自立化への道を歩んだ近世諸国家は、「大航海時代」とヨーロッパの宗教改革によるグローバルな人的交流の中で「他者」との接触が増え、その過程で「宗教」や「宗派」にかかるアイデンティティを自問する必要に迫られた。そして、本稿で検討したように、民衆管理のためにも宗教アイデンティティの統一を図ろうと努めたのである。その帰結として各地で見られた「一国一宗派主義」は、宗教（宗派）アイデンティティが言語や民族とも深く結びつくことにより、「民族国家」を生み出す遠因となったのではなかろうか。近現代には、世界各地で「民族国家」が多数生み出されるが、その際、宗教アイデンティティもまた、「民族的結束」を象徴する要因となったように思われるのである。

注

（1）「宗派化／宗派体制化／信仰統一化」（confessionalization）は、ドイツのハイツ・シリングやヴォルフガング・ラインハルトによって提唱された。宗教改革後の西欧では、ルター派、カルヴァン派、カトリック（やイギリス国教会）などが政治・社会・文化のあらゆる領域を「宗派的にすること」いわゆる「宗派化」を強力に推し進めた。時代としては、主に一六世紀初頭から一七世紀中葉までの一五〇年間を指す。近年では、その時代区分や、「宗派化」モデルのドイツ以外での適用対象、また「上からの宗派化」などの点について批判が出され、修正が施されている(特に時代は、一九世紀ごろまでとする説が有力)。「宗派化」については、踊(二〇一八)、坂本(二〇〇八)、Lotz-Heumann (2001)に詳しい。

(2) アリーは預言者ムハンマドの従弟であり、またムハンマドの愛娘ファーティマの夫でもあったことから「血の聖性」が強調される。シーア派は「真の指導者」たるイマームが誰かをめぐって、七イマーム派(イスマーイール派)や十二イマーム派、ザイド派などに分かれる。また、歴史的には、十二イマーム派のブワイフ朝(もしくはブーヤ朝、九三二―一〇六二年)や七イマーム派のファーティマ朝(九〇九―一一七一年)など、イラン・イラクやエジプト・シリアなど各地でシーア派政権が誕生した。

(3) Shaykh al-Islam/Şeihül-Islam は「イスラームの長老」の意で、イスラーム法に通じた法学者の中の最高位。オスマン朝では、スルタンの即位を承認する権限を持ち、スルタンに宗教上の助言も行った。また、法学者から出されるイスラーム法に適った法判断のことをファトワーという。

(4) ムハンマドの死後の正統カリフは以下のとおり。初代アブー・バクル(在位六三二―六三四年)、第二代ウマル(六三四―六四四年)、第三代ウスマーン(六四四―六五六年)、第四代アリー(六五六―六六一年)。このうち、アリーはシーア派の初代イマームとして尊崇されるため、ここでの呪詛の対象とはならない。

(5) カトリック宣教師らの異文化「適応」については、齋藤(二〇二〇)参照。同書所収の序章(編者)および一二本の論考は、教義や理性の問題から現地語への翻訳・美術、適応主義の限界まで、世界各地の宣教現場の実情を余すところなく提示しており、いずれもきわめて有用である。

(6) 日本でのイエズス会の活動やキリシタン禁制については、高橋(二〇〇六)、村井(一九八七)、神田(二〇一〇)、大橋(二〇一四)などを参照されたい。なお、その後、日本布教に後れをとったフランシスコ会やドミニコ会が入ってくると、イエズス会との対立が表面化し、一五九六年のサン・フェリペ号事件と、その翌年の長崎での「二十六聖人の殉教」にいたる。このとき処刑された外国人四名はいずれもフランシスコ会の司祭や修道士であったため、これは、キリスト教徒全般への迫害というよりは、カトリック修道会内の対立や競争の結果とみなされる。

(7) 近年、近世期のオスマン朝やサファヴィー朝で生じた棄教や改宗に関する研究が盛んである。これらについては以下を参照。Baer 2008; Krstić 2011; Kostikyan 2012; Graf 2017; Norton 2017; Molnár 2019; Tiburcio 2020; Matthee 2020; Berto 2021.

（8）東方諸教会の一派で、アルメニア使徒教会とも呼ばれる。アルメニアはローマ帝国のミラノ勅令に先立つ三〇一年に世界で初めてキリスト教を公認した。典礼にはアルメニア語を用いる。シャー・アッバース一世（在位一五八七―一六二九年）の強制移住政策によって一六〇五年に創設されたイスファハーンの新ジュルファー街区には、司教座教会をはじめ二〇近い教会があった。

（9）一九世紀最末期にいたるまで、イスタンブル生まれの人口の半数強はキリスト教徒であった（Karpat 1985: 102-105）。

（10）イスラーム教では、メッカ巡礼（ハッジ）は聖典『クルアーン』にも記載のある宗教的義務行為である。ユダヤ教では、「出エジプト記」（二三）に「年に三度、あなたがたの中のすべての男性は、主なる神の前に現れなければならない」と記されるが、イェルサレムの神殿が破壊されて以降は、この慣行は下火となった。キリスト教でイエス埋葬の地である聖墳墓教会（復活教会）へ巡礼者が訪れるようになるのは、三二六年にローマ帝国の母后ヘレナがイェルサレムを訪れ、聖十字架を「発見」して以降のことであり、四―五世紀には数点の巡礼記が残る。十字軍時代にはイェルサレム巡礼が大いに奨励されたことは言うを俟たず、カトリックでは、宗教改革さなかの一五四五年から六三年に断続的に開催されたトリエント公会議で、プロテスタントからの批判の強かった「贖宥」や聖遺物崇敬、マリア崇敬とならび、聖地巡礼の重要性が再確認されている。

参考文献

飯島明子（一九七五）「タイにおける一六八八年の“Révolution”――アユタヤ王朝の対仏関係についての一考察」『東南アジア 歴史と文化』五。

上田信（二〇〇五）『海と帝国――明清時代』（中国の歴史9）、講談社。

大橋幸泰（二〇一四）『潜伏キリシタン――江戸時代の禁教政策と民衆』講談社選書メチエ。

踊共二（二〇一八）「宗派化と世俗化の歴史解釈――ヨーロッパ史からグローバルヒストリーへ」『東欧史研究』四〇。

カレル、アレクシー（二〇一五）『ルルドへの旅――ノーベル賞受賞医が見た「奇跡の泉」』田隅恒生訳、中公文庫。

川崎桃太（二〇一二）『続・フロイスの見た戦国日本』中公文庫。

神田千里（二〇一〇）『宗教で読む戦国時代』講談社選書メチエ。

クロー、アンドレ（二〇〇一）『ムガル帝国の興亡』岩永博監訳・杉村裕史訳、法政大学出版局。

齋藤晃編（二〇二〇）『宣教と適応――グローバル・ミッションの近世』名古屋大学出版会。

坂本宏（二〇〇八）「近世ヨーロッパ史における宗派体制化」『明治学院大学教養教育センター紀要　カルチュール』二（一）。

島薗進・高本利彦・林淳・若尾政希編（二〇一五）『シリーズ日本人と宗教――近世から近代へ4　勧進・参詣・祝祭』春秋社。

高橋裕史（二〇〇六）『イエズス会の世界戦略』講談社選書メチエ。

伊達聖伸（二〇一八）『ライシテから読む現代フランス――政治と宗教のいま』岩波新書。

伊達聖伸編（二〇二〇）『ヨーロッパの世俗と宗教――近世から現代まで』勁草書房。

原淳一郎（二〇〇七）『近世寺社参詣の研究』思文閣。

バンガート、ウィリアム（二〇〇四）『イエズス会の歴史』上智大学中世思想研究所監修、原書房。

深沢克己・高山博編（二〇〇六）『信仰と他者――寛容と不寛容のヨーロッパ宗教社会史』東京大学出版会。

フロイス（一九八一―八二）『日本史』全一二巻、松田毅一・川崎桃太訳、中央公論社。

ボベロ、ジャン（二〇〇九）『フランスにおける脱宗教性《ライシテ》の歴史』三浦信孝・伊達聖伸訳、白水社（文庫クセジュ）。

村井早苗（一九八七）『幕藩制成立とキリシタン禁制』文献出版。

守川知子（一九九七）「サファヴィー朝支配下の聖地マシュハド――一六世紀イランにおけるシーア派都市の変容」『史林』八〇（二）。

守川知子（二〇〇七）『シーア派聖地参詣の研究』京都大学学術出版会。

守川知子（二〇一八）「あるアルメニア人改宗者の遍歴にみる宗教と近世社会」島田竜登編『一六八三年　近世世界の変容』〈歴史の転換期7〉、山川出版社。

Amsler, Nadine, Andreea Badea, Bernard Heyberger, and Christian Windler (eds.) (2020), *Catholic Missionaries in Early Modern Asia: Patterns of Localization*, Abingdon: Routledge.

Antov, Nikolay (2019), "Conversion, Apostasy, and Relations Between Muslims and Non-Muslims: Fatwas of the Ottoman Shaykh al-Islams", Hani Khafipour (ed.), *The Empires of the Near East and India: Source Studies of the Safavid, Ottoman, and Mughal Literate Communities*, New York: Columbia University Press.

Atçıl, Abdurrahman (2019), "Ottoman Religious Rulings Concerning the Safavids: Ebussud Efendi's Fatwas", Hani Khafipour (ed.), *The Empires of the Near East and India: Source Studies of the Safavid, Ottoman, and Mughal Literate Communities*, New York: Columbia University Press.

Baer, Marc David (2008), *Honored by the Glory of Islam: Conversion and Conquest in Ottoman Europe*, Oxford: Oxford University Press.

Berto, Luigi Andrea (2021), *Christians under the Crescent and Muslims under the Cross c. 630–1923*, London: Routledge.

Graf, Tobias P. (2017), *The Sultan's Renegades: Christian-European Converts to Islam and the Making of the Ottoman Elite, 1575–1610*, Oxford: Oxford University Press.

Karpat, Kemal H. (1985), *Ottoman Population 1830–1914: Demographic and Social Characteristics*, Madison, Wis.: The University of Wisconsin Press.

Kostikyan, Kristine (2012), "European Catholic Missionary Propaganda among the Armenian Population of Safavid Iran", Willem Floor and Edmund Herzig (eds.), *Iran and the World in the Safavid Age*, London: I. B. Tauris.

Krstić, Tijana (2011), *Contested Conversions to Islam Narratives of Religious Change in the Early Modern Ottoman Empire*, Stanford, California: Stanford University Press.

Lotz-Heumann, Ute (2001), "The Concept of 'Confessionalization': a Historiographical Paradigm in Dispute", *Memoria y Civilización: Anuario de Historia*, 4.

Matthee, Rudi (2020), "Safavid Iran and the Christian Missionary Experience: Between Tolerance and Refutation", *MIDÉO*, 35.

Molnár, Antal (2019), *Confessionalization on the Frontier: The Balkan Catholics between Roman Reform and Ottoman Reality*, Roma: Viella.

Norton, Claire (ed.) (2017), *Conversion and Islam in the Early Modern Mediterranean: The Lure of the Other*, London: Routledge.

Pazos, Antón M. (ed.) (2020), *Nineteenth-Century European Pilgrimages: A New Golden Age*, Abingdon: Routledge.

Smithies, Michael (2002), *Three military accounts of the 1688 "Revolution" in Siam*, Bangkok: Orchid Press.

Tiburcio, Alberto (2020), *Muslim-Christian Polemics in Safavid Iran*, Edinburgh: Edinburgh University Press.

コラム｜*Column*

オスマン帝国下の地域史研究と史料

田中雅人

一九二二年に滅亡するまで約五〇〇年にわたり存続したオスマン帝国は、かつて「オスマン・トルコ」とも呼ばれた。しかし、その版図は現在のトルコ共和国を超え、バルカン半島やシリア、イラク、エジプトなど、アジア・アフリカ・ヨーロッパ三大陸の数十カ国に及ぶ。そのため、オスマン帝国期の地域史を研究することは、必然的に一国の歴史に留まらず、同帝国のもとで形成された社会構造や地域秩序を他地域との比較や連関を視野に考察する可能性にも開かれている。

筆者が研究対象とするレバノン山地は、東地中海沿岸の山岳地域に位置し、イスラーム教・キリスト教双方の多様な宗派の住民が暮らしてきた。一六世紀初頭、他のアラブ地域と共にオスマン帝国に征服された同山地は、二〇世紀初頭までその主権下に留まり、同帝国のもとで近世から近代と呼ばれる時代を迎えることとなった。

帝国の旧都イスタンブルには、領内各地と中央政府との間で往来した行政文書が大量に残されている。その多くは、現在、トルコ政府所轄の国立公文書館に所蔵され、文書の様式や内容、当時の担当部署や地域ごとに細かく分類・整理されている。近年は電子データベース上でカタログのキーワード検索まででき、中央政府側が地域社会の動向をどのように把握し、政策を決定したかを効率よく調べることが出来る。

これに対し、現地での調査は、このようなトルコでの調査とはおよそ対照的である。レバノンでは、一九七五年から約一五年間続いた内戦の結果、公文書館の多くが戦時中に移転や閉鎖を余儀なくされ、現在もその多くが機能していないためである。その反面、地方農村にはオスマン帝国期の古文書や証書類を個人の努力で収集し、保管している住民たちがいる。以下ではこうしたレバノンでの調査からこそ垣間見えた一九世紀のレバノン山地の社会変容の一側面を紹介したい。

＊

二〇一九年二月、筆者は、長年レバノン各地の私家文書を集め研究しているアブダッラー・サイード氏（レバノン大学）から紹介され、レバノンの山村に古文書蒐集家の男性を訪ねた。サイード氏から事前に写しを見せてもらっていた一九世紀末の村の土地調査簿を実際に検分するためである。

その帳簿というのは、一八六〇年代にレバノン山地全土で初めて実施された土地調査の際、各村落で作成されたものである。その最たる特徴は、村内の全地片を、所有する住民が属する宗派ごとに記録している点である。筆者が同帳簿について質問を始めると、蒐集家の男性は、この帳簿にさらに二〇年程先立つ一八四〇年代に作成された帳簿を家の奥から取

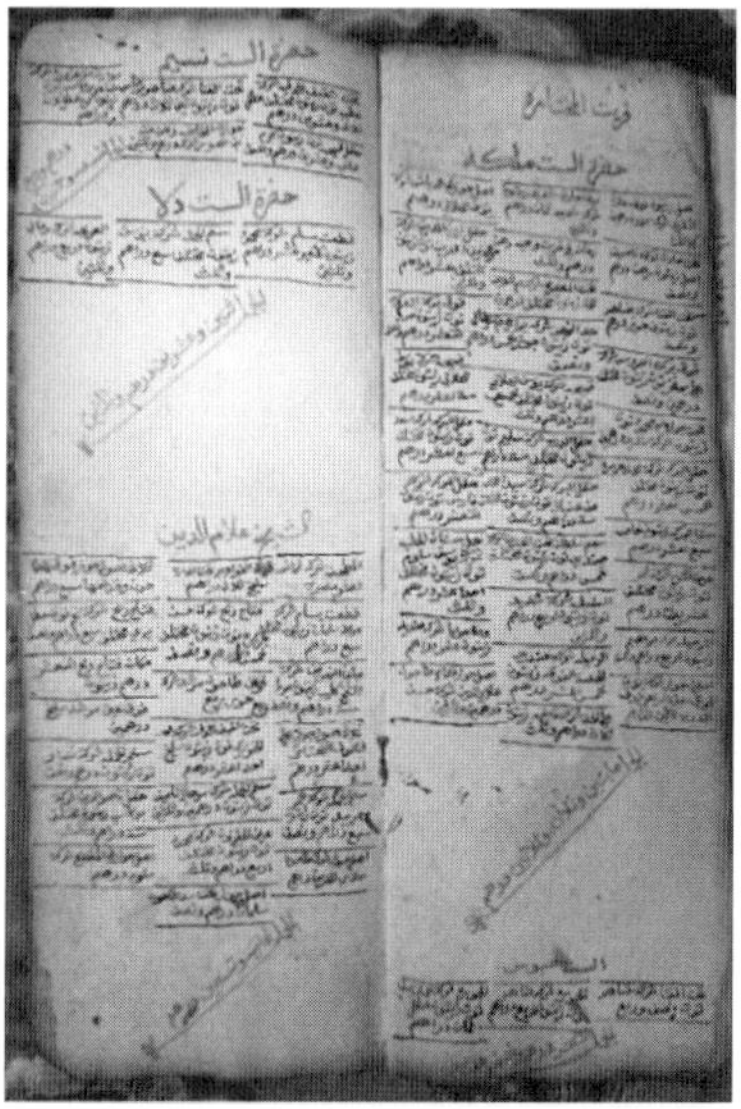

1840年代末レバノン山地の地税調査簿の見開き図（筆者撮影）

り出し、筆者に見せてくれた。それが右に挙げた写真である。一八六〇年代の帳簿と比較した際の特徴は、この帳簿には、地片を所有する住民の宗派が記されておらず、一つの帳簿には特定の宗派の住民が所有する地片しか記録されていないという点である。また村ごとに土地を網羅的に把握していた一八六〇年代の帳簿とは異なり、記録範囲も一村だけでなく、複数の村落に跨るという違いも見出される。

オスマン帝国では、近世期の国際商業の活発化や国家の軍事費拡大を背景に、一七世紀末から一九世紀中葉にかけ、徴税業務の地方有力者への請負が一般化した。こうしたなか、都市部では末端の徴税業務を担う存在として同職組合や街区などの社会組織が発達することになる。レバノン山地では、在地領主化したドルーズ派（イスラーム教の一分派）の有力家系やマロン派（東方典礼カトリック）の教会が、村々の徴税業務を担いつつ、それぞれ構成員を組織化していった。

帝国内各地で地方有力者の台頭をもたらした徴税請負は、一八三九年末のギュルハーネ勅書で廃止の方針が示されるが、現実には、その改革は一筋縄ではなかった。記録範囲が複数村に跨り、特定宗派の住民しか記録されないという一八四〇年代のレバノン山地の帳簿の特徴は、直前の時期まで在地で徴税を担っていた各領主の書記たちが各々記録を作成したことで生じたものと捉えることが出来る。

一方、これら各領主の徴税の管轄は重複することも稀ではなく、一つの土地をめぐる権益が異なる宗派間で重層化することもあった。こうした宗派間の権利関係の矛盾は、一九世紀中葉、列強の介入とオスマン政府の改革が本格化すると軍事紛争化し、一八六〇年には、キリスト教徒側に数千人ともいわれる死傷者を出す事態となった。一八六〇年代の調査は、調査主体を各村落に集約し宗派ごとに調査することで、重層化した権利関係を一元化する目的を帯びていた。しかし、この際、従来は地域の社会的紐帯の一つとして存在した宗派のまとまりは、国家が住民と土地を把握する単位として制度化されることで、社会空間を分節化することともなった。僅か二〇年の開きしかない二つの帳簿には、一九世紀中葉の地域社会の重大な変動の一断面が刻まれていたのである。

問題群｜*Inquiry*

奴隷たちの世界史

ルシオ・デ・ソウザ
岡　美穂子

「奴隷」とはいかなる人々を指すのだろうか。実のところ、日本国内のみならず海外でも、その定義は極めて困難で、ほぼ不可能であるとされている。本稿でこれから述べるように、「奴隷」は人類史上、ほとんどの時代、あらゆる地域に存在し、そこに共通要素はいくらかあるものの、それだけを抽出して定義づけしてしまえば、それ以外の要素が視野の外に置かれかねないことを歴史家は恐れている。私たちの仕事は、真実を可能な限り実態に即した形で知ることであり、自分が作り上げたセオリーの中に研究対象を埋め込んでしまうことではない。現代の歴史学では、たとえ「奴隷」と呼ばれなかったとしても、それに準じた境遇にあった人々も「奴隷」研究の対象に含まれる。もし彼、彼女らに究極的な共通点があるとすれば、誰かの所有であり、完全なる自分の意思による行動が保障されていない条件の下に生きることを強いられた人々であると、この場では仮定したい。ただしこの定義は将来的な奴隷研究の進展によっては、大きく再考される可能性があるものである。

実際のところ、「奴隷」という言葉が持つ残酷なイメージは、私たちに彼らについて考えたり議論したりすることを忌避させる原因となっている。それは戦時下の加害や被害などと同様に、少し考えるだけで胸が苦しくなるような人類の負の遺産だからであり、今もなお存在し、彼らの犠牲の上に自分の生活が成り立っているかもしれない現実を直視するよう迫るものだからである。とはいえ、残酷な奴隷たちの境遇や運命をあなたの目の前に突きつけることがこの稿の趣旨ではない。なぜそのような人々が常に存在し、今も存在するのかを考える手がかりを見つけたいのである。

筆者には数千年にわたる人類の歴史の中の奴隷について細かく語る知識はないし、ここにはそのようなスペースもない。ただ、奴隷という存在は、支配者と被支配者と、その両者を繋ぐ「仲介者」(俗にいう奴隷商人)の三つの存在がなければ成立しえないものであった。この稿で主に取り上げるのは、これら三つの要素が地球上に色濃く姿を見せ、その後の世界の運命を大きく決定づけた時代である。奴隷はアメリカ大陸を含む、地球上のすべてのルートが結ばれた「大航海時代」、すなわち歴史上最大規模でヒトとモノの動きが加速した時代に、他の様々な商品と共に世界各地の必要とされる場所へと越境していく存在であった。

一、グローバル化以前の「地域の奴隷」

はじめに、「奴隷」をめぐる環境がグローバルな動きと強く連動していくまでの、各地域に存在した「奴隷」を概観してみよう。

アフリカ

アフリカ大陸を南北に繋ぐサハラ交易では、ポルトガル人が大西洋の奴隷貿易を開始する前の時代では、地球上で最も大規模で継続的な奴隷取引がおこなわれていた。このサハラ交易ではアフリカ南部と北部を繋ぐ街道の上を金や奴隷が運ばれた。

一五世紀の終わりにヨーロッパの艦隊がインド洋や紅海に進出した頃、その海域にはすでにムスリム商人の奴隷貿易ネットワークが存在し、エチオピア周辺が主要な取引中心となっていた。一二世紀中にはこの辺りから毎年二〇〇〇人程度の奴隷が紅海を渡ったという。東アフリカから出た奴隷はインド洋周辺地域で幅広く動いたが、主な到着先はアラビア半島南部であった(Vernet 2003)。また、インド洋のムスリム交易ネットワーク上の奴隷供給地としては、マダガスカル島が大きな存在感を示していた(Lovejoy 2002: 247-282)。一六世紀から一九世紀にかけて、アフリカ南東部のモザンビーク島は、インド洋を通じたアジア諸地域への、さらには太平洋を通じた新大陸への奴隷の集積地であると同時に、喜望峰を東から西へと向かう大西洋経由での新大陸への奴隷供給地でもあった(Sousa 2019: 190)。

アフリカ西部(現在のモーリタニアからコンゴ民主共和国まで)には、限られた地域内での人身売買がもともと存在したが、一五世紀以降はヨーロッパ人がそこに参入した。この地域には、ガーナ帝国(三〇〇年頃—一一〇〇年頃)をはじめとして、いくつかの帝国も存在した(McKissack 1994; Walter 1970)。西アフリカの地域で、大西洋貿易が始まる以前に奴隷取引が盛んにおこなわれていたのは、黄金海岸(ギニア湾周辺)にほぼ限定される。ポルトガル人がその辺りに到着した頃には、すでに町に住む職人層と農業従事者の分業が確立されており、主に金の採掘のために奴隷が大量に使役されていた(Kea 1982; Nwokeji 2011: 89)。

インド

インドの奴隷制についての微かな記録は、初期ヴェーダ(紀元前一〇〇〇年頃—紀元前五〇〇年頃)の文献にまで遡ることができるが、実際のところヴェーダのテキストに現れる「奴隷」であったことが想定される人々の実態は不明である。八世紀の初頭、ウマイヤ朝の領土拡大により、スィンド(現在のパキスタンのアラビア海沿岸)の最後のヒンドゥー教徒の王ラジャ・ダヒールが斃《たお》されると、イスラーム勢力が大々的にインドに進出し始めた。その結果、ムスリムの支配者の下で、ヒンドゥー教徒の奴隷が多く発生した。現在のバングラデシュやパキスタンにまで及ぶ広大な領土を支配するに至るデリー＝スルタン朝では、奴隷が社会基盤のあらゆるところに見られた。支配者たちは奴隷を個人で所有し、農耕や家事、様々な産業に従事させた(Jackson 1999)。

一六世紀に成立したムガル帝国では、その消滅(一八五七年)まで奴隷制は存在したが、デリー＝スルタン朝内で見られたほどの経済的重要性はなかった。ムガル帝国内の史料では、帝国軍兵士が敵地の女性や子どもなどを奴隷にしたり、これらの奴隷を売却することを禁じる法令に関する情報が多く見られる。その他、ムガル帝国支配領土からの奴隷の輸出を禁じる法令もあった(Moosvi 2011: 245-261; Bano 2001: 317-324)。ただし、法令が存在したからといって、そのような事実がなかったと解釈するべきではない。

東南アジア

東南アジアでの奴隷の存在は、グローバル化以前から相当社会基盤に浸透したものであった。たとえばマラッカ王国は、一五世紀にはすでに奴隷貿易の重要な中心地であった。奴隷になる者の大半は戦争捕虜か、借金のかたに身売りされた者たちであった。戦争捕虜はイスラーム法でも合法で、土俗的な習慣にも合致していた。多くの奴隷の出身地はスマトラ島で、非イスラーム教徒がムスリム商人らに捕らえられることが多かった。また、近隣のパレンバンなどにも奴隷市場があり、マラッカはこれらの奴隷市場から連れてこられて、他の地域へと運ばれる奴隷たちの中継地点であった。彼らの行先は、モルディブ、ジャワ、スンダなどであった(Thomaz 1994)。ポルトガル人の進出によって、マラッカの奴隷貿易は拡大し、一例として一五六二年には六五〇人の女性奴隷を乗せた二隻の船がマラッカのポルトガル商館で納税したが、うち二〇〇人は上陸し、残りはゴアへ送られた(Sousa 1978: 650-651)。

タイでは奴隷は「カー」や「タート」と呼ばれ、戦争や農耕などに使役された。チャクリー王朝のラーマ一世(一七三七—一八〇九年)は在位中に『三印法典』を編纂させたが、そこで整理された過去の法令の中では、様々な種類の奴隷が言及されている。タイの前近代社会では一時的な奴隷が主流であり、恒久奴隷という存在は稀であった(Lingat 1931)。

東アジア

東アジアには漢字で「奴婢」として表される奴隷階級が共通して存在した。中国では、漢の時代から存在した様々な法令が、主に隋・唐の時代に「律令」として整備され、その後の中華王朝の政治体制の基本となったが、「奴婢」は律令制度の中に定められた存在であった。

律令制の中では、基本的に「奴婢」は罪を犯した者が懲罰として落とされる階級で、犯罪者の家族もまた「奴婢」にされる場合があった。中国の社会制度の中で民衆は「良民」と「賤民」に分けられ、「奴婢」は「賤民」に分類された。犯罪者への刑罰以外にも、戦争捕虜も「奴婢」にされた。「奴婢」は多くの場合、刺青が入れられ、鼻や耳を特徴的な形に変えられるなど、見た目で判断できるようにされていた(Shottenhammer 2004: 143-154; Yates 2002: 283-331)。戦争や国家プロジェクトとしての土木工事等、大規模な労働力が必要とされた時代には「奴婢」が増大した。国境防衛や領土の拡張などの戦争では、「奴婢」を兵士にして、戦闘員の数を増大させることがあった。また、大運河の建設や万里の長城の再建、拡大などの事業に、多くの奴隷が使役されたことが知られる(Crossley 2011: 187, 189-190)。また、凶作や飢饉が生じれば、農村からは大量に「奴婢」として都市へ流れ込む者たちがいた。納税義務を果たせなくなった農民は、借金のかたに奴隷として売られたり、自身や家族の身売りを余儀なくされた。唐代以降、奴隷の売買と所有は当局に報告する義務があった。

朝鮮半島にも「奴婢」は存在した(Palais 1998: 23-47)。高句麗、百済、新羅の三国時代、さらには高麗による半島の統一まで、継続して「奴婢」の存在が史料に見られる。そのような存在は近代まで続き、一八世紀の朝鮮では、人口の三〇%が奴隷で占められていたと推定されている。近年まで、韓国の歴史学界では、「奴婢」を奴隷として捉えることには必ずしも肯定的ではなかった(Rhee & Yang 2010: 5-39)。しかしながら最近の研究では「奴婢」は財産(つまり所有物)として扱われ、搾取や強制労働の対象であったことが明らかにされつつある(Kim 2019)。

日本の場合、政治制度に唐の律令が採用されて以降、中国同様に「良民」と「賤民」の区別があった。基本的には「賤民」は「賤民」同士でしか結婚できず、その子孫は自動的に「賤民」とされ、生まれながらに所有者が決まっていた。もし「良民」(基本的には父親)と「賤民」の間に子どもが生まれた場合、子どもは「良民」に加えられる場合があった。中世になると「奴婢」という言葉はほとんど使われないが、その代わりに「奴」「下人」「雑人」と称する隷属民が存在した(下重 二〇一二:一〇一一二頁)。一七世紀の初頭にイエズス会が編纂して出版した、通称『日葡辞書』には、「やつこ」(yatçuco)という単語が収載され、意味としてポルトガル語で「使用人、奴隷、捕虜」として説明されている。日本では、他の東アジア地域同様、これらの隷属民は、戦争捕虜、犯罪者(およびその家族)、そして身売りの結果として生じていた。日本特有の現象として、中国や朝鮮で「倭寇」と呼ばれた海賊(実際には日本人ではない海賊も含む)が存在し、一三一一四世紀にかけては朝鮮半島沿岸部で人や物資を掠奪し、一五世紀後半以降には中国沿岸部を荒らし回ったが、捕らえられた人々は日本で労働力として売られた(田中 二〇一二:三五一四一頁)。

アメリカ

北アメリカの原住民社会でも、他の地域同様に、戦いの結果として生じる「捕虜」は存在した。しかしながら、これらの捕虜は基本的には男性で、敵の集落内で死亡するか、そうでない場合は家庭を形成して、敵の部族に吸収されていった。つまり彼らの社会には、恒常的に使役され、社会的差別の対象になる「階層」は存在しなかったと考えられている。かつてルイス・ヘンリー・モーガンは、北米原住民の社会には平等主義が根付いていた、として、彼らに

「高貴な野蛮人」(bon sauvage)というイメージを与えた(Morgan 1851)。

中米を支配したアステカ帝国の法律の中には奴隷に関する記述も多く見られる。アステカでは、奴隷階級は世襲に固定されていなかった。自由民が奴隷になる理由としては、東アジアの状況に似て、戦争捕虜、犯罪者への刑罰、経済的理由があった。また、アステカの法律では、所有者は奴隷を大切に扱うことが義務づけられていた。しかし、奴隷による度重なる悪行があれば、所有者は奴隷に木の首輪をつけること、他の所有者に売却すること、祭祀の生贄にすることなどが許されていた。後にアステカ帝国の一部となるテスココ(メキシコ中央高原周辺)では、木の首輪をつけた逃亡奴隷でも王宮に逃げ入ることで自由を得ることができた(Offner 1983)。インカ帝国では、臣民は王家に貢納する義務を負っていた。その貢納の中に、労働資源の提供(ヒトの貢納)があった。貢納された労働資源は、戦闘、貴族の家の家庭内労働、畑の灌漑整備、農業、土木工事、宗教施設の維持や宗教儀礼などに利用された(Salomon 2008)。

ヨーロッパ人がブラジルの土地に到着した際、彼らと最も多く接触した部族はトゥピ・グアラニー族であった。一六世紀中頃ポルトガル王国のドイツ人傭兵ハンス・スターデンは、彼の二度にわたるブラジル渡航について重要な記録を残した。一回目の滞在中、スターデンはポルトガル人に対する先住民の反乱に直面したが生き残り、二回目の滞在ではトゥピ・ナンバ族に捕らえられ、彼らの集落へ連行された。トゥピ・ナンバ族は彼を「戦利品」として、しばらくの間留置することにしたため、すぐには殺害されなかった。しかしながらその間に宗教的な供物として、他の捕虜が殺害されて食べられるのを目撃した。トゥピ・ナンバ族にとって戦争捕虜は、使役の対象ではなく、スピリチュアルな存在で、敵方に殺された仲間の復讐をするために、敵の生命エネルギーを獲得する手段であった(Fausto 2000: 933-956)。このような習俗はアマゾンのインディオの中でも、とりわけトゥピ・ナンバ族の習俗として知られる。

古代・中世の西欧

ヨーロッパの社会では、昔から常に奴隷が重要な役割を果たしていた。アテネとスパルタの奴隷制については多くの比較研究があるが、古代ギリシャの各都市国家での奴隷の扱いについては複雑な差異があった(Cartledge 2001)。

ローマ時代の奴隷制についても厚い研究蓄積があり、それは前近代ヨーロッパの奴隷制の基礎であると見なされている。モーゼス・フィンリーの古代ヨーロッパ社会における奴隷制に関する研究では、ギリシャとローマの社会は奴隷労働によって成立していたと主張されている(Finley 1998)。どちらも、王国や帝国の中心部では労働力を得ることができないため、地方に遠征して奴隷を入手する必要があった。つまり彼らの戦いは、領土の拡張のみならず、「人的資源の確保」をその大きな目的の一つに据えたものであった。

西ローマ帝国の崩壊後も、ヨーロッパでは奴隷制度が継続した。『西ゴート人の法律』(*Lex Visigothorum*)は、レセスビント王(六一〇頃–六七二年)の治世下、六五四年頃に作成されたが、そこでは犯罪者や、借金や罰金を支払えない者が奴隷身分に落とされるのは合法とされていた。フランク王国では、クローヴィス一世(四六六?–五一一年)の息子キルデベルト一世(四九六?–五五八年)がオルレアン王になると、「自由人の奴隷化」を禁じた。フランク王国には奴隷市場があったが、その中で最も有名なのはヴェルダンの奴隷市であった。奴隷市で取引されたのは、主に戦争捕虜であった。七八〇年代、カール大帝(七四七–八一四年)のサクソン人との大戦では多くの奴隷が生まれ、ヴェルダンの奴隷市は大いに賑わった。これらの奴隷は、農作業や土木工事に使役された。

ノルマン朝の初代イングランド王ウィリアム一世(一〇二七–八七年)の下で作成された『ドゥームズデイ・ブック』(全国土地台帳)には、イングランドとウェールズの住民の多くが「奴隷」として登録されていた。とはいえ、中世キリスト教諸王国の社会全般で、奴隷の存在感は減少し、代わりに土地付属の農奴の存在感が増大した。農奴は「ヒト」としては売買されないが、土地に付属するものとしては売買可能であった(Pelteret 1995)。

イスラーム支配下のヨーロッパ

八世紀初頭以降のイベリア半島やシチリア島のイスラーム支配社会でも、奴隷は重要な存在であった。この階級は、地中海で海賊に掠奪された人々、キリスト教徒軍とムスリム軍の戦争中に捕獲された民衆男女、サブサハラ(サハラ砂漠以南)で奴隷商人に入手されたアフリカ人を中心に構成された。

イベリア半島では、後ウマイヤ朝の首都であるコルドバが主要な奴隷取引の中心地であり、シチリアではパレルモに奴隷が集められた。アル・アンダルス(イベリア半島のイスラーム)諸王国やシチリアでは、キリスト教圏のヨーロッパにはなかった去勢奴隷もいた(Graham 1995: 68-79)。キリスト教諸王国の王たちは、キリスト教徒の奴隷がムスリムに購入されないよう、その防止のために様々な法令を発布したが、中でも有名なのは、八四〇年にヴェネツィア共和国とフランク王国のカロリング朝の間で結ばれた「ロタールの契約書」(Pactum Lotharii)である。この協定において、ヴェネツィアは、カロリング朝の商人からキリスト教徒の奴隷を買わないこと、ムスリムにキリスト教徒の奴隷を売らないことを約束した。というのも実際のところ、ヴェネツィアの商人たちはキリスト教徒の奴隷を買ってイスラーム圏で売る商売で利益を上げていたからである(Armenteros-Martínez 2016: 3-30)。

ヴァイキングとモンゴル帝国の時代

ヨーロッパで奴隷貿易が盛んになった時期として、スカンジナビアの武装集団が西ヨーロッパや地中海(南ヨーロッパ、北アフリカ)に恒常的に侵入を始めた「ヴァイキングの時代」(八世紀末―一一世紀中頃)が挙げられる。ヴァイキングたちの遠征と同時に、通商路も開かれ、現在のヨーロッパからロシア、中東へ至る広範囲が縦横無尽に結ばれることになった。ヴァイキングはヨーロッパ沿岸部の襲撃に際し、人々を捕らえて奴隷にした。これらの奴隷はスカンジナビアに連行され、ヘーゼビュー(現ドイツ北部)やシグトゥーナ(スウェーデン)等の奴隷市場で売られた。さらには、キーウ(キエフ、ウクライナ)、ノヴゴロド(ロシア北西部)等の北東方面、ヴェネツィア、ビザンツ(東ローマ)帝国、中央アジア等でもヴァイキングによって売られた奴隷の事例が確認される(Gruszczyński & Jankowiak: 2021)。

ヴァイキングの侵攻が已んだ後、一三世紀の中頃にモンゴル帝国軍が東欧、中欧、コーカサス、バルカン半島に侵攻し、中央ユーラシア世界に大きな変容がもたらされた。その結果、それらの地域の小王国が崩壊し、女性を中心に多くの奴隷が発生した。モンゴル軍の西漸は一三世紀の終わりまで断続的に継続し、中央アジアから東欧にかけて、多くの奴隷が遠隔地に連れ去られた。

東西文明の結節路

中世のヨーロッパで奴隷が大量発生した大きな軍事衝突の一つに、ビザンツ帝国とオスマン帝国間の戦争がある。奴隷の多くは戦争捕虜であった。コンスタンティノープルの「哀歌の谷」と呼ばれた場所(ライカス川岸の一区画)には奴隷市場があり、ヴァイキングの交易ルートから西欧出身の奴隷も供給されていた(Rotman 2009)。一一世紀以降、ビザンツ帝国は徐々に勢力を失い始め、ついには一四五三年には首都コンスタンティノープルが陥落して、完全にオスマン帝国領となった。

オスマン帝国では、奴隷は非常に重要な存在であった。帝国にとって最も重要な奴隷は、オスマン帝国軍の中枢を形成し、スルタン直属の軍に所属する歩兵、騎兵、工兵などのカプクルと呼ばれる集団であった(Kunt 1983)。カプクルの騎兵隊はスヴァリレリ、歩兵隊はイェニチェリと呼ばれた。イェニチェリは戦闘に参加するだけでなく、輸送、鉱山の採掘作業、要塞や造船所の建造など、国家事業にも使用された。カプクルがムスリムに強制改宗されたキリスト教徒の男性奴隷で成立していたのに対し、ハレムは女性奴隷の居場所として知られた。オスマン帝国のハレムは、奴隷になってキリスト教からムスリムに改宗された女性が集められた。宮廷ハレムの長官はキズラー・アガと呼ばれ、宮殿全体の管理に携わったことからスルタンの信頼も厚く、奴隷階級でありながらも絶大な権力を持つに至った。

オスマン帝国でキリスト教徒を奴隷にして使役することの思想的根拠は、スルタンのキリスト教徒に対する優位性と支配者としての威力の誇示とは無縁ではない。また逆ベクトルの思想は、建国の歴史にイベリア半島のレコンキスタが大きく関係しているポルトガルが、地中海を越えて北アフリカの攻略に乗り出した動機の背景にも見られる。ポルトガル王ジョアン一世(一三五七―一四三三年)による地中海に面した北アフリカの重要都市セウタの征服(一四一五年)は、大航海時代の始まりを意味するだけでなく、セウタを含むムスリムの金と奴隷の通商路を掌握しようという試みでもあった。その後瞬く間に、ポルトガルの首都リスボンは、ヨーロッパで最も重要な奴隷貿易の中心地へと変貌を遂げた。

二、ポルトガル人の進出と世界の変容

アフリカ

「航海王子」の名で知られるアヴィス朝のエンリケ王子(一三九四―一四六〇年)の指揮下で、ポルトガルは本格的に海洋進出に乗り出した。一四四八年、西アフリカのアルギン島に商館(現モーリタニア)が設置され、そこはインド洋への海路を探索する拠点となった。それに続いて、一四五二年にエルミナの商館(現ガーナ)が設置され、アルギン島の商館の機能を吸収して、その後のアフリカ西海岸のポルトガル人の交易拠点として存続していくことになる。これらの商館では当初、ヨーロッパ産織物、タカラガイ、馬、穀物などが金や奴隷と交換された。一六世紀以降、新大陸での金鉱脈の発見などにより、金の価値が下落し始めると、奴隷がこの商館の主要な商品となった。ポルトガル人た

ちはサブサハラの諸王国間の戦闘で発生する捕虜やムスリムの商人との取引で、無尽蔵に奴隷を入手することができた。かくして、ポルトガル人はそこにもともと存在した奴隷取引を国際商業の循環へと引き込んだのである。当初これらの奴隷は主にヨーロッパへ労働資源として連行されたが、一六世紀に入るとアメリカ大陸の開発事業に投じられた。

インド

一四九八年にヴァスコ・ダ・ガマの艦隊が喜望峰を越えインドに到着すると、約二〇年のうちに、インド洋を中心にアフリカ東部から東南アジア、さらには東アジアまでネットワーク的に繋がる「エスタード・ダ・インディア」(ポルトガル領インド州)が形成された。現地政権との交渉を経て、マラバール海岸(インド西岸)の中間に位置するゴアが州都に定められ、インド総督(副王)府が置かれた。一六世紀のゴア社会についての叙述は、アジアで初めてヨーロッパ人が主権を持った都市の奴隷に関する情報を豊かに提供している。

全人口に対して、圧倒的マイノリティであったポルトガル人は、要塞や都市のインフラ構築、周辺地域への軍事遠征等、あらゆる点において奴隷労働に依存することになった。ポルトガル人は個人で多くの奴隷(主に私兵や召使)を抱えており、その出身地はアフリカやアジアの諸地域の広範囲に及んだ。日本との交易に従事した初期のポルトガル人の一人にアントニオ・デ・ファリアという人物がいたが、一五四八年の彼の遺言状には、グジャラート、セイロン、マラバール、マカッサル、ジャワ、中国、日本の諸地域を出身地とする二九人の所有奴隷についての記述がある。

東アジア

中国の奴隷貿易に関する研究では、統計的に算出できる範囲で隷属民の数が最も増加したのは一六世紀から一七世紀であると示されている(Crossley 2011: 193-194)。これはヨーロッパ人が中国に拠点を初めて置いた時期と一致する。ポルトガル人が東アジア海域に到着した頃、この海域は「倭寇」と呼ばれる集団が広範囲に活動していた。密貿易もおこなう海賊で、中国の官憲からは「海寇」と呼ばれた。倭寇の活動の一つに、中国沿岸地域を襲い、物や食料、ヒトを掠奪する行為があった(田中 二〇一二:一一七—一五七頁)。

東アジアでのポルトガル人による奴隷貿易は、まず倭寇が連れてくるヒトの入手から始まった。一五六二年、イエズス会士ルイス・デ・アルメイダが記した書簡によると、薩摩の坊津港に停泊していたポルトガル人のジャンク船には、倭寇が掠奪してきた女性奴隷が多く積まれており、アルメイダは船上で彼女たちが虐待を受けないように、鍵のかかる部屋に入れ守衛をつけた、という。またその手配はイエズス会の日本布教長コスメ・デ・トルレスの指示によるものであったとあるので、この頃、ポルトガル人の船に多くの奴隷が載せられているのは周知のことであったと推測される。アルメイダは、この女性奴隷は中国の沿岸部から掠奪されてきた人々で、日本で非常に安い値段で取引されている、と記す(1)(東京大学史料編纂所 二〇二二:一五一—一五二頁)。

日本でキリスト教の布教活動を始めたイエズス会は、ポルトガル人の貿易活動全般に関わり、一六世紀末までは決して積極的とはいえないまでも、人身売買にも関与していた。というのもポルトガル人が日本で購入してよいのは、「合法の奴隷」のみとされており、その合法性を証明する「セデュラ」と呼ばれる保証書を発行するのは、イエズス会宣教師の仕事であったからである。倭寇の勢力が衰退し、日本で取引される中国人奴隷が減少したことで、人身売買の主な対象は戦国大名の合戦で捕虜にされた日本人へと変化した。長崎に集められた彼らをポルトガル人が購入した。

ポルトガル王のセバスチャン(一五五四—七八年)は一五七〇年、日本人を奴隷として購入する者は、カトリック教会からの破門罰に処すると公布した。これは日本におけるポルトガル人とイエズス会の人身売買に関与するイメージが、キリスト教の浸透を阻害すると認識したためである。しかしながらこの時代のポルトガル本国で制定される海外領土に対する多くの法令がそうであるように、この法令もほとんど効力を持たなかった。日本全土の統一完了間近であった豊臣秀吉は、一五八七年六月(和暦)、イエズス会士に国外退去を求める際、その理由の一つにポルトガル人の人身売買を挙げた。日本で活動するイエズス会士は、もともと人身売買には消極的な立場ではあったが、布教におけるこれらの弊害を認識し、一七世紀初頭、日本司教ルイス・デ・セルケイラは全面的に日本人の人身売買を禁じた。この時期、日本人を奴隷にしなくてもよい別の事情が生じていたこともあった。すなわち、日本人に代わる人身売買の対象が大量に供給されたのである。

一六世紀末、長崎の港は朝鮮半島から連行されてくる捕虜で溢れかえっていた。一五九二年から九八年にかけて、秀吉配下の武将たちが朝鮮半島で繰り広げた戦いの結果である。この間、毎年一〇〇〇人以上の朝鮮人が長崎を経由してマカオに送られ、アジア各地に拡散していった。中にはマニラを経由して、新大陸まで行った人、あるいはインドを経てヨーロッパまで行った人も確認される。過酷な条件から輸送中に亡くなる人も多かった。日本に残った人は日本人のように名前を変え、現地に同化していったが、長崎には朝鮮人のためのキリスト教会が作られるほどに、多くの朝鮮人がいた(ソウザ、岡 二〇二一:二〇七–二一二頁)。

三、グローバル化後の世界

リスボンの多民族雑居

一五世紀後半のリスボンには西アフリカからの奴隷が流入し始め、一六世紀初頭からはアメリカ、東アフリカ、インド出身の奴隷も急激に増加した。奴隷の出身地の拡大は、ポルトガルの海洋進出に比例していた。ヴァスコ・フェルナンデスが一六世紀の初頭に描いた《東方三博士の礼拝》(*Adoração dos Reis Magos*)では、三博士の一人が北アフリカ人の姿で描かれるほか、羽細工の冠を被ったインディオの姿も画像中央に配される[**図1**]。

一六世紀前半のリスボンには、アメリカ、アフリカ、インド出身者だけではなく、中国人も住んでいたことが判明している。とりわけ、リスボンのサン・ジョルジ城の真下に位置するカステロ教区には、一六世紀初頭にはこれらの「外国人」の集住区があった。ポルトガル国王ジョアン三世の后カタリーナ(一五〇七―七八年)が所有した一三八人の奴隷のリストには、アントニオという名の中国人と、インド人七名の名が記載される。王妃は中国人アントニオを一五三五年から所有していた(Fonseca 2010: 220)。また、一五六五年のリスボン市の課税対象者名簿には、「ポルトガル領インディア人」として三二七名の名前が記載され、うち一名はアントニオという名の中国人であった(*Ibid.*: 413-414)。リスボンに居住してポルトガル人のアジア進出の歴史書を記した年代記家のジョアン・デ・バロスは、彼の年代記『アジア史』(*Décadas da Ásia*)の執筆のために、インディア人の奴隷を何人か雇っていたことが知られる。

図1 ヴァスコ・フェルナンデス《東方三博士の礼拝》(1501-06年, ポルトガル, グラオ・ヴァスコ国立博物館蔵)

記録上最初に確認されうるリスボン在住の日本人は、ジャシンタ・デ・サ(女性)とギリエルメ・ブランダォン(男性)である。日本人であると記されるが、元の名は分からない。この二人に関しては、一五七三年二月五日に結婚した事実がリスボンのコンセイサォン教会の記録に残されるが、これより後の時代にも一六世紀中の日本人の婚姻記録がリスボンの他の教会に数件残されている(ソウザ、岡二〇二一：一六六―一六九頁）。

他の都市への拡散

ポルトガル領インディアからやってくる奴隷がまず上陸するのはリスボンの港であったが、彼らはその後、ヨーロッパ域内の様々な港町や労働力を必要とする都市へと拡散した。中でもポルトガル王室と血縁関係で幾重にも結ばれた隣国スペインには多くのアジア人奴隷が向かった。ファン・ヒルの研究によれば、一五三〇年代にはすでにセビリアに住む中国人が複数確認されるという（Gil 2002）。上述のように、ポルトガル人商人が東アジア海域に出入りし始めたのが一五二〇年頃であるから、ほぼそれと同時に中国人の人身売買は始まっていたのだろう。

中欧の代表的な港町であったブリュージュの商人たちもまた、世界各地からリスボンへと運ばれてくる商品に注目していた。一四三〇年に王女の輿入れでポルトガルとフランドル伯爵領が結ばれると、ブリュージュとリスボンの交易関係が強化された。主にユダヤ系ポルトガル人の商人たちがブリュージュに移り住み、その数は二〇〇〇人に及んだ。一四四五年、ブリュージュにはポルトガル商館が設けられ、ポルトガル人がアフリカから運んでくる商品や奴隷が、ブリュージュの商館を通じて中・北欧に流通するようになった。一五世紀末にアントワープが商都として台頭し始めると、ポルトガル商館もそこに移動した。この商館は、大西洋のマデイラ諸島やアゾレス諸島、ブラジル、アフリカ、アジアなどからポルトガル船でもたらされる商品がヨーロッパ中に流通する拠点となるのと同時に、中欧の商人たちがポルトガルの海外貿易に投じる資本の取引所にもなった（Saraiva 2001）。

イタリアの諸都市は、中世を通じて奴隷貿易に関与していた。ヴェネツィアやジェノヴァがエーゲ海や黒海に持つ植民地は、その交易拠点でもあった。一三世紀以降、この二つの都市の商人はエーゲ海沿岸でヒトを買ったが、そこには中央アジアからもヒトが売られるために連れて来られた。一五世紀前半、ジェノヴァの人口の四から五％は奴隷であったと言われる。同時期に、ピサやフィレンツェなどの商人たちも人身売買に従事するが、これらの都市の奴隷人口は全人口の一%以下であったと推測されている(Origo 1955: 324-325; Casini 1965: 18-19)。

一六世紀のイタリア半島では、アフリカ人の奴隷貿易が流行し始めた。アフリカ人奴隷の流通拠点となったリスボンには、ジェノヴァやフィレンツェの商人たちもエージェントを置き、インドやブラジルへ行く商船への投資だけではなく、アフリカ人奴隷の買い付けもおこなった。その背景にはオスマン帝国の拡大による周辺地域との衝突が減少し、奴隷の供給が下火になったこと、北アフリカの既存のムスリム商人の商業ネットワークにポルトガル人が大々的に参入することで、アフリカ全土からの奴隷が喜望峰経由でリスボンへと運ばれるようになったことなどがあった。

大西洋経由で世界各地から奴隷が運ばれてくるのを目にするようになったイギリス人は、その商売の利潤に目をつけ、ポルトガル船やスペイン船を海上で襲っては、金銀だけではなく奴隷たちも奪うようになった。イギリス人の私掠船船長で、エリザベス一世の忠臣としても知られるジョン・ホーキンス(一五三二―一五九五年)は、奴隷専門業者組合を作り、『奴隷狩り協定』(*An Alliance to Raid for Slaves*)という名の本を刊行した。一七世紀後半にはイギリスは王立アフリカ会社を創設し、アフリカ西海岸から奴隷を中米へと運び、砂糖プランテーションなどに従事させる大規模な奴隷貿易を展開していくが、一六世紀の段階ではまだスペイン船やポルトガル船を襲って奴隷を掠奪するのに留まっていた。

奴隷労働の実情

〈都市、農村、海〉 奴隷といえば、プランテーションや鉱山などでの重労働を想起させる実態が主流になるのは一七世紀後半以降のことで、グローバル化初期の世界的な人身売買の興隆期、その仕事内容は多岐にわたった。女性や子どもの奴隷の多くは、富裕な家庭での家内労働、たとえば子守り、調理、清掃などに従事した。成人男性は、荷役夫、建築や道の敷設などの土木工事、軍役などに従事した。当時のヨーロッパの宮廷内では多くの奴隷が使役され、下層労働を担っていた。同じく修道院などでも下働きとして奴隷が必要とされた。都市民の生活維持に必要な機能や日常的な仕事、たとえば鍛冶屋、縫製、皮革業などにも見られたし、農村であれば農業にも従事した。一六世紀末のポルトガルの農村地帯には、日本人の奴隷も農作業員として存在した(ソウザ、岡 二〇二一:一七三頁)。このような農作業現場における労働力の確保は、工業化前の人類の食物増産には不可欠なものであった。穀物の生産には種蒔きだけではなく、収穫、脱穀、製粉など、あらゆる面での労働を必要とした。

一六世紀は人類の移動範囲が飛躍的に拡大し、航海にともなう技術が大きく発展した時代である。時代を追うごとに船は巨大化したが、操船には多くの労働力を必要とした。風のみで動かす船は稀で、凪の時や海賊の多い海域などでは、基本的には漕ぎ手が操船の主体であった。このような船舶の種類を古代からガレー船と呼ぶが、船の漕ぎ手は基本的に戦争中に捕らえた捕虜や奴隷で、船の大きさによるが、凡そ一隻当たり九〇から二五〇名程度の漕ぎ手が必要とされた。ヨーロッパの船には主にサブサハラのアフリカ人奴隷、北アフリカやトルコなどムスリムの奴隷が使われ、ムスリムの軍船や商人の船では、サブサハラのアフリカ人のほかに、西アジア、中央ユーラシアのキリスト教徒の奴隷が使役された(Fontenay 1996)。

〈奴隷兵士〉 一六世紀初頭、東アフリカで取引された奴隷は、ポルトガル人のインド洋を中心にした海洋ネットワーク上に存在する要塞や植民都市で兵士としての仕事に従事した。ポルトガル人が取引した奴隷の中でも、最も戦闘・身体能力を評価されていたのが、東アフリカ出身の奴隷「カフル」であった。彼らは主にモノモタパ王国(カフラリア地方)出身であった。インド洋周辺地域出身で、戦闘に特化された奴隷は「ラスカリン」と呼ばれたが、彼らは船員でもあった。カフルやラスカリンは火器の扱いに長け、とくに危険を伴う重労働である大砲の装填などは基本的に彼らの仕事であった。戦国時代の日本では、イエズス会が所有するカフルが九州の戦国大名の戦い(一五八四年、龍造寺氏と有馬・島津連合軍による沖田畷の戦いに、大砲使いとして参加したことも知られ、織田信長の家臣に取り立てられた「弥助」もカフルとして知られる。

浙江沿岸部に巣食う倭寇やポルトガル人などの密貿易集団掃討の任にあたった浙江兼管福建海道御史《かいどうぎょし》の朱紈《しゅがん》が撰した、その戦闘の様子を細微にわたって報告する『甓餘雑集《へきよざっしゅう》』には、ポルトガル人のほかに「黒蕃鬼」として、アフリカ、インド、東南アジア出身の肌の色の濃い傭兵・奴隷たちが数多く登場する。彼らの中には軀体の頑強さと勇猛さを買われ、戦闘要員として特別な賃金で雇用されていた者が多くいた(岡 二〇一〇：三四―三六頁)。

〈新大陸での人的資源〉 ポルトガル人とスペイン人がアメリカ大陸に進出して、最初に労働力として認識したのはインディオであった。しかしながら、インディオはヨーロッパ人が持ち込んだ疫病によって人口が激減してしまった。また、ヨーロッパ人に使役されることを厭って、自らの命を絶つインディオも多く存在した。開拓には常に多大な労働力を必要としたため、インディオに代わる労働力として、アフリカ人奴隷がアメリカ大陸に連れてこられるようになった。アフリカ人奴隷は、主に中米の金銀鉱山や南米のサトウキビ・プランテーションでの労働に駆り出された。

ブラジルでは、ミナス・ジェライス州の金鉱発見以前、サトウキビ・プランテーションのほかに、リオデジャネイロなどの沿岸都市部に奴隷が集中していた。男性奴隷は、船員や荷役夫として海に関わる労働をおこなう傾向があったものの、都市の発展に従って、都市民の生活を支える仕事全般に従事するようになった。とりわけ女性の需要が高かったのは、貴族や官僚、大商人の家で働く女中や乳母の仕事であった。前近代のブラジルでは、これらの黒人や混血の乳母(アマ・デ・レイテ)が母性と異性の象徴として、白人男性のアイデンティティ形成に与えた影響が文化的特徴として認識されている。

ユーラシア大陸と比較して、人口密度が極めて低かったアメリカ大陸では、その開発に当たり、多大な労働力が必要とされた。アフリカ人ほどではないにしても、主に太平洋経由で大勢のアジア人奴隷がアメリカ大陸に渡った。アカプルコへと出発するガレオン船団の始発港であるフィリピンのマニラへは、アジアのポルトガル人の交易ネットワークを通じて奴隷が集められた。これらのネットワークは、ポルトガル人の海洋進出と同時に、イベリア半島から海外へと離散していった「コンベルソ」、「新キリスト教徒」と呼ばれる改宗ユダヤ人によって形成されていた(Sousa 2020)。一六世紀末のブエノスアイレスは、定住人口の約一五%がポルトガル人、同時代のペルー副王領のリマとポトシでは、四〇〇人の定住外国人のうち一七〇人がポルトガル人であった。キト(現エクアドル)の市議会の報告では、一六世紀末の外国人人口のうち、八四%がポルトガル人であった(Sullón 2010)。主に重労働に使われたアフリカ奴隷とは対照的に、アジア人奴隷は軽労働に使われる傾向があった。一六世紀から一七世紀にかけてのメキシコシティには、インド、東南アジア、中国、日本などを出身とするアジア人のコミュニティと呼べるほどのものが存在し、ガレオン船で太平洋を渡るアジア人奴隷の数は、一般に想像されうるものよりも遥かに多かったと推測される(Seijas 2015)。

四、改宗ユダヤ人と奴隷貿易

近年の研究では、グローバルなポルトガル〈帝国〉の商業ネットワークは、その実態として改宗ユダヤ人に担われていたことが、急速に明らかにされつつある。

マデイラの砂糖

一五世紀のポルトガルは、一四九二年に隣国のカスティーリャ・アラゴン(のちのスペイン)王国で公布されたユダヤ人追放令の余波を受け、国境を越えてくる亡命者を受け入れていた。ポルトガル国王マヌエル一世の思惑は、財力と交易ネットワークを持つスペインのユダヤ人たちの自国への移住を許可することで、王国の経済振興を図ることにあった。すでにポルトガルはマデイラ諸島でのサトウキビ・プランテーションを始めていたが、そこにはイベリア半島のユダヤ人資本が投下されていた。マデイラ諸島で生産される砂糖は地中海に広がるユダヤ人のネットワークで流通し、ジェノヴァ、ヴェネツィア、後にはフランドル、フランスの商人たちの投資を呼び寄せていた。一例としては、フランドル地方では、スペインの宮廷ユダヤ人であったアブラバネル家とレメ家が提携して、マデイラ産の砂糖をヨーロッパ中に流通させていた。サトウキビを切るとすぐに甘味成分であるスクロースの発酵が始まるため、砂糖の製造工程は迅速である必要があった。ヨーロッパでの消費拡大にもとづくマデイラ産砂糖の生産増量要求により、生産現場での工程を迅速に進めるためには大量の労働力が必要とされ、そこに奴隷が充てられた。

マデイラ諸島で使役される奴隷は、北アフリカの戦争で捕らえられた捕虜、西アフリカのギニア地域の人々であった。とくに西アフリカ沿岸で獲得された奴隷は、まずマデイラ諸島のプランテーションで技術を身につけ、指導者的な役割でブラジルでのサトウキビ・プランテーションを発展させた。

一五四〇年代にはポルトガルでもユダヤ人の強制改宗や異端審問が激しくなり、表面上ユダヤ教徒は国内に存在しなくなったが、改宗ユダヤ人の多くは宗教的な統制が緩いエスタード・ダ・インディアや新大陸へと移住していった。血縁によるネットワークの多くは、ヨーロッパ、アフリカ、アメリカ、アジアを結ぶものであった。

スペイン領、ポルトガル領問わず、前近代のラテンアメリカの商業・経済史を研究する際には、大商人はほぼ漏れなくこのネットワークに与する人々であったと考えてよい。とくに一六世紀末から一七世紀にかけて、ポルトガルを出た改宗ユダヤ人の多くがアメリカ大陸へと向かった。これは、ポルトガルの王位をスペイン国王フェリペ二世が兼任することになり、それぞれの海外領土における商業活動がトマール会議(一五八一年)で承認されたことによる。その状況は、ポルトガルがスペインから独立する一六四〇年まで継続した。

改宗ユダヤ人の商人たちは、イベリア半島南部の港から出発し、アフリカ西海岸に向けて商品を運び、その商品を奴隷と交換してアメリカ大陸へと向かった。彼らの目的地は、メキシコやブラジルの沿岸部であった。ヨーロッパでもすでにエージェントを多用するネットワーク型の遠隔地交易に従事していたこれらの商人は、ラテンアメリカでも、鉱山町や主要都市間にネットワークを築いていった。キリスト教徒に改宗したとはいっても、本来の商業習慣として、ユダヤ人同士の絆を重視し、新参者の事業を支援するシステムがあった。アメリカ大陸では中国で生産される陶磁器、絹、綿布などの需要が高かったため、アジア貿易に投資する者も多かった。

太平洋を介してアメリカ大陸西岸と東・東南アジアは近く、ガレオン船は日本海流と北太平洋還流を利用すれば、一カ月程度でメキシコとフィリピンの間を航海することが可能であった。また航路としては、大西洋よりも太平洋の方が穏やかであったため、あらゆる労働力が欠乏するアメリカ大陸では、アジア人の奴隷も貴重な人的資源であった。

ネットワークの一例

改宗ユダヤ人のグローバルなネットワークを知るためには、代表的な商人一族の一例を取り上げるのが有効であろう。ここでは、マヌエル・デ・ラ・グアルディア(一五六五―?)というポルトガルのグアルダ地方出身の商人の、複数の大陸を股にかけた超広域ネットワークを見てみよう。

もともとラ・グアルディアはアフリカ西海岸からポルトガルへ奴隷を運ぶことで一財産を築いた一族の出身であった。ラ・グアルディアは別のポルトガル人の有力商人アントニオ・デ・エルヴァスのために商品を調達するエージェントとしてそのキャリアを開始させた。(2) エルヴァスは、一六世紀末から一七世紀にかけての、イベリア半島で最も強大な改宗ユダヤ人の一族の出身で(Doria & Barata 1995: 119)、一五六六年にはポルトガル国王セバスチャンから「フィダルゴ」(下級貴族)に任命された。(3) エルヴァスはポルトガルのインド貿易に深く関与したバイエルン商人コンラッド・ロット(一五三〇―一六一〇年)と協力関係にあった。一五七五年、ロットはセバスチャン王から五年間の契約で胡椒の独占権を獲得、少なくとも一五八〇年まで、インドの胡椒貿易全体を取り仕切る役割を担った。彼らはインドでの胡椒の購入、リスボンへの輸送、さらにはヨーロッパの各地域への流通を独占した(Boyajian 2008: 18)。エルヴァスはインド貿易のみならず、大西洋貿易も手がけ、一六一五年にはアフリカからカルタヘナ港(コロンビア)とベラ・クルス港(メキシコ)に毎年五〇〇〇人の奴隷を八年間にわたって供給する契約を結んだ(Newson & Minchin 2007: 19)。エルヴァスは、一六一六年から八年間、アンゴラ、コンゴ、ロアンゴ地方(現コンゴの海岸部)からの奴隷を特権的に購入する認可を王室から得ており、(4)カーボベルデやブラジルにもエージェントを置いた(Salvador 1981: 23)。

ラ・グアルディアはエルヴァスのエージェントとして、西アフリカで入手したアフリカ人奴隷を売却するため、カラカス(ベネスエラ)とカルタヘナに赴いた。その後、メキシコに移住し、エルヴァスから独立して自分の商売を始め、改宗ユダヤ人のアフォンソ・フェルナンデス・マントゥアとヴィセンテ・フェリシアーノ・バレンシアと組んだ。マントゥアはアンゴラ人の奴隷を集積港であるカーボベルデ島からカルタヘナへ運び、バレンシアはそこから奴隷を他の地域へと流通させていた。バレンシアが三〇〇ドゥカドを投資し、それを元手にマントゥアとラ・グアルディアが四一人のアンゴラ人奴隷を購入したことを証明する文書が存在する。(5)

ラ・グアルディアはバレンシアを通じて、その親戚であるスペイン領アメリカの豪商カルバハル一族と提携したが、後にバレンシアとは決別した。バレンシアはペルー副王領に渡り、ポトシ銀山から採れる銀や宝石の取引に専念したが、一五九八年、リマの異端審問官吏に捕まり、ユダヤ教の儀式を実践した廉《かど》で宗教裁判にかけられた(Quevedo & Amiel 2008: 87)。

その頃、ラ・グアルディアは太平洋を渡り、フィリピンのマニラに拠点を置いていた。ラ・グアルディアのエージェントには、長崎在住で日本＝マニラ間の船長として江戸幕府から朱印状を発給されたマヌエル・ロドリゲスがいた。

「ろちりす船積帳」(『通航一覧』一八一)として知られる一六二一年に日本語で書かれたロドリゲスの船の積載品リストからは、ロドリゲスがフィリピンへ運んでいたのは主に九州産の小麦粉、乾パン、塩漬けの魚や肉、鉄などで、複数の日本人商人が彼の船にフィリピンで売る商品を載せていたことが判明する(岩生 一九八五:二九一—二九二頁)。ラ・グアルディアの関係者には、メキシコシティの異端審問所の追及を受けた者も多く、そのうち明らかに日本に滞在したことが知られる人物に、ルイ・ペレス、ディオゴ・ジョルジ、ヴィレラ・ヴァスがいる。ヴァスは日本における「南蛮吹」(銀精錬)技術の指導者「白水」であった可能性もある。このほかにラ・グアルディアとの関係は不明であるが、『元和航海記』に作者池田好運の師として登場する「南人　万能恵呂権佐呂」はマヌエル・ゴンサルヴェスのことで、イエズス会史料から彼もまた改宗ユダヤ人であったことが判明する(Sousa 2020)。

五、奴隷の人権をめぐる議論

人類の歴史の大半、あらゆる民族をその対象に含む「人権」的な概念は存在しなかったが、自由を奪われ、過酷な待遇に置かれることが自明な「奴隷」にされる人間には、然るべき理由が必要であるという認識は存在した。とくに戦地において捕らえる敵軍の捕虜、敵軍の関係者は、多くの場合「奴隷」として合法であったが、そこに「宗教」が関係する契機となったのは、一一世紀に始まる十字軍の遠征であった。イスラーム勢力との戦いは当時のヨーロッパ諸国の建国の歴史とも深く関係することから、中世から近世にかけてのヨーロッパの国王たちのアイデンティティ基盤には「十字軍の末裔」としての矜持があった。

一五世紀に入ると、イスラーム勢力への対抗と領土的野心が相乗し、さらには「未知の土地」の発見事業が進んだ結果、必ずしも戦争捕虜や債務者、犯罪者ではない人々が奴隷として売られるようになった。未知の文明との遭遇とそれへの対応にともなって生じる諸問題の解決方法を模索するため、有名なサラマンカ学派と呼ばれるスペインの神学者集団が形成された。明らかに「敵」であったイスラーム勢力と異なり、これまでほとんど接触のなかった、その信仰対象さえも判然としない人々を「奴隷」にするにあたり、どのような神学的道理が適用されうるのか、という疑問は大きな議論の対象になった。この問題には、バルトロメ・ラス・カサスのようなサラマンカ学派に属する著名な研究者たちがこぞって挑んだ。その中で、奴隷の「人権尊重」へと繋がる見解が誕生し、それに基づいて奴隷保護を目的とした法令も発布された(Casares 2014: 428-430)。

他方ポルトガルでは、サラマンカ学派のような神学者集団は誕生せず、この問題に対して宮廷が何らかの取り組みを開始するのはずっと後のことであった。ポルトガルにとって奴隷貿易から発生する国益(取引権の対価や税金など)は絶大であったからである。とはいえ、ポルトガルの法神学者の中にも、奴隷貿易に反対を唱えたドミニコ会士フェルナン・デ・オリヴェイラのような人物がいた(Oliveira 1983)。

一五七〇年まで、ポルトガル国内や海外領土における奴隷の法的扱いは曖昧であった。この年の九月二〇日、ポルトガル国王セバスチャンはスペインの神学者たちの影響を受けて、ブラジルの先住民を捕虜にすることを部分的に禁止し、同日付で日本人奴隷の売買に従事した者への教会からの破門罰を定める法令を発布した(6)。翌年三月、さらにセバスチャン王はベンガル人、モルッカ人、中国人の奴隷化を禁じたが、アフリカとインド西海岸での奴隷取引は禁止しなかった。とはいえ実際には、これらの法令が遵守された形跡は見当たらない。日本人奴隷に関しても、一六世紀末までその取引は継続した。

一七世紀に入ると、奴隷貿易はポルトガル人の独占市場ではなくなった。オランダ、イギリス、フランスのインド会社が、ポルトガル、スペインの後を追って、奴隷貿易に参入し始めたのである。ブラジルにいたイエズス会士たちは、これらのヨーロッパ勢力によるヒト狩りの実態を目のあたりにし、彼らの非道を糾弾し始めた。ポルトガル人のイエズス会士アントニオ・ヴィエイラ(一六〇八―九七年)は、ブラジルでインディオやアフリカ人奴隷のキリスト教化に従事していたが、彼らは保護されるべき存在であることを、ポルトガル宮廷や貴族社会に対して強く訴えた。彼の思想は様々な著作に表れ、サラマンカ学派の最終系統に連なるものとして研究が進んでいる。ヴィエイラの説教集は、「奴隷」を兄弟と見なし、すべての人類の平等性を主張するもので、奴隷商人や植民地官僚を激しく非難する内容となっている(Vieira 2018)。このような思想は少し後の時代の啓蒙思想に強い影響を与え、一八世紀には「奴隷制廃止論」の大きなうねりへと繋がっていった。その背景には植民者側の意識の変革だけではなく、本国からの独立を求める動きと連動した、現地民エリートの間での階級闘争と人権に対する意識の高揚があったことも忘れてはならない。

むすびにかえて

本稿では、相当大雑把にではあるが、世界の奴隷をめぐる歴史を、グローバル化の前後に生じた変化を中心に論じた。大まかにでも全体像を見ることで、何らかの共通性のようなものが存在するのか確かめたいという試みであった。「奴隷」に関するテーマは、一八世紀、一九世紀に限定的な形で語られることが多いが、実際には人類史上、おそらくホモサピエンスが集団で暮らすようになってから、「奴隷」的な社会身分に置かれる人々はずっと存在した。現代世界では、制度としての「奴隷制」が存続している地域は稀ではあるが、それでもすべての人が真実平等に扱われ、社会階層の中に差別がないところなど、おそらく地上には存在しない。もし過去の時代と大きく異なる点があるとすれば、「奴隷の子どもは奴隷」ではなく、そのスパイラルから逃れる何らかの方法は存在するということであろう。しかしながら、逃れる方法があることすら知らないで、強制的ではないにせよ、奴隷的境遇の再生産が続く可能性が極めて高いのが世界の現状である。

「奴隷制」は廃止されたのだから、もうそれほど気にかける必要はない、と思うのは大間違いである。今、私たちの身近にある問題の多くに、本稿で述べた様々な事象が深く関わっているということを、読者の皆さんが今一度、心に思い起こしてくださる機会となれば幸いである。

注

(1) この記述は過去にも邦訳されたが、原文確認した結果、重大な誤りがあったため、筆者があらためて翻訳した東京大学史料編纂所版を参照されたい。
(2) Arquivo Histórico Ultramarino (AHU), Índia, caixa 323, n. 57, 20 de Julho de 1606.
(3) Arquivo Nacional/Torre do Tombo, *Chancelaria de D. Sebastião, Chancelaria de D. Henrique. Privilégios,* livro 2, fl. 193 r; livro 4, fl. 184.
(4) *Boletim da Filmoteca Ultramarina Portuguesa* (BFU), British Museum, London, Cod. n. 1.132 Egerton Collection (Ficheiro R-1, Gaveta 2, Divisão 2), fls. 36.
(5) ラ・グアルディアに関する史料は主にメキシコ国立文書館(Archivo General de Nación)の一五九七年から九九年にかけての異端審問記録の中にある。
(6) Biblioteca Nacional Lisboa, Fundo Geral 801, "Provizão em os Portuguezes, rão possaõ resgatar, nem captivar Japão algum [...]," fols. 144-144 v.

参考文献

岩生成一(一九八五)『新版　朱印船貿易史の研究』吉川弘文館。

岡美穂子(二〇一〇)『商人と宣教師　南蛮貿易の世界』東京大学出版会。

下重清(二〇一二)『〈身売り〉の日本史――人身売買から年季奉公へ』吉川弘文館。

ソウザ、ルシオ・デ、岡美穂子(二〇二一)『大航海時代の日本人奴隷――アジア・新大陸・ヨーロッパ』中公選書。

田中健夫(二〇一二)『倭寇――海の歴史』講談社学術文庫。

東京大学史料編纂所（二〇一一）『イエズス会日本書翰集』原譯文編之五。

Armenteros-Martínez, Ivan (2016), "Los Orígenes de un Nuevo Modelo: cómo la llegada del Islam transformó las prácticas esclavistas en la Europa de los siglos VIII-XIII", *Archivio Storico Italiano*, vol. 174, No. 1 (647).

Austen, Ralph (1992), "The Mediterranean Islamic Slave Trade out of Africa: A Tentative Census", *Slavery and Abolition*, 13.

Bano, Shadab (2001), "Professor J. S. Grewal Prize Essay: Slave Acquisition in the Mughal Empire", *Proceedings of the Indian History Congress*, vol. 62.

Boyajian, James (1993), *Portuguese Trade in Asia under the Habsburgs, 1580-1640*, Baltimore, MD, The Johns Hopkins University Press. Reprint in 2008.

Cartledge, Paul (2001), *Sparta and Lakonia: A Regional History 1300-362 B. C.*, London, Routledge.

Casares, Aurelia Martín (2014), "Evolution of the Origin of Slaves Sold in Spain from the Late Middle Ages til the 18th Century", Simonetta Cavaciocchi (ed.), *Serfdom and Slavery in the European Economy 11th-18th Centuries*, Firenze, Firenze University Press.

Casini, Bruno (1965), *Aspetti della Vita Economica e Sociale di Pisa dal Catasto del 1428-1429*, Livorno, SEIT.

Crossley, Pamela Kyle (2011), "Slavery in Early-Modern China", D. Eltis and S. Engerman (eds.), *The Cambridge World History of Slavery*, vol. 3, Cambridge, Cambridge University Press.

Doria, Francisco & Carlos Eduardo Barata (1995), *Os Herdeiros do Poder*, Rio de Janeiro, Editora Revan.

Fausto, Carlos (2000), "Of Enemies and Pets: Warfare and Shamanism in Amazonia", *American Ethnologist*, 26.

Finley, Moses (1998), *Ancient Slavery and Modern Ideology*, Princeton, Markus Wiener.

Fonseca, Jorge (2010), *Escravos e Senhores na Lisboa Quinhentista*, Lisbon, Edições Colibri.

Fontenay, Michael (1996), "L'esclave galérien dans la Méditerranée des Temps Modernes", Henri Bresc (ed.), *Figures de l'esclave au Moyen-âge et dans le Monde Moderne*, Paris, L'Harmattan.

Gil, Juan (2002), "Chinos en España en el Siglo XVI", *Revista STVDIA*, 58/59.

Graham, Carol (1995), "The Meaning of Slavery and Identity in al-Andalus: The Epistle of Ibn Garcia", *The Arab Studies Journal*, vol. 3, No. 1.

Gruszczyński, Jacek & Marek Jankowiak (eds.) (2021), *Viking-Age Trade: Silver, Slaves and Gotland*, 3 vols, New York, Routledge.

Jackson, Peter (1999), *The Delhi Sultanate: A Political and Military History*, Cambridge, Cambridge University Press.

Kea, Ray (1982), *Settlements, Trade and Polities in the Seventeenth-Century Gold Coast*, Baltimore, Johns Hopkins University Press.

Kim, Sun Joo (2019), "My Own Flesh and Blood: Stratified Parental Compassion and Law in Korean Slavery", *Social History*, 44. 1.

Kunt, Metin (1983), *The Sultan's Servants: The Transformation of Ottoman Provincial Government, 1550-1650*, New York, Columbia University Press.

Lingat, Robert (1931), *L'esclavage Privé dans le Vieux Droit Siamois*, Paris, Domat-Montchrestien.

Lovejoy, Paul (2012), *Transformations in Slavery*, Toronto, Cambridge University Press.

McKissack, Patricia & Fredrick McKissack (1994), *The Royal Kingdoms of Ghana, Mali, and Songhay: Life in Medieval Africa*, New York, Square Fish.

Moosvi, Shireen (2011), "The World of Labour in Mughal India (c. 1500-1750)", *International Review of Social History*, 56, no. S 19.

Morgan, Lewis Henry (1851), *League of the Ho-dé-no-sau-nee, or Iroquois*, Rochester, Sage & Brother.

Newson, Linda & Susie Minchin (2007), *From Capture to Sale: the Portuguese Slave Trade to Spanish South America in the Early Seventeenth Century*, Leiden, Brill.

Nwokeji, Ugo (2011), "Slavery in Non-Islamic West Africa, 1420-1820", D. Eltis and S. Engerman (eds.), *The Cambridge World History of Slavery*, vol. 3, Cambridge, Cambridge University Press

Offner, Jerome (1983), *Law and Politics in Aztec Texcoco*, Cambridge, Cambridge University Press.

Oliveira, Fernando (1983), *A Arte da Guerra do Mar*, Lisbon, Edição do Ministério da Marinha.

Origo, Iris (1955), "The Domestic Enemy: the eastern slaves in Tuscany in Fourteenth and fifteenth centuries", *Speculum*, 30.

Palais, James (1998), *Views on Korean Social History*, Seoul, Institute for Modern Korean Studies, Yonsei University.

Pelteret, David (1995), *Slavery in Early Mediaeval England: from the Reign of Alfred until the Twelfth Century*, Rochester N. Y., Boydell & Brewer.

Quevedo, Ricardo Escobar & Charles Amiel (2008), *Inquisición y Judaizantes en América española: siglos XVI-XVII*, Bogotá, Editorial Universidad del Rosario.

Rhee, Young-hoon & Dongkyu Yang (2010), "Korean Nobi and American Black Slavery: An Essay in Comparison", *Millennial Asia*, 1.

Rotman, Youval (2009), *Byzantine Slavery and the Mediterranean World*, Cambridge, Mass., Harvard University Press.

Salomon, Frank (2008), *Native Lords of Quito in the Age of Incas: The Political Economy of North Andean Chiefdoms*, Cambridge, Cambridge University Press.

Salvador, José Gonçalves (1981), *Os Magnatas do Tráfico Negreiro: séculos XVI e XVII*, São Paulo, Livr. Pioneira.

Saraiva, António José (2001), *The Marrano Factory: The Portuguese Inquisition and Its New Christians 1536-1765*, Leiden, Brill.

Schottenhammer, Angela (2004), "Slaves and Forms of Slavery in Late Imperial China", Gwyn Campbell (ed.), *The Structure of Slavery in Indian Ocean, Africa, and Asia*, London, Routledge.

Seijas, Tatiana (2015), *Asian Slaves in Colonial Mexico*, Cambridge, Cambridge University Press.

Sousa, Francisco de (1978), *Oriente Conquistado a Jesus Cristo: pelos padres da Companhia de Jesus da província de Goa*, Porto, Lello e Irmão.

Sousa, Lúcio de (2019), *The Portuguese Slave Trade in Early Modern Japan*, Leiden & Boston, Brill.

Sousa, Lúcio de (2020) "Judaeo-converso merchants in the private trade between Macao and Manila in the Early Modern Period", *Revista de Historia Economica - Journal of Iberian and Latin American Economic History*, Volume 38, Special Issue 3.

Sullón, Gleydi (2010), "Portugueses en el Perú virreinal, 1570-1680: una aproximación al estado de la cuestión", *Revista de Humanidades*, nº 523.

Thomaz, Luís Filipe (1994), "Slavery in Malacca in the 16th century", *Revista STVDIA*, 53.

Vernet, Thomas (2003), "Le commerce des esclaves sur la côte Swahili, 1500-1750," *Azania* 38.

Vieira, António (2018), *Cada Um É da Cor do Seu Coração : negros, ameríndios e a questão da escravatura em Vieira*, Lisbon, Círculo de Leitores/Temas e Debates.

Walter, Rodney (1970), *A History of the Upper Guinea Coast 1545-1800*, Oxford, Oxford University Press.

Yates, Robin (2002), "Slavery in Early China: A Socio-Cultural Approach", *Journal of East Asian Archaeology*, 3.

焦　点 | *Focus*

焦点｜Focus

アジア海域における近世的国際秩序の形成
——一四・一五世紀の危機と再生

山崎　岳

はじめに

本稿は、第一〇巻「モンゴル帝国と海域世界」ならびに第一二巻「東アジアと東南アジアの近世」でも扱われる一四・一五世紀のアジア海域の変容を主題とし、一四世紀以前と一五世紀以後の世界を橋渡しする役割をになう。標題に「近世的」との形容を掲げたのは、本講座の設計に沿ったものであり、また本巻の共通主題を踏まえた上で、筆者自身そう考えるところがあるためでもある。

現在東アジアならびに東南アジアと呼ばれる地域は、一四世紀から一五世紀にかけて、歴史的な転換を経験する。一四世紀中葉、それまで地域秩序の核であった諸政権は求心力を失い、各地に叢生した新勢力により既存の秩序は動揺した。しかし、一五世紀前半までには、後継諸政権が政治的統合を進めて新たな体制を構築し、従来の勢力図を塗り替えていった。この趨勢は、一三世紀までに形成されていた世界秩序に大きな改変をせまり、これを再構築することで、その後長期にわたる国際秩序を構造的に規定するものとなった。これに続く一六・一七世紀におこった変化も、その前提となる各地域の政治的統合を重視するなら、一四・一五世紀に現れた世界の延長上に展開したものとも見なすことができよう。

こうした展望のもと、本稿では、一四・一五世紀における東アジア・東南アジア海域の歴史的展開を、海を介して相互に関連づけられたものとして叙述することを試みる。地理的には、いわゆる海域史的な視点をかりて、東シナ海ならびに南シナ海の沿岸に対象を絞った。東アジアと東南アジアを一体に論じ、また両者を内陸アジアやインド洋からいったん切り離すことには異論もあろうが、ここではあえて大上段の「歴史世界」を想定することはせず、個々の具体的事象から帰納される関係性の範囲を優先したい。近年の歴史学界における全世界史的な関心の深まりに鑑みれば、諸国・諸地域が一四・一五世紀という同時期に共通して経験した歴史的変動を、偶然の一致と片付けることはできない。海域史という方法によって、その背後に想定される関係性を探ることは、今日の歴史学に与えられた好個の課題といえよう（リード 一九九七・二〇〇二、同 二〇二二、桃木 二〇一一、大田 二〇二一、岸本 二〇二二）。

一、モンゴルのくびき

一三世紀後半、アジア地域の大半はモンゴル系諸政権の覇権のもとに置かれていた。モンゴルは、それ以前からユーラシア大陸の東西で形成されていた商業交通網を支配し、遠距離交易を保護育成することで、領域の拡大を続けた。とりわけ、金・南宋・西夏・大理の旧領をあわせて中国王朝としての体制を整えた元朝は、東方における商品生産の中心地域を占めたことで、人口・経済の規模からしてもモンゴル諸政権のなかでも最大の国力を誇った。その東南沿海では、宋代以来、高麗やチャンパーから、日本・ジャワ・インド洋に至るまでの海洋航路が開け、中国製の絹布・陶磁器・銅銭その他の手工業製品が、海外諸国の香料・香木・象牙・犀角、それに銅や硫黄などの各種商品と取り引きされた。元の南宋征服後も、海をまたいだ国際商業は発展を続け、江浙の太倉・寧波、福建の泉州、広東の広州などの海港には、東アジア・東南アジアのみならずインド洋沿岸地域からの商船も来航し、それぞれ国際的な貿易都市として繁栄した（向 二〇一三、榎本 二〇二〇、同 二〇二一、森平 二〇二一、山内 二〇二一、四日市 二〇二一）。

しかし、元朝以下のモンゴル諸政権の成長は、軍事的な領域拡大とあいまって実現したもので、その成功が頭打ちとなるとともに発展の方向性を失ってゆく。モンゴル帝国は、いわば一三世紀初頭までに発展を遂げた国際商業が生み出し、その世界的好景気の中で膨れ上がったバブルであった。一四世紀に入るとチンギス直系のモンゴル政権は各地で急速に衰退し、元朝もまた、皇位をめぐる権力闘争、王公や寺院への巨額の賜与、公定通貨であった交鈔の下落、気候不順による天災など、さまざまな要因から弱体化が進んだ。ただし、その体制崩壊を引き起こした直接の原因は、淮河・長江流域に起こった民衆反乱であった。これには在地の豪民・胥吏《しょり》による貧困層の収奪に主要な原因があったが、その搾取構造の頂点に君臨していたのはモンゴルの征服王朝であったことから、元末の反乱は階級闘争と民族紛争の両面を兼ねた複合的な性格を持っていた（山根 一九七一、愛宕 一九八八）。

至正一一年（一三五一）、江淮と湖広で勃発し東西に並立した紅巾の乱は、いずれも弥勒下生による世直しと宋の復興を掲げ、富戸から略奪した糧食を困窮する民衆に分配することで勢力を拡大した。このうち東系紅巾軍の旗のもとで、一介の浮浪民から皇帝にのし上がったのが明太祖朱元璋《しゅげんしょう》である。朱元璋はやがて紅巾を弾圧する側にまわるが、明初に行われた根本的な社会改造は、一面で紅巾の理想を引き継いだものとみることもできよう。

一方、商工業の恩沢豊かな東南沿海部では、紅巾の到来は既存の秩序を破壊する乱賊の侵入ととらえられた。これを防いだのは各地で成長した地方軍閥である。紅巾の乱に先立つ至正八年（一三四八）、浙東沿海で蜂起した方国珍《ほうこくちん》は、漁業・海運を生業とする船戸たちを糾合して元の追討軍を翻弄した。やや遅れて江淮地方で塩徒を率いる張士誠《ちょうしせい》が蜂起すると、その軍勢はまたたくまに数万の規模に膨張した。元朝当局はこれらの反乱を正面から鎮圧することができず、名目上の官職を与えて取り込みをはかった。方国珍や張士誠は、元の高官の身分を得て事実上の割拠政権を営む一方、海路を通じて高麗とも独自の通交関係を築いた。中国東南沿海では、このほかにも福建の陳友定《ちんゆうてい》、広東の何真《かしん》などの自立的な軍閥が並び立ち、それぞれが各地で漁塩通商の利を占めたことで、元朝による支配はその瓦解に先立って有名無実なものとなっていた(山崎 二〇一一)。

他方、一三世紀以来、モンゴルに臣従を誓うことで王国としての存続を果たしていた高麗では、元に仕えた高麗人たちが国王をしのぐ権勢を誇り、一四世紀に入ると国王の廃立すら元廷の意向によって行われた。農村部では宗室や文武両班の権門勢家が田地と耕作者を囲い込んで農荘《のうしょう》とよばれる私領を広げ、豪強による実力に恃んだ田地人民の侵奪占有が横行した。元廷の傀儡に等しい国王たちはこうした混乱に有効に対処できず、王朝政府の田租収入は掘り崩されるとともに、その権威は失墜していた(浜中 一九八六、矢木 二〇〇四)。

こうした中、紅巾の乱勃発と同年に即位した恭愍王《きょうびんおう》は、一三五六年、元恵宗《けいそう》の外戚として高麗国内で権勢を振るっていた奇氏一族を粛清し、元の出先機関であった征東行省を事実上閉鎖して、その殖民都市・双城総管府を攻略した。元はこれに対し非難と恫喝を加えたが、紅巾その他の内乱への対応に追われ、有効な手を打つことはできなかった。高麗の反元政策の原動力となったのは、モンゴルの威をかりた既得権益層に対する新興階層の国内的な反発だったが、恭愍王は元朝との決定的な対立は避け、朝貢を継続することで穏当な現状維持の道を選んだ。これは結果的に国内で必要とされた社会改革の実行を遅らせることとなり、明の建国後まもなく、恭愍王は親元派のクーデタによって暗殺され、高麗王朝はますます政治的混迷の度を深めてゆく(末松 一九九六)。

「アジア」に発して世界を威服したモンゴルの歴史的意義はこれまでにも繰り返し強調されてきた。それは、近代以来つねに欧米勢力の風下に置かれてきたアジアの歴史家にとって、全世界を睥睨する大帝国という、ある種理想の国家像を提供するものだったのかもしれない。人類史上、繰り返し出現してきた「世界帝国」のうち、現代に直結しない超大国としてそれらの掉尾を飾ったのがモンゴルであった。しかし、多くの「アジア」の人々にとって、それは栄光の歴史ではなく、侵略と圧政に苛《さいな》まれた苦難の時代として記憶された。そして、これにかわって今日まで持続する世界の一体化を進めたのは、そのくびきを免れた「ヨーロッパ」諸国であった。空前絶後の富と力によって一時代を画したモンゴルが、その後の人類社会の未来を切りひらく、持続的発展の導き手となりえなかったのはなぜなのか。モンゴル帝国の衰亡は、こうした意味でも考察に値する問題であろう。その繁栄の側面のみを強調し、その偉大な事績を賛美賞嘆するばかりでは、モンゴルを成立させ、これを崩壊に導いた世界史的な構造は永遠に見えてこない(愛宕 一九八八、アブー＝ルゴド 二〇〇一、ダーウィン 二〇二〇、谷井 二〇二二)。

二、海域世界のひろがり

中国本土や朝鮮半島とは異なり、紅河流域以南のインドシナ半島、および日本列島以下の海外諸地域にモンゴルの支配は及ばなかった。一三世紀後半に、日本・大越・チャンパー・ジャワ、その他海域諸国の侵略を企図して派遣された船団は、めぼしい戦果をあげることなく敗退した。その後、これら諸国が対元関係の改善をはかるためこぞって講和の使者を派遣すると、南進の困難をさとった元朝は実質的な服属の要求をあきらめ、朝貢による形式的な臣礼をもって名目上の四海一統に甘んずるようになった。この軍事的失敗は、モンゴルの軍事的膨張の限界線を画し、またその衰退の始点を打つできごとであった。

元軍の侵攻を被った諸国のうち、日本のみは講和のための遣使を行わなかった。そのため、蒙古重来への不安はその後も日本社会に長く尾を引き、元軍の先兵となった高麗への敵愾心もおさまらず、報復のための半島出兵も議論にのぼった。しかし、戦時には途絶えていた商人や仏僧の往来はまもなく再開され、南宋との貿易をしのぐ盛況を呈した。元の江南制圧後、銅銭の輸入量は激増し、日本国内には大きな変化がもたらされた。各地の荘園では、地頭・荘官など在地領主の力が強まる一方、公家や寺社といった本所領主の影響力が相対的に低下した。また、御家人身分に属さない中下層の武士たちも荘園の利権をめぐる紛争に介在し、各地で暴力的衝突が頻発した。この時代に記録される「悪党」の出自や実態は多種多様だが、全国的な政情不安は治安責任をになう鎌倉幕府の権威を失墜させてその倒壊を招き、南北朝の動乱としてその後も長らく尾を引くことになる。このころ、西日本の沿海部では、活発化する商船の往来にともない、「海賊」と呼ばれる人々が顕著な成長を遂げていた。同時期に高麗や中国で「倭寇」と呼ばれた事件は、こうした武士団の一部が、朝鮮半島沿岸を経由して大陸に延びる通商路上に、その暴力的な活動の舞台を求めたことに起因する(榎本 二〇二〇、村井・荒野 二〇二二)。

一四世紀の半ば以降、高麗の沿海部では、倭寇の活動が大規模化した。もともと米穀の掠奪をこととした海賊集団は、一三五〇年ごろを境として、州県を襲って住民を虜掠殺傷するようになった。被害は半島南部から西部海域までの広範囲にわたり、一三五八年には黄海を越えて山東半島に及んだと記録される。また同年には、中国山東・遼東方面から紅巾の乱が高麗に波及し、数年の間猛威を振るった。紅巾軍は陸路のみならず海路より西海道に上陸し、西京平壌、国都開京が一時その手に落ちた。これらの武装勢力は、海商たちの往来する海上交通網を覆《おお》って活動範囲を広げ、黄海から東シナ海にいたる海域全域が「倭寇」と「紅賊」の跳梁するところとなった(藤田 二〇一〇)。

倭寇の中心となったのは、西日本の沿海部、とくに九州西北部の対馬・壱岐・松浦地方を根拠地とする人々だったと考えられている。ただし、当時の高麗における民間の動向には不明な点が多く、高麗側の文献に「倭寇」と記録されるすべてが日本からの侵入者であったと断定することはできない。「倭寇」や「紅賊」の活動は高麗の国土に多大な荒廃をもたらしており、これらを高麗民衆の待望するところだったかのように言いなすのは、明らかに無理がある。しかし、現存史料には在地民衆の積極的抵抗に関する記述が乏しく、彼らがその間どのような行動をとったのかは、いまひとつ明らかでない。それ以前から遼東方面については多数の高麗人口の流出が確認できること、実際に「詐《いつわ》りて倭賊と為る」事例が高麗史書に現れること、そして元末の帝旨でも、「或いは他国に従い、妄《みだ》りに汝の民を称する」高麗の賊徒が指弾されていることなどを考えあわせると、目下その動機や規模について軽率な判断は下せないものの、王朝末期の閉塞した社会状況が「倭寇」および「紅賊」への相当規模の参入者を生み出し、これらの動乱に拍車をかけた可能性は十分に想定しておく必要があろう(田村 一九六七、村井 二〇一三、橋本 二〇一四)。

同じころ、沖縄諸島で起こっていた変化は、文献上の記録の極めて乏しかったこの地域に、新たな「国家」を生み出すことになった。一二世紀以降、沖縄本島では、各地で勃興した按司たちの抗争によってグスクと呼ばれる大規模な城塞群が出現し、やがては三山鼎立に至る政治的統合が急速に進行する。こうした動きと並行して、九州南部から奄美・琉球諸島を経て福建方面に向かう海上航路が発達を遂げ、活発化した日中間の交易を通じてさまざまな技術・文物が沖縄にもたらされた。海商や移住者が往還した交易網は九州諸港を経て朝鮮半島に連なるもので、沖縄の古典文化の形成には、いわゆる「倭寇」によって渡来した高麗人の介在も考慮されねばならない。一四世紀後半に至って「琉球」という独立王国に結実する社会的基盤は、それに先だって東アジア各地を結んでいた国際商業の荒々しい好景気の中で築かれていた(岡本 二〇一〇、村井 二〇一九、中島 二〇二〇、吉成 二〇二〇)。

こうした海上交易の活性化を受け、東南アジア海域では、紅河流域の陳《チャン》氏大越《ダーイヴィエト》も大きな変化にさらされていた。陳朝帝室は、福建あるいは広西から移住した華人を始祖とし、一族は代々漁業を営んだとされる。宗室諸王は国都昇龍《タンロン》の東方、紅河デルタの沿海各地に郷第と呼ばれる私邸を構え、天長府《ティエンチュオンフー》・至霊《チーリン》・雲屯《ヴァンドン》などの水路上の要地が軍事および商業の中心地として富み栄えた。しかし、一四世紀に入ると、デルタ沿海地域では新興の庶民層が台頭する一方、王侯の所領では奴婢の反乱が頻発した。諸王の影響力が衰えた陳朝は宿敵チャンパーに対しても守勢に立たされ、次第に国家統合の中心としての求心力を失っていく。

南シナ海から中国への出入り口にあたる航路の主線上に位置したチャンパーは、東南アジア海上交易網の最要地の一つであり、海上の優勢に乗じてしばしば紅河デルタの海岸部に侵攻し、陳朝領下の諸港を脅かした。一四世紀の後半、洪武帝が海禁により貿易の門戸を制限したことは、小国チャンパーにとってはかえって有利にはたらいた。このころチャンパーは傑出した軍事指導者制蓬莪《チェーボンガー》のもとで強大化し、一三七七年には陳睿宗《えいそう》を敗死させて首都昇龍に侵攻する。一四世紀末のチャンパーは、海洋国家としてその極盛期を迎え、不可逆的な衰退に先立つ最後の光芒を放っていた(桃木 二〇一一)。

インドシナ半島中央部では、繁栄の絶頂を過ぎたカンボジアのクメール朝に代わり、「暹《シャム》」と呼ばれたチャオプラヤー流域のタイ人が台頭した。当初タイ人諸国家《ムアン》の中で強盛を誇ったのは、盆地北部に位置するスコータイだったが、一四世紀中葉以降、南部に興ったアユタヤが海上交易によって繁栄し、政治的にも優勢を占めるようになった。一三五一年にアユタヤを建国したとされるウートーン王ラーマーティボディーは、伝説上は中国の王子とされ、海上交易にたずさわっていた華人の血を引く人物だったと考えられている。もともと山間盆地での稲作を生業としたタイ人は、海路シャム湾沿岸に拠点を築いた華人海商の海洋的性格を取り込むことで、「海のタイ」として生まれ変わった。初代の王家はほどなくして姻戚のスパンブリー王家に取って代わられ、さらに一六世紀にはスコータイ王家がその後の王統を占めることになるが、アユタヤはその後もチャオプラヤー盆地における中心都市としての地位を譲らなかった。都市アユタヤの繁栄は、その主権者の系譜上の正統性よりも、チャオプラヤー川の河口部を扼する一大港市として、海域世界に開かれた地理的優位性によって得られたものということができよう。海上覇権の拡大をめざすアユタヤは、マレイ系の住民と抗争しながら南下を続け、一四世紀末までにシンガプラを支配下に置いてマラッカ海峡の掌握をはかっていた(深見 二〇一三、石井 二〇二〇)。

一方、一四世紀後半の東南アジア島嶼部では、東部ジャワに興ったマジャパヒト王国が圧倒的な富強を誇っていた。一三世紀末、シンガサリの王族ウィジャヤが、元朝のジャワ遠征軍を計略によって駆逐し、ブランタス川中流のマジャパヒトの地に築いたのがこの王国である。東ジャワ沿海部ではトゥバンやジャンガラといった港市が栄え、南宋期以来頻々と往来する華人商人によって各種香料をはじめとする南海産品、インド産綿布、中国産の絹織物や陶磁器が盛んに取引されていた。ウィジャヤの治世はジャワ島の平定に費やされたが、やがて王位を継いだ女王トリブワナとその宰相ガジャマダ、それに続くハヤムウルク王、ウィクラマワルダナ王ら数代にわたる拡張政策は、マジャパヒト帝国の威光を現在のインドネシア領全域を覆う範囲に押し広げた。その海上覇権は、東はパプア、北はブルネイ、西はスマトラ島の大半に及んだとされ、島嶼部全域にわたる通商ルートを掌握しつつ、南下するアユタヤとマラッカ海峡を挟んでにらみ合った(リード 一九九七・二〇〇二、青山 二〇〇一、深見 二〇一四、山崎 二〇一四)。

一四世紀の東アジア・東南アジア各地で、農村社会とそれに基盤をおいた政権が少なからず混乱の兆候を現す一方、日本・琉球・チャンパー・アユタヤ・マジャパヒトなど、海洋的性格を帯びた諸勢力が、それぞれ横溢する武力にまかせて活動範囲を広げつつあったことは注目に値する。これらの海洋勢力は、モンゴルの脅威が過去のものとなりつつあったアジア海域において、その覇権の空白を埋めるべく勢力を拡大した。そして、その背後には南宋期以来盛んに海上に進出していた華人商人の影がついてまわる。一四世紀という時代は、世界各地を結ぶ国際交易路の主軸が、陸路から海路へと移行する転換期でもあった。海を支配しえなかったモンゴル帝国が急速に没落の道をたどり、東アジア・東南アジアの海域諸国が新たな存在感をもって歴史の表舞台に立ち現れるのがこの時代である。これもまた、「近世」初頭におこった世界史的な構造変化の一環と見なしうるのではないか。

三、再編される秩序

元末に自立的な地方軍閥が分立割拠した中国沿海は、一三六八年の明の建国とともに相貌を一変させた。その前年、朱元璋は張士誠・方国珍に本格的な攻勢をかけて江浙沿海に進出し、翌年の洪武改元とともに、福建・広東も制圧する。この海上遠征に前後して、敵対勢力との通謀を防ぐため一般民衆の出海禁止が布告され、漁船や渡船も含めた民間の私船が海に出ること一切が禁じられた。これがいわゆる「海禁」の原点である(中島 二〇二二)。

沿海各地に設けられた市舶司は、洪武七年(一三七四)にいたって廃止され、外国商船の入境は基本的に禁止された。中国における民間交易の経路は完全に閉ざされ、合法的な貿易手段は公的な使節の往来のみとなった。洪武年間だけでも繰り返し発令された海禁は、それなりの効果をともなって末端まで厳しく施行されたことから、かつて東南沿海にみなぎっていた商業的な活力は失われ、中央からの自立志向は根こそぎ除去された。さらに、洪武一三年(一三八〇)の胡惟庸《こいよう》の獄により、洪武帝は諸国の朝貢使節に対しても警戒を新たにし、対外関係の見直しを進め、その閉鎖性はますます強まってゆく。

こうした明初の鎖国政策の一つの転機となったのは、燕王朱棣《しゅてい》の皇位簒奪、いわゆる靖難の変である。永楽政権は多数の投降モンゴル軍人を擁する軍事政権であり、その政治的求心力を維持するためにも、また帝位簒奪の不義をそしる儒臣たちを黙らせるためにも、広大な疆域に君臨する絶対的権力者という皇帝像、そして四海の外の蛮夷戎狄がこぞって臣服する有徳の天子像を演じる必要があった。永楽政権の南北両面への拡張主義政策は、このいわくつきの政権がかかえていた国内矛盾を対外干渉に転化したものと見ることができよう。日本や東南アジアなど海外諸国の招諭、そして胡氏大越への軍事侵略は、「倭寇」の鎮静化、南海物産の独占的獲得、そして唐末以来失われた南方疆域の「回復」という成果によって永楽帝の威信を増大させ、さらにアジア海域の政治的形勢にも一定の影響を与えるものであった(檀上 二〇一三、岩井 二〇二〇)。

明の建国後、いち早く朝貢を始めた高麗の恭愍王に対し、洪武帝は軍備の薄弱を責め、新兵器の火砲を供給してその強化を支援している。明にとって、漠北の北元への備えとともに、海上の反明勢力への対応には高麗との連携協力が不可欠であった。恭愍王が親元派によって暗殺されると、高麗は北元と明との両面外交を展開し、国内では倭寇対策を通じて個人的声望を高めた武臣たちが、互いに粛清を伴う政争を繰り広げた。一三八八年、北元政権の崩壊に際して遼東に派遣された李成桂《りせいけい》が軍をかえして王廷を制圧し、長年の懸案であった権門勢家の私田の没収に踏み切った。こうして李成桂は、一三九二年、新興官人層の推戴を受けて新王朝・朝鮮を開いた。新たな体制のもと、耕作者の生活は安定に向かい、倭寇は縮小の傾向を示しはじめる。中朝間ではその後も倭寇に関する情報交換や被虜人の送還は続けられ、海域秩序の共同管理体制ともいうべき関係が成立していた(田村 一九六七、中村 一九七〇、有井 一九八五)。

一方、日本に対しても、洪武帝は即位以来たびたび招諭の使者を送り、倭寇弾圧のための協力を求めている。洪武四年(一三七一)、九州太宰府に寓居した南朝の懐良《かねよし》親王の使節が明廷に入朝し、浙江の被虜人七〇名あまりを送還した。しかし、同親王はまもなく北朝軍に太宰府を追われてその冊封は成立せず、倭寇対策をめぐる連携も進展しなかった。また、胡惟庸の獄に前後して、日本側の上表文に不遜の言辞が少なくなかったことも問題となり、日明間の使節往来はいったん途絶する。洪武帝の死後、それまでたびたび明との通交を試みながらも陪臣として入貢を拒否されていた足利義満は、まず南京の建文帝に、さらに内戦を経て即位した永楽帝によって朝貢を認められ、「日本国王」として冊封を受けた。日本において、従来もっぱら朝廷に帰するものと見なされ、かつ事実上機能を停止していた外交権が、これを境に武家政権によって握られることとなる。「日本国」が政権レベルで東アジアの国際社会に復帰したのは、実に平安中期以来のできごとであった。日中間の「朝貢」関係は一六世紀半ば過ぎには途絶し、豊臣秀吉の「冊封」を最後に日本国王号は廃されるものの、朝鮮や琉球に対する外交関係は維持され、武家の「公儀」がこれを取り仕切る慣例は幕末まで続くことになる(橋本 二〇一四、岩井 二〇二〇、村井・荒野 二〇二一)。

日本における武家外交の成立と同時期に、東シナ海上の独立政権として新たに誕生したのが琉球である。一四世紀まではもっぱら台湾島を意味した「琉球」(流求・瑠求)は、洪武帝の招諭に応えた中山王察度《さと》の入貢によって、沖縄本島に拠点をもつ新興国家に焼き直された。洪武政権にとって琉球の建国は、東シナ海上で活動する海商＝海賊勢力を取り込む「受け皿」という政策的意味があったことから、胡惟庸の獄以後も、中山王に加えて山南・山北の二王がいずれも入朝を許され、その「朝貢貿易」はかえって活発化した。一五世紀には三山統一によって政治的にも安定した琉球王国は、朝鮮や日本のみならず、暹羅《シャム》や満剌加《マラッカ》にも通交＝通商のための使船を派遣し、「万国の津梁《しんりょう》」とうたわれた繁栄を謳歌する。同世紀後半には華人商人の私貿易におされてその黄金時代は終わりを告げるものの、一四・一五世紀に確立された東シナ海上の独立国家としての地位は、一七世紀の薩摩の支配以後も失われることなく、一九世紀後半に日本に正式に併合されるまで存続した（岡本 二〇一〇、村井 二〇一九、中島 二〇二〇）。

陳朝大越では、一四世紀末から清化《タインホア》山地出身の権臣黎季犛《レークイリー》が中央集権的改革を進めて国政を一新し、農村における自営農民の育成に努めていた。また、明から導入した火砲によって制蓬峩《チェーボンガー》の侵入を撃退、これを敗死させた。こうしてチャンパーの最盛期は終焉を迎え、その勢力は縮小に転じる。個人的声望を絶頂まで高めた黎季犛は、陳朝少帝の禅譲を受けて皇帝に即位し、胡一元《ホーニャトグエン》と改名して国号を大虞《ダーイグー》と定め、南進してチャンパーを打ち破り、一時これを占領下に置く。しかし、胡氏の簒奪と侵略行為を口実に追討の兵を挙げた永楽帝の軍が紅河デルタに侵入すると、胡氏政権は多くの離叛者を出して壊滅した。とりわけ、デルタ東部沿海の南策《ナームサイク》地方は中国への海路の起点にあたる商業的・軍事的要地で、この地の豪族莫《マック》氏が明軍に投降したことは形勢を大きく左右した。国都昇龍《タンロン》を占領した明軍は、これを交趾《こうち》布政司と改め、各地に土官を設置して支配体制を固めた。また、デルタから中国への航路上に位置する雲屯《ヴァンドン》の港に市舶司を設置する一方、漢地と同様に民衆の私的な出海を禁止した。明の支配はその後二〇年間続くが、初期には陳氏残党の抵抗、後半は清化山地を本拠とする黎利《レーローイ》の反乱に苦しめられ、一四二八年に至って明軍は撤退、黎利が皇帝に即位して大越の国号を復興する。黎朝は海禁をしいてデルタ沿海の守りを固め、南進を再開してチャンパーの首邑ヴィジャヤを落とし、以後チャム人に対して圧倒的優勢を占めることになる（山本 一九七五、八尾二〇〇九)。

一連の経緯は通常、明朝と大越という国家=民族を単位として語られるが、視点をかえれば、これはチャンパーや南策地方をはじめとする海洋勢力と、黎季犛や黎利など清化山地を本拠とする山地勢力との拮抗という構図でもとらえることができる。建国時の陳朝がその本拠地を紅河デルタ沿海部に置いたのに対し、一五世紀に出現した黎朝は清化山地からデルタに進出した王権であった。黎朝は明にならった中央集権的体制を整えて小農を保護育成する一方、明にならった「海禁」をしき、沿海部の社会経済を農本体制に囲い込むことで、紅河デルタの政治的統合を維持することをめざした。これは、明や朝鮮の場合と同じく、農村に基盤を置く権力機構が、海上に荒ぶる海商=海賊勢力に対して発動した自己防衛機制とみることができるだろう(八尾 二〇〇九、桃木 二〇一一)。

東南アジア島嶼部では、一四世紀末の時点において、タイのアユタヤと東ジャワのマジャパヒトの両大国がマラッカ海峡の制圧を試みていた。この海域に出没する海賊がインド洋方面への海上交通の大きな障害をなしていたためである。「海峡の民《オラン=サラット》」と呼ばれた同海域の住民は、あるいは周辺の諸港市の傭兵として、あるいは独立不羈の海賊として、海峡を通航する商船を掠奪することで生計を立てていた。一四世紀末、パレンバンの王族パラメスワラは、ジャワの侵攻によって祖国を失い、シャムの追討を避けながらこの地の海賊を率い、海峡各地を転々としたのちマラッカの地を拓いて新たな王国を建てた。マラッカは海峡の支配をねらう両大国の侵攻に対し、かつての海賊を海軍に編成して備えるとともに、西はパサイを介してムスリム商人を招致し、東は永楽帝の招諭に応えて国王自ら明に朝貢した。このころ、宦官鄭和《ていわ》を筆頭とする明の招諭使節は、かつての元軍を想起させたであろう巨大な船団を伴って東南アジアからインド洋にわたる諸港市を巡航し、時に武力によって各地の政権に干渉しつつ、海域諸国に多大な脅威を与えていた。東西両洋の要《かなめ》を扼するマラッカは、東シナ海と南シナ海を結びつけた琉球と同じく、巧みな外交政策で海域世界における国家承認と安全保障を勝ち取り、来航する貿易船の風待ちの港として、またアジア海域諸国を結ぶ中継貿易の一大拠点として繁栄した（リード 一九九七・二〇〇二、岡本 二〇一〇、山崎 二〇一四、中島 二〇二〇）。

一四・一五世紀における東アジア・東南アジア各地の国家統合は、いずれも海上勢力の動向に影響されつつ進行した。明朝は「倭寇」への対策として海禁をしく一方、高麗＝朝鮮、ならびに日本との連携を試み、黎朝もまた海禁によって華人海賊やチャンパーの脅威を防ぐことで、政治的自立を確固たるものとした。海上交通の要地を占めた琉球やマラッカは、既存の海上勢力の勢力均衡の中で明の冊封を受け、新興の港市国家として台頭した。こうして出現した一五世紀的な国際秩序は、一六・一七世紀の動乱の時代に、中国における明清交代、それに続く出海禁令の撤廃、島嶼部におけるイスラームの拡大、ヨーロッパ勢力の東漸など、さまざまなできごとを通じて大きな変容を遂げる。しかし、一七世紀以後に展開した時代状況は、それ以前の国際的な枠組みを根本的に覆して現れたものというよりは、既存の政体の広域化ないし集権化、それにともなう海域管理の多角化・精緻化を進めたものであり、むしろ従前の国際関係を再編強化するものだったと見るべきであろう。一四・一五世紀に形成された国際秩序とその影響の持続性は、その前後の時代に起こった変化にもまして、アジア海域の長期的形勢を定めるものだったといえるのではないか。

四、新たな世界像

一四・一五世紀にアジア各地で進行した政治統合は、海域世界の国際関係を再編し、それぞれの地域で国家意識の再定義を促す契機となった。この時代に東アジア海域で成立した国際秩序は、しばしば明朝中国を中心とする「朝貢体制」としてとらえられる。しかし、中華王朝の理念や制度のみによって海域世界を論ずることの限界性はつとに指摘されるところで、朝貢諸国がそれぞれ構築した外交体系は、中国との朝貢関係に包摂されないさまざまな要素から成り立っていた（夫馬 二〇一五、岩井 二〇二〇）。

朝鮮王朝は、明朝との政治的対立を避けて内政の独立を確保するため、「事大」を国是として朝貢・冊封関係を結んだ。国を挙げて儒教的倫理を受容し、明が想定する礼的規範を忖度することで、礼制に言寄せたその内政干渉を予防した。朝鮮の人々にとって、礼制原理への傾倒は、第一義的には明に対する安全保障上の要請によるものだったが、それはやがて主体的に内在化され、国内政治の場にも敷衍されて政争の主軸を形成し、中国以上に厳格な儒教社会を生み出す重大な要因となった(夫馬 二〇一五)。

日本や琉球など他国との政府間関係は「交隣」と位置づけられ、形式上は対等の礼がとられたが、国内的には朝鮮を頂点においた尊卑の序列と解釈された。また、日本の諸大名以下の人々による朝鮮への私的な「入貢」は、「国王」間の通交よりもはるかに高い頻度で行われた。朝鮮近海には多くの倭人が漁業や商業にたずさわっていたが、入貢を許された者は向化倭人と呼ばれ、一五世紀になると、王廷から名目上の武官職ならびに図書《としょ》と呼ばれる印章が付与された。彼らはしばしば日本国内の貴顕をかたった偽使を組織し、意に沿わないことがあれば乱暴狼藉に訴えたが、厚遇を求めては朝鮮国王を「皇帝陛下」と称して恭順を装いもした。これに対し王廷は、倭人を従え、琉球・暹羅《シャム》の臣礼を受ける小中華を自任してその威儀を誇った。こうした貢納とも交易とも名状しがたい主客関係が一五世紀の日朝通交の主要な実態であった。その後、回賜のための莫大な財政負担に苦しんだ朝鮮王廷は、一六世紀初頭までに倭人の活動を釜山一港に制限するが、向化倭人の筆頭としての対馬宗氏による入貢ないし通交は幕末に至るまで継続する(中村 一九七〇、夫馬 二〇一五、関 二〇一七、木村 二〇二二、村井・荒野 二〇二二)。

新興国・琉球にとっても、明の冊封は、独立国としての国際的な認知を得るため大いに意義があった。これによって琉球は、日本・朝鮮・暹羅などの諸国と形式的に対等の地位を獲得した。ただ、国際的地位の高下より経済的な実利を重視した琉球は、朝鮮や日本にはあえて従属的姿勢を示してその歓心を買うことで、通交・通商関係の拡大を果たした。琉球の外交=貿易活動は、主に王府直属の華人集団によって担われたが、日本・朝鮮方面は倭人がこれを請け負った。日明両朝に臣礼をとりながら、その中間を往来する海商の上に君臨した琉球王権の基本姿勢は、一七世紀の薩摩の侵攻をまたずとも、この時代にはすでに定まっていた(岡本 二〇一〇、村井 二〇一九)。

日本は歴史的に中国王朝との対等関係を自任し、仏教や神道の概念をかりて天皇を至尊の存在と位置づける宗教的な自国中心主義《エスノセントリズム》、いわば「和製マンダラ」とでも呼ぶべき世界像を掲げていた。一四・一五世紀の新たな国際状況の中で、不本意ながら用いられることになった「日本国王」号は、あくまで外交上の名義にすぎず、これを帯びた足利義満は、かえって本朝朝臣の身で異国にへつらう不忠者との譏《そし》りを招いた。朝鮮との通交においては国王号や中国紀元など明への臣従を意味する体例の使用が避けられ、琉球に対しては国内諸大名に対するのと同様に日本年号を記した和文の御教書が下された。こうした自大思想は、宗教的世界観のみならず、古代律令の遺制として、また当代禅林の漢文学的修辞を通じて表現され、さながら日本型中華思想の様相を呈した(橋本 二〇一一)。

一方、紅河デルタの歴代政権は、朝鮮と同じく安全保障上の理由から中国の冊封を受けたが、国内的にはむしろ日本と共通する発想により、中国を北朝、自国をこれと対等な南朝と見立て、その元首は「皇帝」を自称した。明の占領軍を退けて成立した黎朝も、中国に対しては終始「安南国」として朝貢しながら、朝鮮・琉球・日本など東アジア諸国とは「国王」次元での交渉をもたず、国内人民および南方諸国には「大越皇帝」として君臨した。大越への朝貢者には山地のタイ人などの部族集団のみならず、明の冊封国である占城《チャンパー》や暹羅《シャム》が数えられていることからも、大越国家が中国中心の「冊封体制」とは異なる、独自の中華的世界観を固持していたことがうかがわれる(桃木 二〇一一、八尾 二〇一五)。

大越以南の東南アジア諸国について、一六世紀のマラッカに居住したヨーロッパ人は、当地ではシャムもジャワもマラッカも中国に「臣従する」国々と見なされていたと伝えている。中国を頂点とする国際秩序観が、当時の東アジアのみならず東南アジア諸国にも存在したことには注目してよい。しかし、これは「朝貢貿易」にたずさわるジャワやマレイの航海者たちの認識であり、実際の東南アジア海域の政治形勢は、中国が設定する「朝貢」の枠組みより、はるかに複雑な諸関係から構成されていた。諸国の王権はそれぞれ自己を中心に位置づけた「マンダラ」的世界観を保持し、現実の国際関係は、「朝貢」を介した名ばかりの君臣関係よりも、それら群小の王権による実力の論理に左右されるところがはるかに大きかった。洪武帝の海禁や永楽帝の南海招諭は、アジア海域の政治的形勢の構築に一定の作用を及ぼしたが、それはすべてを決する根本要因ではなく、諸国間にはたらくさまざまな影響力のなかの、際だって重要な一つにすぎなかった(山崎 二〇一四、リード 一九九七・二〇〇二、同 二〇二一)。

アジア海域の歴史研究において必要とされるのは、具体的事実を捨象した安易な概括ではなく、東アジア・東南アジアという歴史的世界がさまざまに異なる立場、相容れない世界観が並存する場であったことを認識し、そのしくみを具体的事実に即して解明することであろう。一五世紀後半以降、中国でいわゆる「朝貢一元体制」が崩れていくのは、たしかに大きな変化であった。しかし、諸国はすでに一四・一五世紀の変動の中で、それぞれの国際的な位置づけに応じた通交通商網と、それを意味づける自国中心的世界観を築いていた。そうした相互自大的な国際秩序は、その後も根本的な変化にさらされることなく、むしろ深化の道をたどりながら、やがて来るべき「近代の衝撃」を待つことになる。

おわりに

以上、一四・一五世紀に東アジア・東南アジア海域で起こった変化を、その画期的意義に注目しながら俯瞰的に述べてきた。筆者はこの変化を、標題のごとく「近世的国際秩序の形成」にあたるものと見る。それは、この時期に生起したさまざまな歴史事象が、その後の重大な画期となる一六・一七世紀の変動によっても淘汰解消されることなく、やがて訪れるアジア諸国の「近代」に対峙し、その固有の歴史的前提として意味をもつと考えるためである。

「東洋的近世」については、これまでにもさまざまな説が、それぞれに固有の説得力をもって積み重ねられてきた。あらゆる時代区分は、時代相の定義、地理的な範囲、個々の歴史事象の理解など、設定される基準によって変動する、いわば歴史理解の主体的表現である。そして、こうした相対主義的な達観が真理の不在を真理とする懐疑主義に陥らないためにも、歴史学は個別具体的かつ実証的事実に基づき、常に新たな時代区分の試みを積み重ねていかねばならないだろう(岸本 二〇二一)。

思うに、「時代」とは、何らかの単一の本質的全体ではなく、それを形づくる無数の具体的要因であり、その有機的集合である。「近世」もまた、最初から「近世」として存在するのではない。時期も性質も異にするさまざまな「近世的要因」の累積によって、次第次第に形づくられるのである。そうした近世論の積み石の一つと思えば、本稿のささやかな試みにも何がしかの意味があろうと考える。

参考文献

青山亨(二〇〇一)「シンガサリ＝マジャパヒト王国」『岩波講座 東南アジア史2 東南アジア古代国家の成立と展開』岩波書店。

アブー＝ルゴド、ジャネット・L(二〇〇一)『ヨーロッパ覇権以前――もうひとつの世界システム』(上・下)、佐藤次高ほか訳、岩波書店。

有井智徳(一九八五)『高麗李朝史の研究』国書刊行会。

石井米雄(二〇二〇)「港市国家アユタヤー」飯島明子・小泉順子編『世界歴史大系 タイ史』山川出版社。

岩井茂樹(二〇二〇)『朝貢・海禁・互市――近世東アジアの貿易と秩序』名古屋大学出版会。

榎本渉(二〇二〇)『僧侶と海商たちの東シナ海』講談社学術文庫。

榎本渉(二〇二一)「日宋・日元貿易船の乗員規模」『国立歴史民俗博物館研究報告』二二三。

大田由紀夫（二〇二一）『銭躍る東シナ海――貨幣と贅沢の一五～一六世紀』講談社選書メチエ。

岡本弘道（二〇一〇）『琉球王国海上交渉史研究』榕樹書林。

愛宕松男（一九八八）『愛宕松男東洋史学論集4　元朝史』三一書房。

岸本美緒（二〇二一）『明末清初中国と東アジア近世』岩波書店。

木村拓（二〇二一）『朝鮮王朝の侯国的立場と外交』汲古書院。

末松保和（一九九六）『末松保和朝鮮史著作集5　高麗朝史と朝鮮朝史』吉川弘文館。

関周一編（二〇一七）『日朝関係史』吉川弘文館。

ダーウィン、ジョン（二〇二〇）『ティムール以後――世界帝国の興亡　一四〇〇―二〇〇〇年』秋田茂ほか訳、国書刊行会。

谷井陽子（二〇二二）「東部ユーラシアにおけるモンゴル勢力の衰退とその政治的・経済的背景」『東洋史研究』八一―一。

田村洋幸（一九六七）『中世日朝貿易の研究』三和書房。

檀上寛（二〇一三）『明代海禁＝朝貢システムと華夷秩序』京都大学学術出版会。

中島楽章（二〇二〇）『大航海時代の海域アジアと琉球――レキオスを求めて』思文閣出版。

中島楽章（二〇二二）「洪武初年の海外貿易――朝貢・海禁体制前史」『東洋学報』一〇三―四。

中村栄孝（一九七〇）『日鮮関係史の研究』吉川弘文館。

橋本雄（二〇一一）『中華幻想――唐物と外交の室町時代史』勉誠出版。

橋本雄（二〇一四）「東アジア世界の変動と日本」『岩波講座　日本歴史8　中世3』岩波書店。

浜中昇（一九八六）『朝鮮古代の経済と社会――村落・土地制度史研究』法政大学出版局。

深見純生（二〇一三）「タイ湾における暹の登場と発展」『南方文化』四〇。

深見純生（二〇一四）「一五世紀のマジャパヒト」『昭和女子大学国際文化研究所紀要』二一。

藤田明良（二〇一〇）「東アジアにおける島嶼と国家――黄海をめぐる海域交流史」『日本の対外関係4　倭寇と「日本国王」』吉川弘文館。

夫馬進（二〇一五）『朝鮮燕行使と朝鮮通信使』名古屋大学出版会。

向正樹（二〇一三）「モンゴル・シーパワーの構造と変遷――前線組織から見た元朝期の対外関係」秋田茂・桃木至朗編『グローバ

ルヒストリーと帝国』大阪大学出版会。

村井章介(二〇一三)『日本中世境界史論』岩波書店。

村井章介(二〇一九)『古琉球──海洋アジアの輝ける王国』角川選書。

村井章介・荒野泰典編(二〇二一)『新体系日本史5 対外交流史』山川出版社。

桃木至朗(二〇一一)『中世大越国家の成立と変容』大阪大学出版会。

森平雅彦(二〇二一)「モンゴル時代における朝中間の海上交流と航路」『国立歴史民俗博物館研究報告』二二三。

八尾隆生(二〇〇九)『黎初ヴェトナムの政治と社会』広島大学出版会。

八尾隆生(二〇一五)「黎朝聖宗の目指したもの──十五世紀大越ヴェトナムの対外政策」『東洋史研究』七四巻一号。

矢木毅(二〇〇四)「高麗時代における土地所有の諸相」『史林』八七巻六号。

山内晋次(二〇二一)「日宋・日元貿易期における「南島路」と硫黄交易」『国立歴史民俗博物館研究報告』二二三。

山崎岳(二〇一一)「方国珍と張士誠──元末江浙地方における招撫と叛逆の諸相」井上徹編『海域交流と政治権力の対応』汲古書院。

山崎岳(二〇一四)「ムラカ王国の勃興──一五世紀初頭のムラユ海域をめぐる国際関係」中島楽章編『南蛮・紅毛・唐人』思文閣出版。

山根幸夫(一九七一)「「元末の反乱」と明朝支配の確立」『岩波講座 世界歴史12(中世6) 東アジア世界の展開Ⅱ』岩波書店。

山本達郎(一九七五)「明のベトナム支配とその崩壊(一四〇〇─一四二八年)」同編『ベトナム中国関係史──曲氏の抬頭から清仏戦争まで』山川出版社。

吉成直樹(二〇二〇)『琉球王国は誰がつくったのか──倭寇と交易の時代』七月社。

四日市康博(二〇二一)「元代の海上交通」『国立歴史民俗博物館研究報告』二二三。

リード、アンソニー(一九九七・二〇〇二)『大航海時代の東南アジア』Ⅰ・Ⅱ、平野秀秋・田中優子訳、法政大学出版局。

リード、アンソニー(二〇二一)『世界史のなかの東南アジア──歴史を変える交差路』(上)、太田淳・長田紀之監訳、名古屋大学出版会。

集点｜*Focus*

近世スペインのユダヤ人とコンベルソ
――グローバル・ネットワークを含めて

関　哲行

はじめに

『旧約聖書』とりわけ「トーラー」（モーセ五書）を根幹に据えた、最古の一神教であるユダヤ教。終末論が浸透する中、ナザレのイエス（ヘブライ名イェホシュア、短縮形ヨシュア）をラビ（宗教指導者）とし、ユダヤ教改革派の小集団「ユダヤ教ナザレ派」として発足したキリスト教。これら二つの一神教において、アダムは始原の人類とされ、神との「契約」を交わしたユダヤの族長アブラハムは、共通の祖先とされる。ユダヤ教最大の預言者モーセとイエスも、その系譜に連なる。しかしイエスはユダヤ人（ユダヤ教徒）――ヨーロッパ史の通説に従い、本稿ではユダヤ人という表記を優先――にとって、メシアでも神でもなく、マリアがローマ兵パンデラとの間にもうけた「不義の子」とされる。イエスと聖母マリアの聖性を否定し、三位一体説を拒否するユダヤ人のイエス観が、中近世ヨーロッパのキリスト教徒に許容されるはずもない。ユダヤ教の内部から派生しながら、ユダヤ教と決別し、ローマ帝国末期に新たな一神教として確立したキリスト教。こうしたキリスト教とユダヤ教の連続と断絶、差別と緊張を孕む複雑な関係が、中近世ヨーロッパの「宗教的反ユダヤ主義」(antijudaism)を胚胎させる。コンベルソ(converso, 改宗ユダヤ人)問題も、同一の歴史的文脈に淵源する（クリュゼマン、タイスマン 二〇〇〇：八七—一〇〇頁、倉橋 二〇〇〇：二五八—二六一頁、シェーファー 二〇一〇：一二一—三〇頁）。

本稿の目的は、セファルディム（sephardim, sefardíes, イスラーム世界を含む地中海系ユダヤ人）と総称された、近世スペインのユダヤ人とコンベルソに焦点を合わせ、異端審問制度や「血の純潔規約」（estatuto de limpieza de sangre）、グローバル・ネットワークと関連づけながら、二つの信仰の狭間に生きた宗教的マイノリティを概観することにある。

一、追放されるユダヤ人

封建制の危機と反ユダヤ運動

一四—一五世紀のスペイン社会は、ペストによる大幅な人口減少、戦争や内乱の多発を背景に、深刻な危機と再編の時代に入った。中世ヨーロッパ最大とされる、スペインのユダヤ人共同体も巻き込んだ封建制社会の危機の中で、キリスト教徒のユダヤ人観も大きく変化し、ユダヤ人を「潜在的キリスト教徒」とする楽観的ユダヤ人観はほぼ消滅した。高利貸しによってキリスト教徒を収奪し、聖体冒瀆や儀礼殺人、井戸への毒物投入を繰り返して、キリスト教社会の破壊を目論む「悪魔サタンの手先」。邪悪な信仰に固執しメシアとしてのイエスを否定するのみならず、イエスを殺害した「神殺しの民」。「負のメタファー」を累積した、こうしたユダヤ人との「共存」は不可能とされ、物理的手段によるユダヤ人政策が追求されることになる。一四世紀末の大規模な反ユダヤ運動や、一五世紀末の新たな異端審問制度の導入、ユダヤ人追放令は、それを端的に示すものである（関 二〇〇九：一六一頁）。

スペイン有数のユダヤ人居住都市セビーリャでは、一三七〇年代以降、エシハの聖堂助祭フェラント・マルティネスが、生活苦に喘ぐキリスト教徒民衆への反ユダヤ説教を繰り返していた。反ユダヤ運動の鎮静化を目指したカスティーリャ王フアン一世が急逝し、権力の空白が生じた一三九一年セビーリャで、フェラント・マルティネスの反ユダヤ説教に刺激され、「神殺しの民」への「憎悪」を募らせた民衆による大規模な反ユダヤ運動が発生した。六月にセビーリャで始まった反ユダヤ運動は、数カ月の間にトレード、バレンシア、バルセローナなどの主要都市に飛び火し、全国規模でのユダヤ人虐殺とユダヤ人の強制改宗、シナゴーグ破壊を誘発した。一三九一年の反ユダヤ運動は、民衆を主体とする全国規模の反ユダヤ運動という点で、一三世紀までの反ユダヤ運動と一線を画するものであり、ユダヤ人追放へ向けての序曲となったのである。一五世紀初頭にはドミニコ会士ビセンテ・フェレール(ビセン・ファレー)が、キリスト教徒民衆を伴いスペイン各地で反ユダヤ説教を行って、同様に多くのユダヤ人を改宗させた。アヴィニョン教皇ベネディクトゥス一三世が司宰し、政治性を強く帯びたトルトーサ(トゥルトーザ)討論では、ビセンテ・フェレールが改宗させたコンベルソ知識人がユダヤ人ラビを指弾し、キリスト教の優位性を演出した。一四世紀末のスペインのユダヤ人は、約二五万人と推定されるが、こうした反ユダヤ運動と反ユダヤ説教により、一五世紀末までに約一五万人が改宗したといわれる(同：一六二頁)。

新たな異端審問所(Tribunal de Inquisición)の開設

カトリック教会や王権が組織的なコンベルソ教化策をとらなかったこともあり、多数の強制改宗者を含むコンベルソの同化は容易ではなかった。改宗後もコンベルソの多くはユダヤ人地区に居住し、ユダヤ人と緊密な社会・経済・家族関係を維持したからである。そのためコンベルソの中には、ユダヤ教の宗教儀礼を実践し続ける者が続出した。こうした状況下の一四五八年に、コンベルソのフランチェスコ会士アロンソ・デ・エスピーナが著したのが、『信仰の砦』である。同書においてエスピーナは、ユダヤ人の強制改宗を推奨したのみならず、ユダヤ人居住区の分離(ゲットー化)、新たな異端審問所の開設に加え、イエスの「信仰の砦」を脅かすユダヤ人の追放すら提言している。コンベルソの実態を熟知したエスピーナの悲観的言説は、コンスタンティノープル陥落後の終末論の浸透とも不可分であった。オスマン帝国によるコンスタンティノープル攻略は、第二神殿を破壊した「第四の帝国」(ローマ帝国)の滅亡を意味し、終末の予兆とされたからである(関 二〇〇九:一六二—一六三頁、同 二〇一六:四二頁、同 二〇一九:三三六頁)。

一四六〇—七〇年代の不安定な政治・社会情勢の中で、反コンベルソ運動が各地で再燃した。これに危機感を募らせたのが、「絶対王政」の確立を目指すカトリック両王、即ちイサベル一世(Isabel I, 在位一四七四—一五〇四年)とフェルナンド二世(Fernando II, 在位一四七九—一五一六年)であった。カトリック両王はエスピーナを含む有力コンベルソの提言を踏まえて、ローマ教皇シクストゥス四世から新たな異端審問所の設立認可を取り付け、一四八〇年セビーリャに最初の近世的異端審問所を開設した(関 二〇一九:三三八頁)。

ユダヤ人追放

新たな異端審問所の開設は、コンベルソの「真の改宗」を目的とした国家と教会の組織的対応を意味し、コンベルソへの疑念を払拭できない「旧キリスト教徒」——異教徒の「汚染された血」の混じっていない伝統的キリスト教徒をさす——民衆の強い支持を受けた。しかしこの異端審問所をもってしても、巧妙な「偽装改宗者マラーノ」(marrano)を防止できず、コンベルソ問題の抜本的解決には至らなかった。そこでカトリック両王は、グラナダ陥落直後の一四九二年三月、異端審問所や側近の有力コンベルソの要請に沿って、王国全域からのユダヤ人追放令(Edicto de Expulsión)を発した。ユダヤ人に四カ月以内の改宗か追放かの二者択一を迫った、ユダヤ人追放令の目的は、ユダヤ人の追放ではなく、ユダヤ人の改宗とコンベルソの「真の改宗」にあった。ユダヤ人追放による宗教的統合は、グラナダ陥落と相俟って、言語や法制度を異にするモザイク国家スペインの政治・社会的統合に不可欠の手段であり、「絶対王政」の大前提でもあった。終末論やメシア思想が浸透する中で発令された、一四九二年のユダヤ人追放令により多数のユダヤ人が改宗する一方、民衆を中心とする七一一〇万のユダヤ人は信仰を遵守して、ポルトガルやオスマン帝国、マグリブ地方などへ逃れた。「第二のディアスポラ」(離散)である(関 二〇一九：三三六―三三七頁)。

二、近世的異端審問制度(Institución Inquisitorial)と「血の純潔規約」

異端審問組織

一四八〇年に開設された近世的異端審問所は、訴訟手続きやドミニコ会との密接な関係において、教皇主導の中世的異端審問所と連続する一方、王権直属という点で中世的異端審問所と断絶していた。カトリック両王の推挙により初代大審問官(異端審問会議議長)にはコンベルソのドミニコ会士トマス・デ・トルケマーダが任命され[図1]、大審問官の統括する中央行政機関である異端審問会議と、それに従属する各地の異端審問所から成る新たな異端審問制度が確立した。それはローマ教皇の普遍的権威に依りながらも、実質的に王権の利害と密接に結びついた国王行政機構の一部であり、異端根絶を名目に、地方特権によって分断されたスペイン各地への王権の浸透を図る権力装置でもあった(関 二〇一九：三三八頁)。

図1 カトリック両王と初代大審問官トマス・デ・トルケマーダ(左側中段の聖職者)
(Ministerio de Cultura(ed.), *La vida judía en sefarad*, España, 1991, p. 47)

逮捕・拘束された被告は、地方異端審問所に身柄を送致され、基本的に地方異端審問所で裁判を受けた。しかし地方異端審問所は、事前に判決内容を異端審問会議に送付し、その判断を仰がなければならず、月例活動報告書の提出も義務づけられていた。地方異端審問所は、四〇歳以上の聖職者から成る正副二―三名の異端審問官、その指揮下に置かれた一名の検事、判決の妥当性を検討する法律顧問(法学者や神学者)、被告に関する証言や証拠を収集する四名の捜査官――このうち二名は被告側の証言や証拠を収集する、事実上の「弁護士」として活動――、書記(公証人)、捕吏などから構成された。これらの異端審問所成員は、一七世紀前半まで異端審問官の主導下に、年一―二回、管区内の主要都市を巡察し、異端審問裁判を実施した。しかし検事は異端審問官と一体であり、検察側証人の偽証も処罰されなかったばかりではない。全面自供を拒む被告に対しては、拷問が容認されており、大多数の被告を有罪とすることができた。その上で異端審問官は、異端審問会議の判断を仰ぎ、また他の異端審問所に調書を送付し先例を確認しながら、判決を確定させたのである。異端審問記録がアルファベット順に整理され、索引が付されているのは、他管区での被告の犯罪歴や家系の照会に加え、先例確認を容易にするためであった(同:三三八―三三九頁)。

異端審問裁判

十分な証拠や証言が得られた段階で、検事が逮捕・拘束されたコンベルソを起訴し、裁判での被告尋問、検事による犯罪の立証、「弁護士」の反証などを経て、異端審問官により判決が言い渡された。起訴されたコンベルソの多くは有罪とされたが、有罪犯への刑罰の大部分を占めたのは、譴責や鞭打ち、財産没収であった。罪状はユダヤ教の安息日(土曜日)や葬送儀礼の遵守など比較的軽微な異端行為であり、軽罪で起訴されたコンベルソには、「教会との和解」が許された。「教会との和解」にあたっては、日曜や祭日に都市中心部のプラサ・マヨールで開催された、異端判決宣告式(アウト・デ・フェ Auto de Fe)――異端審問裁判の最終局面――への参列を義務づけられ、名前入りのサンベニート(恥辱服)が六年間、司教座教会や教区教会の壁に掲げられた。有罪判決を受けたコンベルソが、三角帽子とサンベニートを身に着けて臨んだ異端判決宣告式は、「最後の審判」とキリスト教の勝利を可視化させた「宗教劇」(バロック演劇)、別言すれば民衆教化の一環に他ならず、サンベニートは「恥辱ある家系の歴史化」を意味した(1)(関 二〇一九：三四〇頁)。

有罪判決を受けたコンベルソは、地域社会の「名誉喪失者」となり、教区司祭の監督下に置かれた。再犯者は「戻り異端」として厳しく処断されたため、姓名を変え、家系図を捏造して、スペイン国内の他都市やアメリカ植民地に亡命するコンベルソも少なくなかった。ドミンゲス・オルティスの研究によれば、近世スペインのコンベルソ数は二〇―二五万人で、そのうち「教会との和解」を命じられたのは、三万七〇〇〇―四万人ほどであった。他方、異端審問所からの召喚請求を無視して逃亡したコンベルソや、生前に異端行為を犯していることが判明した死者には、肖像火刑や遺骸火刑が適用された。重罪事犯や累積犯(確信犯)は異端判決宣告式での判決宣告の後「俗権に引き渡され」、都市郊外の火刑場で焼殺された。火刑者数は、異端審問管区や時期によって大きく変動した。管区的には、多数のコンベルソが居住したセビーリャ、トレード、バレンシア管区で火刑者数が多く、時期的には異端審問制度が導入された直後の一五世紀末―一六世紀前半が最多であった。これに次ぐ第二の頂点となったのが、フェリペ四世の宰相オリバーレス失脚後の一七世紀後半である(関 二〇一九：三四〇―三四一頁、Alpert 2001: 115-123)。

コンベルソ家門に出自するオリバーレスは、ポルトガルを含むスペイン帝国の防衛を目的に三十年戦争に参戦し、インド貿易やアメリカ貿易に携わったポルトガル系コンベルソを積極的にスペイン国内に誘致した。同化が不十分ながらも、多くの資本と情報ネットワークをもち、金融業務に通じたポルトガル系有力コンベルソは、グローバルな規模で展開するスペイン軍への武器・弾薬・資金の供給に不可欠であり、彼らなしにスペイン帝国を維持することは困難であった(ケドゥリー 一九九五：二四九―二五六頁、Alpert 2001: 72-84)。

ポルトガルでは、スペインとほぼ同時期の一四九六年にユダヤ人追放令が出されたが、マヌエル一世は人口政策を優先させ、大多数のユダヤ人を強制改宗させた上で、国内にとどめ置いた。しかもポルトガルの異端審問所の開設は一五三六年とスペインのそれに比し、半世紀以上もの開きがあった。ポルトガル系コンベルソの同化が遅れ、多数のマラーノを包摂した所以である。これらマラーノの一半は、異端審問所の摘発を恐れ、オランダやオスマン帝国などへ脱出したが、他の一半はポルトガルを併合したスペイン本国に還流したのである。こうした渦中の一六四三年、「血の純潔規約」に批判的で、側近を大審問官に充てて、ポルトガル系コンベルソを保護したオリバーレスが、カタルーニャやポルトガルの反乱、戦況の悪化を受けて失脚する。それ以降、スペインの異端審問所が再び活動を活性化させ、異端審問活動の第二の頂点を現出させた(ケドゥリー 一九九五：三二一—三四、一八〇—一八一、二四六—二五四頁)。

ブラスケス・ミゲルの研究によれば、スペイン全土で肖像火刑者は約三三〇〇人、実際の火刑者は三八〇〇—四〇〇〇人ほどであった。このことは焼殺者が、コンベルソ全体の一—二%にすぎなかったこと、コンベルソの大多数は異端審問裁判と無縁な生活を送り、スペイン社会に同化したことを意味する(Blázquez Miguel 1988: 317-318)。

「血の純潔規約」(estatuto de limpieza de sangre)

改宗後も多くのコンベルソが、ユダヤ教の宗教儀礼を実践し続ける中で、一部のコンベルソは都市寡頭支配層へと社会的上昇を遂げた。一四四九年にトレードで勃発した反コンベルソ運動は、こうした状況への「旧キリスト教徒」民衆の異議申し立てに他ならなかった。トレードの反コンベルソ運動は間もなく鎮圧されるが、運動の過程で「判決法規」(estatuto de sentencia)が制定され、コンベルソの都市官職保有も禁止された。それが提起したのは、都市寡頭支配層を構成するコンベルソが、「真のキリスト教徒」なのか、「偽装改宗者」(マラーノ)なのかという問題であった。「判決法規」によりユダヤ人の家系に連なる者は、キリスト教徒を支配する都市官職保有を禁じられたのである。この「判決法規」が、一六世紀以降の「血の純潔規約」の歴史的前提となる(ケドゥリー 一九九五：七六、一五九—一六五頁)。

「血の純潔規約」とは、キリスト教社会の主要社団――市参事会、教会参事会、騎士修道会、兄弟団、学寮など――から、四世代を遡って異教徒の「血」の混じったコンベルソやモリスコ(改宗ムスリム)といった、「新キリスト教徒」を排除しようとした法規定をさす。それが近世スペインの社会規範として定着するのは、トレード教会における「血の純潔規約」制定以降である。「旧キリスト教徒」の出自であるトレード大司教マルティーネス・シリセオは、大司教管区内の聖堂参事会や司祭職からコンベルソを排除しようとし、コンベルソを含む聖堂参事会との対立を深めた。その過程で制定されたのが、トレード大司教管区における「血の純潔規約」である。同規約は、イエスの下に言語やエスニシティを異にする多様な信徒を包摂した、キリスト教社会の根幹に抵触するものとして、批判も少なくなかったが、[2] フェリペ二世(Felipe II, 在位一五五六―九八年)と教皇庁は、一六世紀中葉これを承認した。以後、スペインの有力都市の多く、主要な教会・修道院と兄弟団、学寮などが抑制的な運用を前提に、「血の純潔規約」を導入してゆく。第二代総長ディエゴ・ライネスがコンベルソであったことから、これに最後まで抵抗したイエズス会も一五九三年、遂に導入を余儀なくされた(ケドゥリー 一九九五：二四三―二四七頁、Sicroff 1985: 125-143, 170-173, 326-327; Domínguez Ortiz 1991: 54, 145-146; Hernández Franco 2011: 204-207)。

「血の純潔規約」はコンベルソが、「神殺しの民」であるユダヤ人の末裔であることを前提としている。一六世紀後半以降、「不実な偽装改宗者」たるマラーノの排除が、社会規範として定着し、近世スペインの「名誉」概念と連動する。「名誉」をテーマとし、主要都市の常設劇場(コラール)で上演されたローペ・デ・ベガやカルデロンの戯曲が、多くのスペイン人民衆に支持された背景でもある。「血の純潔規約」が、一九世紀末以降の「人種論的反ユダヤ主義」(antisemitism)の「歴史的温床」となっていく(Sicroff 1985: 346; Pérez 2005: 89)。

三、ユダヤ人とコンベルソのグローバル・ネットワーク

一六世紀後半—一七世紀のスペインやポルトガルのコンベルソ、特にマラーノは、オランダ独立戦争、スペインのポルトガル併合（一五八〇—一六四〇年）、三十年戦争を契機に、イベリア半島を脱出してユダヤ教に再改宗した。一六〇九—二一年のスペイン・オランダ停戦協定により、オランダ船がスペインやポルトガルの主要港に寄港できたため、多くのマラーノがこれを利用してオランダに亡命した。一七世紀の西ヨーロッパ諸国による重商主義政策の下で、多くの資本と情報ネットワークをもつ有力ユダヤ人の誘致は、政治的にも軍事的にも重要な意味を有した。フェリペ四世の宰相オリバーレスすら、彼らの資本と情報ネットワークに依拠せざるをえなかったことは、これを象徴している。しかも三十年戦争以降、オランダがブラジルやインドの一部を占領したことから、多くのコンベルソとユダヤ人がアメリカ大陸やインドにも進出したのである（関 二〇〇九：一六四—一六五頁）。

一六—一七世紀にコンベルソは、メキシコやペルー、ブラジルで確認され、マニラ航路を通じてフィリピンにまで移動した。一七世紀初頭のメキシコでは、マニラ航路の起点都市アカプルコを含め、約二〇〇〇人のコンベルソが在住していたが、そうしたコンベルソの一人ディアス・デ・カセレスは、異端審問所[3]の追及を逃れ、フィリピン、次いでマカオに逃亡した。ペルーについていえば一六三九年、リマの異端審問裁判で六二人のコンベルソが有罪とされ、そのうちの六名が火刑に処されたのであった。コンベルソは戦国期の日本とも無縁ではなく、ザビエルとともに来日した、イエズス会の初代布教長コスメ・デ・トルレスは、バレンシア出身のコンベルソであった。豊後府内に施療院を建設し、日本に初めて西洋医学を導入したルイス・デ・アルメイダも、イエズス会と関係の深い、リスボン出身のコンベルソ商人である（小岸 二〇〇二：四六—五二、七六、一〇四—一一二頁、Stillman 1993: 124; Gómez-Menor 1995: 600;

Pérez 2005: 237)。

アムステルダムのユダヤ人

アムステルダムのユダヤ人共同体の成立・発展は、都市当局の寛容な宗教政策、カルヴァン派とユダヤ人の共有する抑圧的なスペインへの「憎悪」に加え、一六世紀末以降のオランダの軍事・経済的優位と密接に関係している。オランダ独立戦争に勝利し、アムステルダムが「近代世界システム」の結節点へ成長すると、多くのセファルディムとマラーノが集住し、西ヨーロッパ最大のユダヤ人共同体が組織された[4]。

図2　アムステルダムのセファルディム・シナゴーグ（1630年代）（*Oceanos*, núm. 29, 1997, p. 27）

「西欧のイェルサレム」と称された、一七世紀半ばのアムステルダムの人口は約二〇万人、セファルディムは二〇〇〇人ほどで、都市人口の約一パーセントを占めた。同市の高名なラビでユダヤ神秘主義者のメナセ・ベン・イスラエルの要請を受けたクロムウェルが、メシア思想や重商主義政策に基づきユダヤ人の再受容を決断し、ロンドンにもアムステルダムをモデルとしたユダヤ人共同体が樹立されたのは、一六六三年のことであった（関 二〇〇九：一六九―一七〇頁、Newman 1992: 214–215; Amelang 2011: 152）。

アムステルダム在住の有力ユダヤ人（セファルディム）は、世界各地に離散したユダヤ人やコンベルソとの親族関係、宗教的ネットワークに支えられて、大西洋、地中海、インド洋に跨る国際貿易を展開することができた。アムステルダムのユダヤ人が発行するスペイン語新聞『ラ・ガセータ』を介した政治・経済・軍事・文化(宗教)情報の浸透も、グローバルな商業活動の発展に寄与した。一七世紀の有力ユダヤ人家門フォンセカ家や、ピナ家はその典型で、様々な情報とコンベルソを含む親族ネットワークを駆使してアムステルダムとカナリア諸島、ブラジル、リスボン、ナント、ロンドンを結ぶ国際的な砂糖、タバコ、ワイン貿易を展開したのである(関 二〇〇九：一六九—一七〇頁、Wolf 1988: 45, 154-155; Amelang 2011: 152)。

ブラジルのユダヤ人

一七世紀初頭に世界最大の砂糖生産地となったのが、ポルトガル領ブラジル北東部の主要都市レシフェである。このレシフェと西ヨーロッパ諸都市との砂糖貿易を担ったのが、スペイン語とポルトガル語に堪能で、ブラジルの事情にも通じたコンベルソであった。一六二一年にスペインとオランダの停戦協定が破棄され、オリバーレスが通商禁止措置を発動すると、アムステルダムの砂糖貿易は大打撃を受けた。そこでオランダ西インド会社は、砂糖生産地の獲得に乗り出し、一六三〇年レシフェを占領し、アムステルダムのユダヤ人を入植させた(関 二〇〇九：一七〇頁)。

レシフェ占領後オランダ政府と西インド会社は、本国以上に有利な経済特権と宗教的自由を保障して、ユダヤ人の誘致に努めた。その結果、四〇〇—六〇〇人規模のユダヤ人共同体が建設され、レシフェ人口の七—一〇%を占めた。レシフェの有力ユダヤ人が従事したのは、砂糖貿易や黒人奴隷貿易であり、黒人奴隷を使ってサトウキビ・プランテーションを経営する者もみられた。しかしレシフェのユダヤ人共同体は、ポルトガル独立後の一六五四年、ポルトガル軍の侵攻によって瓦解する。レシフェを逃れたユダヤ人の一部は、ニューアムステルダム(現ニューヨーク)に定住し、北アメリカ最初のユダヤ人共同体を建設したのであった(同：一七一頁)。

イスタンブルのユダヤ人

イベリア半島を追放されたユダヤ人やコンベルソの多くが、亡命先として選択したのが、地中海の覇権をめぐってスペイン帝国と激突したオスマン帝国の首都イスタンブルであった。オスマン帝国の経済的繁栄と寛容な宗教政策、ユダヤ人誘致策を背景に、イスタンブルは一五三五年当時、四万人強のユダヤ人を擁する世界最大のユダヤ人居住都市へと変貌した。イスラーム世界においてもキリスト教世界においてもマイノリティであればこそ、ユダヤ人とコンベルソは親族関係や宗教的ネットワークに支えられ、また政治・経済・軍事・文化(宗教)情報を生かしつつ、グローバルな経済活動を展開できたのである(関 二〇〇九:一六五頁、Kaplan 1992: 207)。

ナクソス公ヨセフ・ナシ

ヨセフ・ナシ(Joseph Nasi, 一五二〇頃—七九年)は再改宗したポルトガル系マラーノで、国際商業や金融業を手広く営む、リスボンのメンデス家女性当主グラシア・ナシの甥にあたる。グラシア・ナシと共にリスボンからヴェネツィア経由でイスタンブルに脱出し、ムスリム商人との共同出資会社を設立して、叔母の「商業帝国」を拡大・強化した。ヨーロッパの政治・経済・軍事情報に精通していたことから、セリム二世の寵臣・外交顧問となり、キプロス攻略の功によりナクソス公に任じられた(関 二〇一六:三五—三六頁)。

一五六一年、宮廷ユダヤ人ヨセフ・ナシは、パレスチナ地方ガリラヤ湖西岸の小都市ティベリアス(ティベリア)の再開発権をスルタンから下賜された。小都市とはいえティベリアスは、マイモニデスの墓廟をもつユダヤ教の四大聖地の一つであり、その再開発には終末論やメシア思想といった宗教的意味が付着していた。ヨセフ・ナシは防壁をめぐらしたティベリアスに、ヨーロッパ各地を追われたユダヤ人を入植させ、絹織物工業を興して、迫害と貧困に苦しむユダヤ人の救済に尽力した。ティベリアスの再開発事業は一六世紀末に頓挫するが、ユダヤ人の歴史家ロスは、これを「シオニズム運動の歴史的先駆」と位置づけている(関 二〇一六：三五—三六頁、Roth 1948: 106-110, 134)。

インド以東のユダヤ人とコンベルソ

一六—一七世紀、黄河中流の都市開封では、シナゴーグ(清真寺)をもつ二〇〇—四〇〇世帯のユダヤ人共同体が確認される。ポルトガルとオランダの侵攻を受けたインドでも同様である。同時期、香辛料の主産地であった南インドの海港都市コーチンでは、ヒンドゥー教徒のコーチン王の保護下に、約一五〇世帯のユダヤ人が「旧市街」に集住した。ユダヤ人の多くを占めたのは、ユダヤ教に改宗した低カースト出身のマラバール人や、マラバール人女性との「混血」に由来する「黒いユダヤ人」(malabari)で、主として農牧業や小売商業に従事した。これと異なる共同体を組織したのが「白いユダヤ人」(panadesi)であり、在地の有力ユダヤ人とヨーロッパや中東を追われた、セファルディムを含む「外来ユダヤ人」から構成された。香辛料貿易を主導したのは、ヨーロッパや中東の主要言語や商習慣に習熟していた「白いユダヤ人」であった。しかしカースト制の影響を受けて、両者は通婚せず、シナゴーグも異なっていた。同じユダヤ人でありながら、「黒いユダヤ人」と「白いユダヤ人」は、社会的緊張関係を免れなかったのである(小岸 二〇〇七：九五、一六二—一六四頁、小岸・徳永 二〇〇五：一一〇—一三三、一五六頁、Segal 1993: 12-13, 19-35, 45, 47, 53-54)。

一六世紀後半—一七世紀初頭のポルトガル領インドの首邑都市ゴアにあっては、リスボン出身のコンベルソ、ゴメス・ソリスが、リスボンの有力商人の代理商として、香辛料貿易に参与していた。有力コンベルソ家門シルヴェラ家は、自前の商社を構え、インド産のダイヤモンド貿易に携わっていた。しかし一五六〇年にゴアに異端審問所が開設されると、ゴア在住のコンベルソや、それと密接な関係をもつユダヤ人が異端審問裁判の脅威に晒された。例えば一五七一年の異端審問裁判では、一七人のコンベルソがマラーノとして焼殺されたばかりではない。一五六八年にゴアで没したコンベルソの医者ガルシア・ダ・オルタは、死後マラーノであることが発覚し、異端審問裁判で遺骸火刑を宣告された。ゴア異端審問管区に属したマカオでも、一六世紀末―一七世紀半ばにマラーノとして有罪判決を受けたコンベルソが、七例確認される。ユダヤ人とコンベルソの宗教的・経済的ネットワーク、異端審問所の訴追網が大西洋、地中海のみならず、インド洋や南シナ海にも及んでいたことは注目してよい(疇谷 二〇一九―二二〇頁、トリヴェッラート 二〇一九：三七三―三七四頁、Novinsky 1992: 93; Soyer 2018: 60, 64)。

結びにかえて――近現代への展望

スペイン継承戦争後の政治・社会的混乱を背景に、一八世紀の第1四半期に異端審問所が再び活動を活発化させる。しかし啓蒙改革期の一八世紀後半以降、コンベルソの同化が更に進み、異端審問所は活動をほぼ停止した。追放令から約二五〇年が経過し、コンベルソはヘブライ語とユダヤ教の宗教儀礼の大半を喪失して、スペイン社会にほぼ同化したのである。自由主義改革期の一八三四年に異端審問制度が、一八六五年に「血の純潔規約」が最終的に撤廃され、一八六九年憲法では、憲政史上初めて信教の自由の原則が明記された(関 二〇一九：三四四―三四五頁)。

一九世紀後半のパリで、差別と貧困に苦しむ各地のユダヤ人、とりわけセファルディムの救済と「文明化」を目的に、開明派のユダヤ人により「世界イスラエル同盟」(Alliance Israélite Universelle)――「近代化」と伝統文化の両立を目指した、ハスカラー(ユダヤ啓蒙主義)運動の流れをくむ――が創設された。「世界イスラエル同盟」は、セファルディムが多数を占めるイスラーム諸都市に多くの初等学校を開設し、フランス語と宗教教育、近代的職業教育を実施して、教育を基軸とした新たなグローバル・ネットワークを構築した。こうした動向の一方で一九世紀後半は、生命科学や人類学的知見を踏まえた「人種論的反ユダヤ主義」が台頭した時代でもあった。近代科学という装いを纏った、

「人種論的反ユダヤ主義」の要諦は、改宗後もユダヤ人はユダヤ人であり続け、「神殺しの民」であるユダヤ人の「汚染された血」は、継承されるという点にある。「進化の頂点」に位置するアーリア人の「優れた血」を維持するには、ユダヤ人の「汚染された血」の「排除」が不可欠であった。イエスの神性とメシア性を否定する「神殺しの民」としてのユダヤ人、キリスト教社会の破壊を目論む「悪魔サタンの手先」との言説は、「人種論的反ユダヤ主義」にも継承されてゆく。連続と断絶の二つの相貌において、「人種論的反ユダヤ主義」は把握されねばならない(Pérez 2005: 293-296; Chillida 2002: 22-23, 173, 215-221; Gerber 1994: 217-220, 240-242; 臼杵 二〇二〇:二二一—二二八頁)。

「人種論的反ユダヤ主義」は、二〇世紀のスペインにも一定の影響を与えたが、それが多くのスペイン人に共有されることはなかった。異端審問制度と「血の純潔規約」の長い伝統をもつスペインにおいて、「宗教的反ユダヤ主義」はスペイン社会に定着しており、ユダヤ人がほとんど定住していないスペイン本土において、「人種論的反ユダヤ主義」はリアリティを欠いていた。「ユダヤ人なき宗教的反ユダヤ主義」「想像上の反ユダヤ主義」が、二〇世紀スペイン社会の基調であったといってよい(Chillida 2002: 16, 21, 73; 関 二〇〇九:一七四頁)。

注

(1) 異端審問所の標的とされたコンベルソは、キリスト教社会の「内なる追放者」として常に内面的緊張に晒された。一五世紀末の『ラ・セレスティーナ』を嚆矢とする、ピカレスク(悪漢)文学は、こうしたコンベルソの内面的緊張の表出であった。

(2) 教皇庁の「血の純潔規約」への態度は一貫せず、一六世紀後半のピウス五世やシクストゥス五世をはじめとして、これに批判的な教皇も少なくなかった。オリバーレスも同様で、スペイン社会の分断を促し、スペイン帝国を衰退させる一因として、これを批判し、「血の純潔規約」調査期間の三世代への限定を求めた。

(3) 一七世紀初頭のスペイン帝国の異端審問所数は、中南米やゴアを含め二三に上った。

(4) 一七世紀のアムステルダムには、アシュケナジム(ドイツ・東欧系ユダヤ人)も在住したが、社会・経済的主導権を掌握したのはセファルディムであった。

参考文献

臼杵陽（二〇二〇）『「ユダヤ」の世界史――一神教の誕生から民族国家の建設まで』作品社。

倉橋良伸（二〇〇〇）「古代地中海世界におけるキリスト教的終末観」歴史学研究会編『再生する終末思想』〈シリーズ歴史学の現在5〉、青木書店。

クリュゼマン、F、U・タイスマン編（二〇〇〇）『キリスト教とユダヤ教――キリスト教信仰のユダヤ的ルーツ』大住雄一訳、教文館。

疇谷憲洋（二〇二一）「渡海者から献策家（アルビトリスタ）へ」上田信・中島楽章編『アジアの海を渡る人々――一六・一七世紀の渡海者』春風社。

ケドゥリー、エリー編（一九九五）『スペインのユダヤ人――一四九二年の追放とその後』関哲行・立石博高・宮前安子訳、平凡社。

小岸昭（二〇〇二）『隠れユダヤ教徒と隠れキリシタン』人文書院。

小岸昭（二〇〇七）『中国・開封のユダヤ人』人文書院。

小岸昭・徳永恂（二〇〇五）『インド・ユダヤ人の光と闇――ザビエルと異端審問・離散とカースト』新曜社。

シェーファー、ペーター（二〇一〇）『タルムードの中のイエス』上村静・三浦望訳、岩波書店。

関哲行（二〇〇九）「スファラディム・ユダヤ人――中世以降の歴史的変遷」駒井洋・江成幸編著『ヨーロッパ・ロシア・アメリカのディアスポラ』明石書店。

関哲行（二〇一六）「中近世スペインにおける宗教的マイノリティの「不在」――終末論、メシア思想を含めて」『歴史学研究』九四六号。

関哲行（二〇一九）「中近世スペインの異端審問とコンベルソ」『慶応義塾大学言語文化研究所紀要』第五〇号。

トリヴェッラート、フランチェスカ（二〇一九）『異文化間交易とディアスポラ――近世リヴォルノとセファルディム商人――』和栗珠里・藤内哲也・藤田巳貴訳、知泉書館。

Alpert, Michael (2001), *Criptojudaísmo e inquisición en los siglos XVII y XVIII*, Barcelona, Editorial Ariel.

Amelang, James S. (2011), *Historias paralelas*, Madrid, Ediciones Akal.

Blázquez Miguel, Juan (1988), *Inquisición y criptojudaísmo*, Madrid, Ediciones Kaydeda.

Chillida, Gonzalo Álvarez (2002), *Antisemitismo en España*, Madrid, Marcial Pons.

Domínguez Ortiz, Antonio (1991), *La clase social de los conversos en Castilla en la edad moderna*, Granada, Universidad de Granada.

Gerber, Jane S. (1994), *The Jews of Spain: A History of the Sephardic Experience*, New York, Free Press.

Gómez-Menor, José-Carlos (1995), "Linaje judío de escritores religiosos y místicos españoles del siglo XVI", Ángel Alcalá (ed.), *Judíos. Sefarditas. Conversos*, Valladolid, Ambito Ediciones.

Hernández Franco, Juan (2011), *Sangre limpia, sangre española*, Madrid, Ediciones Cátedra.

Kaplan, Yosef (1992), "La Jérusalem du Nord: La communauté séfarade d'Amsterdam au XVII siècle", Henry Méchoulan (ed.), *Les juifs d'Espagne: Histoire d'une diaspora 1492-1992*, Paris, Liana Levi.

Newman, Aubrey (1992), "The Sephardim in England", Elie Kedourie (ed.), *Spain and the Jews: Sephardi Experience, 1492 and After*, London, Thames & Hudson.

Novinsky, Anita (1992), "Juifs et nouveaux chrétiens du Portugal", Henry Méchoulan (ed.), *Les juifs d'Espagne: Histoire d'une diaspora 1492-1992*, Paris, Liana Levi.

Pérez, Joseph (2005), *Los judíos en España*, Madrid, Marcial Pons.

Roth, Cecil (1948), *The House of Nasi: The Duke of Naxos*, New York, Greenwood Press.

Segal, Judah B.(1993), *A History of the Jews of Cochin*, London, Valentine Mitchell.

Sicroff, Albert A.(1985), *Los estatutos de limpieza de sangre*, Madrid, Taurus Ediciones.

Soyer, François (2018), "'Secret Synagogues': Fact and Fantasy from Portugal to Macau", *Cadernos de Estudos Sefarditas*, vol. 19.

Stillman, Yedida K. and G. K. Zucker (eds.) (1993), *New Horizons in Sephardic Studies,* New York, State University of New York Press.

Wolf, Lucien (1988), *Judíos en las Islas Canarias,* La Orotava, Ed. J. A. D. L.

コラム | *Column*

グローバル・ヒストリーの触媒としてのパリ外国宣教会宣教師

坂野正則

近世のカトリック海外宣教は、一五世紀後半からスペインとポルトガルが先行して活動を展開していたが、一七世紀に入ると、日本におけるキリスト教徒の迫害とそれに伴う現地教会の壊滅をはじめ、それまでの宣教活動の方法を見直す契機が生じてきた。一六二二年にローマ教皇庁に設置された布教聖省は、宣教活動を世俗権力や特定の修道会に委ねるのではなく、宣教地域の教会に裁治権を持つ使徒座代理区長を派遣して直接管理をおこない、現地で教会制度を継承・発展できるよう企図した。この新たな宣教戦略の担い手となったのが、フランスで創立されたばかりのパリ外国宣教会(MEP)であった。一六五八年から六〇年にかけて、この宣教団体から四名のフランス人使徒座代理区長が、カナダとアジアの宣教地に派遣される。仏領北米植民地ではケベック司教区が成立し、五大湖周辺からミシシッピー川流域を南下しながら宣教地が拡張された。アジアでは、既存の司教区組織の周辺に使徒座代理区が増設されていき、宣教師の活動範囲は流動的であったが、現在のタイ、ベトナム、カンボジア、ミャンマー、ジャワ島、中国南部へと広がった。一七世紀に宣教地へ渡航したMEP宣教師の数は、北米大陸においてはのべ四〇名前後、アジア方面では、のべ一〇〇名弱が確認できる。ところで、宣教師は現地住民への布教活動や聖職者養成のための神学校を設立する以外に、ヨーロッパ人と現地社会とを結んで、様々な人的紐帯や情報を媒介する役割を果たしていた。ここでは、フランス＝シャム間の外交とミシシッピー川流域の地理情報という二つの事例を取り上げてみたい。

シャム王国では、一七世紀初頭からイエズス会宣教師が活動の先鞭をつけていた。MEPがシャムで活動を開始するのは一六六〇年代に入ってからである。この時期、フランスでは東インド会社が設立され、国際商業の領域でもこの海域への参入が試みられたが、ポルトガルやそれに続くオランダ・イギリスの後塵を拝していた。事態の局面が変化したのは、アユタヤ朝でのナーラーイ王(一六三三―八八年)治世である。彼は、ヨーロッパ諸国との交流に関心を示し、新興勢力であったフランス人の活動を積極的に支援した。たしかにナーラーイ王自身がキリスト教信仰そのものへ強い関心を抱いたかは定かではない。しかし、一六八〇年代にフランスとシャムとの間で六回の外交使節の派遣がなされ、一六八五年までフランス側の使節団に含まれる宣教師がMEP所属のみであったことは、アユタヤ宮廷でのMEP宣教師の信頼度の高さを物語っている。加えて、ギリシア人でカトリックへ改宗することとなるフォールコンが宰相としてシャムの外交の実務を

ジャック・ヴィグル・デュプレシ作の絵画(1715年，シャリ国王修道院美術館蔵)．1686年，ルイ14世のヴェルサイユ宮廷に派遣された3名のシャム使節と通訳を務めたMEP宣教師アルトゥ・ド・リオンヌ

担ったことも大きい。フランス側は、フォールコンからMEPの宣教師を介して伝えられた王のカトリック改宗へのシグナルをとらえて外交使節を派遣し、シャム側は王国内部の政治基盤を安定させるためにフランスの軍事力を活用しようとした。いささか「同床異夢」の色合いを持つこの蜜月関係も、シャム王国内の反乱で長くは続かなかった。もちろん、シャムでのフランス人イエズス会士の貢献は看過すべきではなく、フォールコンの改宗からヴェルサイユ宮廷でのコネクションに至るまでその影響力は強かったが、MEP宣教師がもつ固有の性格は、アユタヤ宮廷内での先駆的な信頼醸成の獲得にあった。

MEPとイエズス会との競合関係は、北米大陸でも発生していた。カナダでの宣教活動もイエズス会によって開拓されたが、MEPの活動は、ケベック神学校設立(一六六三年)後に本格化した。しかし、両者がルイジアナ地域での宣教活動を始めるのは一七世紀の最末期であり、宣教地域の管轄をめぐって競合した両者は、最新の地理情報を獲得することで優位に立とうとした。人材不足と対外戦争を背景に、一七〇四年から二四年にかけてイエズス会士の空白地帯に進出したのが、MEP宣教師フランソワ・ル・メールであった。彼の集めた地理情報は、宗教的内容とは全く関わりのない実用的なものであり、現地住民の習俗よりも自然環境に関心を示していた。イエズス会士が積極的に集めた植民地経営や宣教運営に資するような情報とは対照的に、ル・メールは、純粋に土地の環境を観察して「有用な地理」情報を収集した。一説には、過酷な宣教地で宗教的情熱が燃え尽きたことによる反動とも説明されるが、ル・メール地理学は、パリでは、植民地政策に関わる官僚や啓蒙主義的学術団体からの需要に応えるものとなった。

近世におけるMEPの活動は、他の宣教団体との軋轢により成功しなかったと評価されることも多いが、シャムとルイジアナの事例は、この宣教団体が「カメレオン」的な環境適応を伴いつつ、ヒトと情報を媒介した実相を示しており、その性格が長期持続の基盤となった。

集点 Focus

商品連鎖のなかの西アフリカ
――インド綿布と大西洋奴隷貿易

小林和夫

はじめに

一八世紀は、ヨーロッパ商人の長距離貿易を通じて、グローバル化(世界の一体化)が進んだ時代であった。それは一方では、ヨーロッパ、アフリカ大西洋岸と南北アメリカ大陸(カリブ海域を含む)から構成される大西洋経済の発展をもたらし、他方では、東インド会社の商業活動によって、ヨーロッパとアジアの経済関係を強化した。大西洋経済は、大西洋奴隷貿易と南北アメリカ大陸の奴隷制プランテーションを主軸として、おもにヨーロッパ向けに、砂糖やタバコ、インディゴ、コーヒー、綿花などを生産した点に特徴がある。

二〇世紀後半の歴史研究では、E・ウィリアムズの『資本主義と奴隷制』や従属理論・世界システム論などの影響をうけて、西アフリカは、ヨーロッパ資本主義や大西洋経済の発展の文脈で「受動的な犠牲者」として捉えられる傾向があった(ウィリアムズ 二〇二〇、ロドネー 一九七八、ウォーラーステイン 二〇一三、川北 一九九六)。このような解釈は、経済成長の挫折、貧困、AIDS、政情不安などに象徴される「アフロ・ペシミズム」と形容されうる時代状況とも呼応して、世紀末まで大きな影響力を持った(Campbell 2011)。

しかしながら、今世紀に入り、イラク戦争にともなう資源需要の高まりが、旺盛な消費活動と密接に連動して、アフリカ経済に急成長を引き起こすようになると(平野 二〇一三)、アフリカ経済史研究では、アフリカ大陸の人びとのエージェンシー(行為主体性)を再評価する動きが高まり、その焦点の一つは、アフリカの消費者が世界経済におよぼした影響に向けられた(Prestholdt 2008)。ある地域の消費者の嗜好が貿易や他地域の生産活動におよぼす影響を論じる点では、以下で紹介する商品連鎖論ともかかわる。

商品連鎖の枠組みは、I・ウォーラーステインが提唱した世界システム論によって、知られるところとなった。その理論のなかで商品連鎖とは、「労働と生産過程のネットワークで、それらの最終結果は完成品である」と定義される(Hopkins and Wallerstein 1986: 159)。彼はまた、商品連鎖において、その結節点である市場では、買い手が先行するすべての労働過程から利潤を得る垂直的統合がみられ、国家間の不等価交換(搾取関係)の構造的背景になったことを指摘した。そして商品連鎖には、世界経済の「周辺」地域から「中核」地域に向かう傾向がみられたという(ウォーラーステイン 二〇一二)。

ウォーラーステインの議論では、国家間の不等価交換に大きな関心が向けられたように、国民国家を分析の基盤として、資本主義を批判していた。しかし、その後の歴史研究では、商品をとりまく社会的分業の拡大にともなう社会的・政治的影響や、政府以外のさまざまなアクター(たとえば、労働者、企業家、会社など)の役割にも目が向けられ、搾取関係を強調する解釈についても疑問符が投げかけられた(Clarence-Smith 2000; Topik et al. 2006)。そして、これまでの研究が生産者の役割を重視しがちであったことを反省して、商業仲介者の重要性に留意しつつ、消費者の役割にも注目する必要性が課題として指摘されている。それにより、生産と消費の双方から商品連鎖が構築されていた事実を正確に理解できるようになる(Marichal et al. 2006: 354)。さらに長期的にみた場合、競合品の登場や技術移転などが商品連鎖の向きに変化を引き起こす可能性も指摘されている(Hofmeester 2013)。このように商品連鎖の研究としては、研究対象の射程を拡大し、ローカルな局面とグローバルな局面の相互作用を捉える際の有効な枠組みとして、昨今のグローバル・ヒストリー研究でも注目を集めている(Grewe 2019: 218-221; Hofmeester and Grewe 2016; 水島 二〇一〇:五八—六〇頁)。

以上の動向を踏まえて、本稿では、一八世紀を中心に、南アジアで生産され、ヨーロッパを経由して西アフリカに流通し消費されたインド綿布を商品連鎖の事例として取り上げる。西アフリカにおいて、インド綿布は、色や柄といった品質面で、政治的支配層や富裕層を中心とする西アフリカの消費者から高く評価され、大西洋沿岸部でヨーロッパ商人が黒人奴隷を購入する際には、交換媒体として最も重要な役割を果たした。黒人奴隷は、南北アメリカ大陸に連れて行かれたのち、おもにプランテーションや金鉱の労働力として、ヨーロッパ向けの生産活動に従事させられた。この展開から、世界経済のある「周辺」で生産されたインド綿布が、「中核」を経由して、別の「周辺」に流通し消費される商品連鎖の過程で、異なる商品連鎖——すなわち、黒人奴隷および植民地産品——と結合していた事例が浮かび上がってくる。本稿は、一八世紀を中心とする西アフリカのインド綿布に対する需要に注目することで、西アフリカを、複数の商品連鎖の結節点として位置づける。他方で、南アジアの綿布生産を担った織工と西アフリカの消費者の主体性を再評価することで、同時代の世界経済のダイナミズムの新たな一面を描き出すことを試みたい。

一、西アフリカにおけるインド綿布

本節では、当時の西アフリカにおけるインド綿布に対する需要を論じるために、西アフリカの繊維生産の歴史的背景にふれておきたい。一五世紀にヨーロッパ人が海上ルートを開拓して西アフリカを訪れる以前から、西アフリカでは、さまざまな素材を用いて布を生産していた。考古学の発掘調査を通じて、バンジャガラ断崖(現在のマリ共和国に位置)で、八世紀には「テレム」という布が織られていたことが最初の例として知られている。西アフリカでは、ニジェール川、ガンビア川とセネガル川を中心とする地域と、チャド湖の周辺地域が綿花生産の中心地であった。それぞれの地域では、一〇世紀には綿布生産が始まっていた可能性があり、一一世紀から一二世紀には、マリに相当する地域で綿製スカートが織られていたことが確認されている。西アフリカにおける布の生産は家庭内分業を基本とし、乾季(農閑期)に女性が糸を紡ぎ、男性が布を織っていたが、アッパー・ギニア——セネガル川からシエラレオネまでを包括する地域——やハウサランド(ハウサ諸王国)——現在の北ナイジェリアに相当する地域で、カノは繊維生産の中心都市であった——では、年間を通じてフルタイムで織布に従事する世襲の職人もいた(Bolland 1991; Kriger 2005; Johnson 1978)。

西アフリカにおける布生産の拡大は、サハラ砂漠を縦断するムスリム商人の隊商貿易と密接に結びついていた。彼らとの交流を通じてイスラームは西アフリカに伝播し、それにともなって、衣服文化も浸透したのである。衣服の着用は、イスラームの共同体(ウンマ)への参加と同時に、非ムスリムとの差異化を意味する行為であった(Candotti 2010)。イスラームへの改宗者が増えるにつれて、布に対する需要は増加した。

図1　18世紀の西アフリカと西中央アフリカ(小林 2021：vを一部修正)

西アフリカの織布を代表する技術は、組み立てや解体が容易な細巾の織機であった。織機は水平式と垂直式の二種類に大きく分けることができる。前者は西アフリカの広範囲で使用され、後者はサヴァンナ南部や沿岸の森林地域で使用されていた。水平式織機は、操作に腕力を必要とするため、おもに男性織工が使ったが、垂直式織機は女性織工でも使用することができた(Browne 1983; Kriger 2005; 井関 二〇〇〇)。

このような織機によって布は生産され、現地の消費者の布に対する嗜好を形成した。また、地域内交易を通じたさまざまな布の流通は、消費者の嗜好に変化をもたらす一方で、各地での取引において、布は交換媒体・価値尺度の一つとしての役割を担うようになった。そのような状況は、大西洋岸でのヨーロッパ商人との商取引に影響をおよぼす背景となった。一九世紀以前のヨーロッパ人は、マラリアや黄熱病をはじめとする熱帯の感染症に対する免疫をもたず、西アフリカの地理情報にも疎かったため(Northrup 2006: 38-39)、沿岸部にやってくる現地商人——おもに政治的支配層や富商——との取引を通じて、黒人奴隷、金、象牙、アラビアゴムや他の熱帯産品を購入していた。その取引の成否を決めたのは、西アフリカの人びとの間で需要のある商品を持ち込むことであった。

ここで、一八世紀の西アフリカにヨーロッパからどのような商品がもたらされていたのかを見ることにしよう。この点について、イギリスの貿易統計は詳細な記録を残している。その統計資料によれば、この時期を通じて、繊維製品が貿易額の大半を占め、それ以外では、銃火器や弾薬、鉄棒、銅、ビーズ、宝貝などが運び込まれていた。繊維製品については、毛織物、麻織物、綿布などが含まれるが、**表1**に示されているように、一八世紀第2四半期以降では、インド綿布が最も大きな割合を占めていた。一八世紀半ば以降は、イギリス産業革命にともなって、インド綿布を模倣したイギリス製品の輸入量が急増したが、一八〇七年にイギリスの奴隷貿易廃止が決まるまで、インド綿布の占めた割合の方が大きかった(Johnson 1990: 52-60)。インド綿布の優位は、フランスやオランダとの貿易でもみられた(Tarrade 1972: 125-126; Postma 1990: 103-105)。

表1　イギリスからアフリカへの輸入における繊維製品．1699-1808年
(Johnson 1990: 52-60から筆者作成)

	インド綿布(a)	イギリス綿布(b)	麻織物	毛織物	その他の繊維
1699-1708	128,752	79,385	58,013	290,336	8,443
1709-1718	101,586	9,217	71,960	296,090	12,212
1719-1728	493,580	75,332	112,093	324,340	25,189
1729-1738	775,805	42,640	107,790	410,471	23,673
1739-1748	627,171	15,371	93,183	233,185	24,213
1749-1758	481,196	329,823	155,278	222,296	32,321
1759-1768	762,427	820,566	518,569	503,734	61,518
1769-1778	1,258,738	815,550	456,088	1,123,520	86,750
1779-1788	1,166,079	1,098,890	278,776	1,102,616	83,333
1789-1798	2,404,492	1,847,392	243,525	1,061,582	139,653
1799-1808	3,207,133	2,895,036	175,826	977,570	236,157

	a/c	b/c	繊維全体(c)	c/d	総輸入額(d)
1699-1708	23%	14%	564,929	64%	880,229
1709-1718	21%	2%	491,065	68%	723,452
1719-1728	48%	7%	1,030,534	64%	1,615,775
1729-1738	57%	3%	1,360,379	67%	2,024,971
1739-1748	63%	2%	993,123	66%	1,506,416
1749-1758	39%	27%	1,220,914	61%	2,002,448
1759-1768	29%	31%	2,666,814	63%	4,236,405
1769-1778	34%	22%	3,740,646	64%	5,883,062
1779-1788	31%	29%	3,729,694	71%	5,270,745
1789-1798	42%	32%	5,696,644	70%	8,187,130
1799-1808	43%	39%	7,491,722	70%	10,750,777

西アフリカに持ち込まれたインド綿布については、少なくとも四〇種類をこえる名称が確認されている。そのなかでも、藍染綿布や、ストライプやチェックなどの柄物に対する需要が大きかった(Alpern 1995)。それでは、なぜこれほどまでに西アフリカでインド綿布が人気を集めたのだろうか。価格については、一七八〇年頃までは、西アフリカで生産された綿布の方が基本的に安価であったことから説得的な理由にはならない(Kriger 2009b)。そのため、価格以外の要素が重視されていたと考えるべきであろう。

一つのポイントとして、西アフリカ内部で生産された綿布を通じて形成された布の品質に対する消費者の嗜好があげられる。一七八〇年代にセネガルを訪れたフランス人旅行者ゴルベリは、沿岸部にやってきた現地商人が、ヨーロッパ商人から藍染綿布

を受けとるやいなや鼻を布に押し当て、インディゴの匂いの有無から正真正銘のインド綿布かヨーロッパ製の模倣品かを嗅ぎ分け、模倣品であれば受けとりを拒否したことを詳しく書き留めている。これは、当時のヨーロッパ製品が、色の固定や耐久性など質の面でインド綿布に及ばなかったことと関係していたのだろう。この点にかんして、黄金海岸の要塞に駐在したイギリス人総督は、インド綿布の輸入を全面的に禁止しないかぎり、現地でインド綿布以上にイギリス綿布の販路を拡大することは不可能であろう、と証言している。工業化の途上にあったイギリスでは、安価な綿製品を大量に生産できるようになったものの、その品質は必ずしも西アフリカの消費者の嗜好に合うものではなかった(小林 二〇二一)。

西アフリカにおけるインド綿布の需要にかんするもう一つの背景として、外国製品の所有が他者との差異化に結びついていた、という現地の価値観もあげられよう。新奇な色や柄の布、それから高級な外国製の布を収集することは、自らの富や権力など社会的地位を誇示する手段でもあった。このような消費行動は、政治的支配層や富裕層のあいだでしばしばみられたが、それ以外の人びとのなかにも、身分の高い者の消費行動を模倣する動きがみられることがあった(Thornton 1998: 50; Martin 1982: 2)。その一方で、新奇な布に対する需要は、ある時期にある地域で売れた品種が、時期や場所が変わると売れなくなるという状況を生み出すことにもなった。それゆえに、ヨーロッパ商人は、取引を円滑に行うために、各地の市場動向にかんする情報をたえずアップデートする必要があった。

これらの事実は、見方を変えれば、南アジアの織工が、選り好みをする西アフリカの消費者にも受け入れられる綿布を生産し続けていたことを意味している。南アジアの織工は、染色や捺染といった工程のスキルに秀でており、さまざまな需要に応じた綿布を生産することが可能であった。それゆえに、産業革命以前の世界において、インド綿布は世界中で引っ張りだこになるほど注目を集めたのである(Riello 2013: 37-83)。次節で述べるように、西アフリカ向けのインド綿布にかんする情報は、ヨーロッパ商人を通じて、インドでの綿布調達と結びついた。商品連鎖の観点に引きつけていえば、西アフリカの需要が仲介者(ヨーロッパ商人)を通じてインド綿布の生産におよぼした影響と、それに対する生産者(織工)の反応という消費と生産の相互作用を通じて、一つの商品連鎖が形成されていたと捉えることができよう。

二、南アジアにおける綿布生産と調達システム

一八〇〇年以前の南アジアにおける外国市場向けの綿布生産の中心は、北のパンジャブ、東のベンガル、南のコロマンデル海岸、西のグジャラートなどであった。そのなかでもコロマンデル海岸は、西アフリカ向けの綿布生産地として重要な役割を果たした。原料となる綿花は、デカン高原の黒土や赤土で栽培され、隊商によって織工のもとへ運ばれてきた(Parthasarathi 2001)。コロマンデル海岸は、「ロング・クロス」と呼ばれる長さが三七ヤード――その他の種類の綿布の二倍相当――にもおよぶ綿布をはじめ、藍染綿布の生産で知られていた。これらの布は、西アフリカ市場でも需要が大きく、フランス東インド会社はポンディシェリで、イギリス東インド会社は、カッダロール、セーラムおよびナゴールを中心として調達していた。実際にイギリス東インド会社の史料を紐解くと、「青い布」や「青い物」といった名称で、西アフリカ向けの藍染綿布に対する言及が頻繁に登場する。同社はこの地域では、マドラスのセント・ジョージ要塞を拠点として、ロンドンの取締役会からの指示にしたがって活動していた。その指示のなかには、大西洋奴隷貿易の状況に応じた西アフリカ向けの綿布の調達にかんする情報も含まれていた。つまり、最終消費地での需要の変化を踏まえながら、イギリス東インド会社は綿布を調達したのである(小林 二〇二一)。

一八世紀のコロマンデル海岸では、イギリス東インド会社は、注文する際に織工に報酬の一部を現金で予め支払う制度下で綿布を調達していた。注文後六―八週間以内に見本品が会社の現地駐在員のもとに届けられ、その品質が基

準を満たした場合、残りの布は半年以内に納められ、その際に報酬の残額が支払われた。イギリス東インド会社は、現地で言語の障壁に直面し、直接織工と取引することができなかったため、インド人仲介者を通じて綿布を調達した。仲介者は内陸の綿布生産地と沿岸の要塞を結び、繊維取引から手数料を得た。彼らは織工の村では、織工頭や他の仲介者から綿布を受け取り、沿岸の会社の拠点に戻った。見方を変えると、内陸で生産された綿布は、一人以上の仲介者を通じて沿岸のイギリス東インド会社のもとに流通していたのである。そして、それぞれの仲介者が得た手数料は数％であったため、イギリス東インド会社は綿布を安価に調達することができた (Arasaratnam 1980; Chaudhuri 1974)。

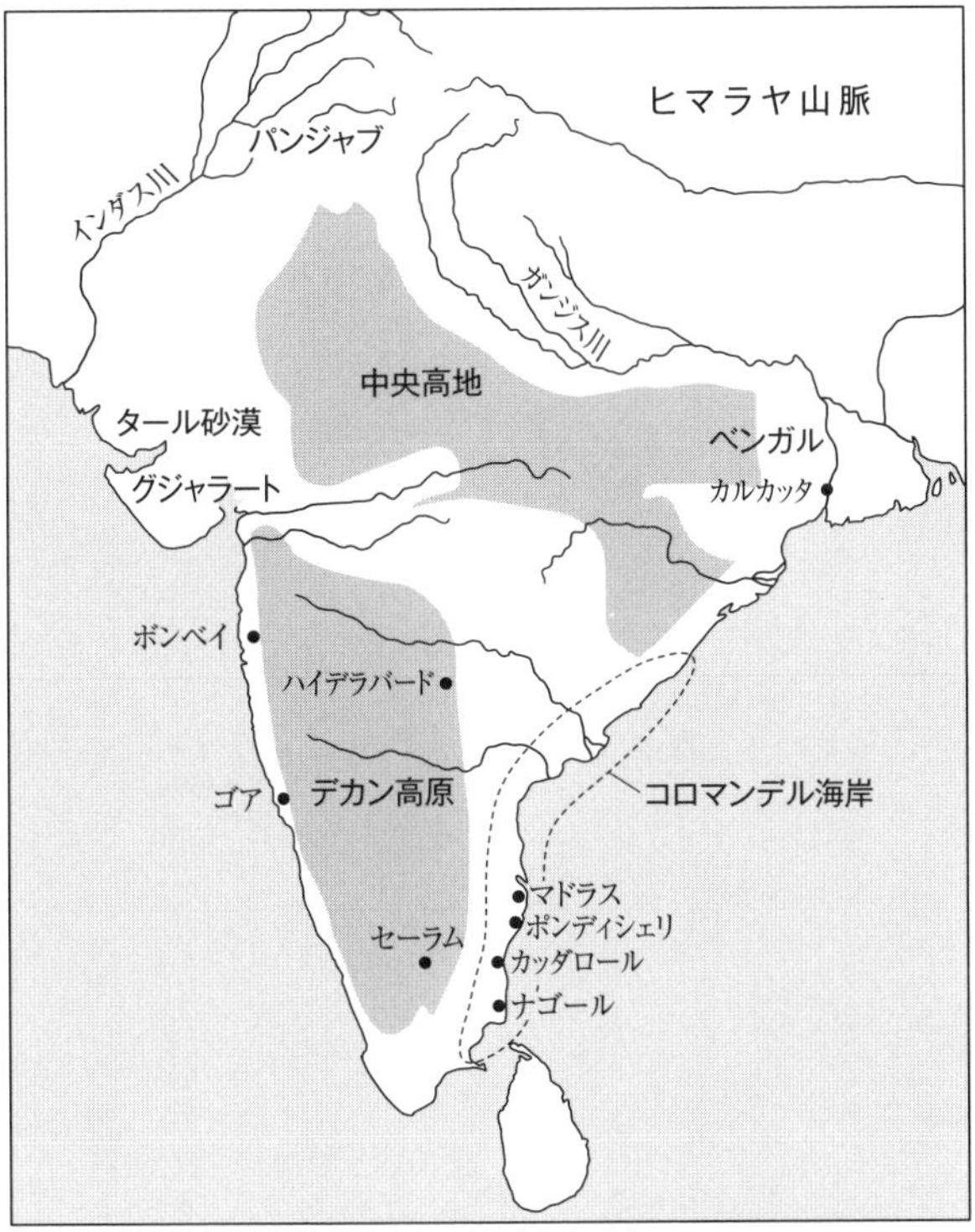

図2　18世紀の南アジア（小林 2021：viiを一部修正）

この制度では、織工は前払い金の使途を自ら決定することが認められていた。すなわち、彼らはある程度の経済的自立性を確保していたのである。前払い金は、布の原料や織機の修理費に加えて、彼らの食糧やその他のニーズなどに充てられた。とりわけ食費の占めた割合は大きく、食糧価格の動向は、布の原料から完成品の品質にも影響をおよぼすことになった。また、織工のなかには、最初の見本品を生産する際には、良質の布を織ることに努めるが、見本品が基準をクリアすると、安価な糸を用いてできるだけ多くの綿布を生産して利益の最大化を図るものもいた。このような状況は、イギリス東インド会社にとって、調達する綿布の品質にかんする問題をより深刻なものにした。そこで一八世紀後半には、制度変更によって織工と綿布生産の管理強化が試みられたが、会社の指示に従うインセンティヴを織工に充分に与えなかったため、状況の改善には至らなかった。以上の内容は、インド綿布を調達するうえで、織工のスキルにくわえて、彼らの行動にも大きく依存していたことを示唆している(Arasaratnam 1980; Swarnalatha 2005; 小林 二〇二一)。商品連鎖の観点からいえば、綿布調達にかかわる部分の鎖は必ずしも丈夫ではなかったのである。

三、インド綿布の西アフリカへの流通

前節でみたように、南アジアでの綿布調達にかんして制度的問題点はあったとはいえ、イギリス東インド会社は一八一三年までイギリスのインド貿易を独占していたことから、イギリスの奴隷商にとって最も重要なインド綿布供給源であり続けた。そこで次に論じるべきは、東インド会社からどの商人を介して、インド綿布が西アフリカまで流通したのかという点である。商品を輸送した先での分配や流通については、商品連鎖の研究でもあまり進展がみられないため、しばしば読み手の推測に委ねられる(Clarence-Smith 2000: 4)。これは、イギリス商人による西アフリカ向けのインド綿布輸送にもあてはまる。その理由は、イギリス東インド会社の販売記録が現存していないため、どの商人がロンドンで東インド会社から綿布を購入したのかという全貌を明らかにすることができないためである。そのため、包括性という点では問題を抱えるものの、イギリス東インド会社からインド綿布を購入していた商人の史料を分析することが鍵になる。

その意味で、イギリスの大西洋奴隷貿易の最終盤期(一八〇一―〇七年)に活躍したロンドン商人トマス・ラムリーの

史料は、貴重な情報を与えてくれる。その史料によれば、イギリス東インド会社によってロンドンに運び込まれたインド綿布が、ラムリーを介して、リヴァプールの主要な奴隷商の手に渡っていった状況を読みとることができる。ラムリーと取引していたリヴァプールの奴隷商のなかには、のちにリヴァプール市長になるジョージ・ケースも含まれていた。ラムリーの販売記録簿に記載されているリヴァプール商人と彼らの船舶名を踏まえて、奴隷貿易データベース Slave Voyages (http://www.slavevoyages.org) を参照すると、インド綿布がロンドンとリヴァプールを経て、西アフリカ各地へ流通し、黒人奴隷との取引対象になっていた様子がわかる(小林 二〇二一:二〇五―二一一頁)。その手順に基づいて、一八〇一年の事例を調べると、二一隻のリヴァプールの奴隷船がラムリー経由で調達したインド綿布をアフリカ各地に運んでいた状況を確認できる。その主要奴隷購入地にかんする内訳は、ボニーやオールド・カラバルを含めたビアフラ湾(八隻)、コンゴ川流域河口部やカメルーンを含めた西中央アフリカ(五隻)、黄金海岸(二隻)、風上海岸(二隻)、シエラレオネ(一隻)、詳細不明(三隻)であった(小林 二〇一一:一二七頁)。このように、イギリス東インド会社とラムリー経由でリヴァプールに流通したインド綿布は、アフリカ大西洋岸に運ばれ、各地の奴隷取引と結びついた。

まとめ

本稿では、一八世紀の南アジアから西アフリカにいたるインド綿布の商品連鎖を取り上げてきた。これは、世界経済の「周辺」から「中核」に一方向的に向かう類のものでなく、別の「周辺」地域の消費需要によって形成されたものであった。インド綿布の流通の担い手となったヨーロッパ商人は、西アフリカの消費者の需要に応じることで、アフリカ大西洋岸で黒人奴隷を購入し、南北アメリカ大陸の奴隷制経済を発展させることに貢献した。大西洋貿易におけるインド綿布の重要性は、いわゆる「三角貿易」論——ヨーロッパ・アフリカ大陸・南北アメリカ大陸の三地点から成立する貿易像——の枠組みの限界を明らかにすると同時に、インドを加えた代替モデルの必要性を示している(小林 二〇二一:二五五―二五六頁)。そして、南北アメリカ大陸では、黒人奴隷はヨーロッパ市場向けに生産される砂糖や綿花などの商品連鎖を支える重要な役割を果たしたのであった。その意味において、西アフリカは複数の商品連鎖の結節点であったといえよう。

南アジアからヨーロッパを経由して西アフリカにいたるインド綿布の商品連鎖を論じるうえでは、西アフリカの消費者の嗜好をはじめ、南アジアの織工のスキルや活動環境などに規定された点に注意したい。布に対する消費者の嗜好については、西アフリカにおける綿布生産や消費を通じて形成されてきた側面に目を向ける必要がある。その一方で、イギリス東インド会社の綿布調達の過程からは、綿布生産者の行動に大きく左右されがちであったことが伺えるように、商品連鎖の各部分の強度にはさまざまな違いがあった。

以上のように、本稿では、一八世紀の西アフリカにおけるインド綿布に対する需要に着目して、一つの商品連鎖を論じることを試みた。最後に、このような商品連鎖が一九世紀にどのような展開を見せたのか簡単に言及しておきたい。イギリス産業革命の影響をうけて、一八世紀後半からイギリス製品の対西アフリカ輸出は急増し、また、ランカシャーの製造業者が、インド綿布の輸入を禁止するようにロビー活動を展開したことも相まって、イギリスの奴隷貿易廃止後は、イギリスを経由した西アフリカへのインド綿布の輸送量は激減した。その一方でフランスでは、一九世紀に入ってからもインド綿布の模倣と代替は遅々として進まず、セネガルでアラビアゴム——ヨーロッパではおもに繊維製品を染色・捺染する際に固定剤として必要とされた樹脂——を購入するために藍染のインド綿布を持ち込む必要があり、それと密接に連動して、南インドの仏領ポンディシェリの綿布生産は拡大した。西アフリカにいたるインド綿布の商品連鎖は、一八世紀では大西洋経済の発展を支えたが、一九世紀には、西ヨーロッパの繊維産業(工業化の発展を支えたのである。後者については、工業国と一次産品生産地域の間で分業体制が構築された時代であったことを考えると、西アフリカの消費者の需要と商品連鎖に着目することは、近代世界経済の興隆過程を多元的な視座から再考する契機になるのではないだろうか（小林 二〇二一）。

参考文献

井関和代（二〇〇〇）『アフリカの布——サハラ以南の織機、その技術的考察』河出書房新社。

ウィリアムズ、エリック（二〇二〇）『資本主義と奴隷制』中山毅訳、ちくま学芸文庫。

ウォーラーステイン、イマニュエル（二〇一三）『近代世界システム』全四巻、川北稔訳、名古屋大学出版会。

ウォーラーステイン、イマニュエル（二〇二二）『史的システムとしての資本主義』川北稔訳、岩波文庫。

川北稔（一九九六）『砂糖の世界史』岩波ジュニア新書。

小林和夫（二〇一一）「イギリスの大西洋奴隷貿易とインド産綿織物——トマス・ラムリー商会の事例を中心に」『社会経済史学』七七巻三号。

小林和夫（二〇二一）『奴隷貿易をこえて——西アフリカ・インド綿布・世界経済』名古屋大学出版会。

平野克己（二〇一三）『経済大陸アフリカ——資源、食糧問題から開発政策まで』中公新書。

水島司（二〇一〇）『グローバル・ヒストリー入門』山川出版社。

ロドネー、ウォルター（一九七八）『世界資本主義とアフリカ——ヨーロッパはいかにアフリカを低開発化したか』北沢正雄訳、柘植書房。

Alpern, Stanley B. (1995), "What Africans Got for Their Slaves: A Master List of European Trade Goods", *History in Africa*, 22.

Arasaratnam, S. (1980), "Weavers, Merchants and Company: The Handloom Industry in Southeastern India, 1750-1790", *Indian Economic and Social History Review*, 17-3.

Bolland, Rita (1991), *Tellem Textiles: Archaeological Finds from Burial Caves in Mali's Bendiagara Cliff*, Amsterdam: Tropenmuseum.

Browne, Angela W. (1983), "Rural Industry and Appropriate Technology: The Lessons of Narrow-Loom Ashanti Weaving", *African Affairs*, 82-

326.

Campbell, Gwyn (2011), "Africa, the Indian Ocean World, and the 'Early Modern': Historiographical Conventions and Problems", Toyin Falola and Emily Brownell (eds.), *Africa, Empire and Globalization: Essays in Honor of A. G. Hopkins*, Durham, NC: Carolina Academic Press.

Candotti, Marisa (2010), "The Hausa Textile Industry: Origins and Development in the Precolonial Period", Anne Haour and Benedetta Rossi (eds.), *Being and Becoming Hausa: Interdisciplinary Perspectives*, Leiden: Brill.

Chaudhuri, K. N. (1974), "The Structure of Indian Textile Industry in the Seventeenth and Eighteenth Centuries", *Indian Economic and Social History Review*, 11-2&3.

Clarence-Smith, William Gervase (2000), *Cocoa and Chocolate, 1765-1914*, London and New York: Routledge.

Grewe, Bernd-Stefan (2019), "Global Commodities and Commodity Chains", Tirthankar Roy and Giorgio Riello (eds.), *Global Economic History*, London and New York: Bloomsbury.

Hofmeester, Karin (2013), "Shifting Trajectories of Diamond Processing: From India to Europe and Back, from the Fifteenth Century to the Twentieth", *Journal of Global History*, 8-1.

Hofmeester, Karin and Bernd-Stefan Grewe (eds.) (2016), *Luxury in Global Perspective: Objects and Practices, 1600-2000*, Cambridge: Cambridge University Press.

Hopkins, Terence K. and Immanuel Wallerstein (1986), "Commodity Chains in the World-Economy prior to 1800", *Review*, 10-1.

Johnson, Marion (1978), "Technology, Competition, and African Crafts", Clive Dewey and A. G. Hopkins (eds.), *The Imperial Impact: Studies in the Economic History of Africa and India*, London: Athlone Press.

Johnson, Marion (1990), *Anglo-African Trade in the Eighteenth Century: English Statistics on African Trade 1699-1808*, Leiden: Centre for the History of European Expansion.

Kriger, Colleen E. (2005), "Mapping the History of Cotton Textile Production in Precolonial West Africa", *African Economic History*, 33.

Kriger, Colleen E. (2009a), "'Guinea Cloth': Production and Consumption of Cotton Textiles in West Africa before and during the Atlantic Slave Trade", Giorgio Riello and Prasannan Parthasarathi (eds.), *The Spinning World: A Global History of Cotton Textiles, 1200-1850*, Oxford: Oxford University Press.

Kriger, Colleen E. (2009b), "The Importance of Mande Textiles in the African Side of the Atlantic Trade, *ca.* 1680-1710", *Mande Studies*, 11.

Marichal, Carlos, Steven Topik and Zephyr Frank (2006), "Conclusion. Commodity Chains and Globalization in Historical Perspective", Steven Topik, Carlos Marichal and Zephyr Frank (eds.), *From Silver to Cocaine: Latin American Commodity Chains and the Building of the World Economy, 1500-2000*, Durham, NC: Duke University Press.

Martin, Phyllis M. (1982), "Power, Cloth and Currency on the Loango Coast", *African Economic History*, 15.

Northrup, David A. (2006), "West Africans and the Atlantic, 1550-1800", Philip D. Morgan and Sean Hawkins (eds.), *Black Experience and the Empire*, Oxford: Oxford University Press.

Parthasarathi, Prasannan (2001), *The Transition to a Colonial Economy: Weavers, Merchants and Kings in South India, 1720-1800*, Cambridge: Cambridge University Press.

Postma, Johannes Menne (1990), *The Dutch in the Atlantic Slave Trade 1600-1815*, Cambridge: Cambridge University Press.

Prestholdt, Jeremy (2008), *Domesticating the World: African Consumerism and the Genealogies of Globalization*, Berkeley, LA: University of California Press.

Riello, Giorgio (2013), *Cotton: The Fabric that Made the Modern World*, Cambridge: Cambridge University Press.

Swarnalatha, Potkuchi (2005), *The World of the Weaver in Northern Coromandel: c. 1750-c. 1850*, Hyderabad: Orient Longman.

Tarrade, Jean (1972), *Le commerce colonial de la France à la fin de l'Ancien Régime: L'évolution du régime de «l'Exclusif» de 1763 à 1789*, Vol. 1, Paris: Presses Universitaires de France.

Thornton, John (1998), *Africa and Africans in the Making of the Atlantic World, 1400-1800*, Second Edition, Cambridge: Cambridge University Press.

Topik, Steven, Carlos Marichal and Zephyr Frank (2006), "Introduction. Commodity Chains in Theory and in Latin American History", Topik, Marichal and Frank (eds.), *From Silver to Cocaine*.

コラム｜*Column*

多言語史料から見たムガル朝インドの港市スーラト

嘉藤慎作

インド亜大陸西北岸に位置するスーラトは、一七世紀から一八世紀前半にかけてムガル朝の支配下で繁栄を謳歌した港市である。スーラトはムガル朝のいわば海の玄関口であった。そこにはイスラーム教の聖地メッカへの巡礼に向かうムガル朝の領民や西アジアから海路を通じて訪れる外交使節など様々な人々が往来した。イギリス人やオランダ人、フランス人、ポルトガル人、アルメニア人などの外来商人もスーラトに拠点を形成し、在地のヒンドゥー教徒やムスリムの住民の間で暮らした。この時期のスーラトは宗教や言語、立場が相異なる多様な人々が居住・往来するコスモポリスであった。

それゆえ、同時期のスーラトに関して、様々な人がそれぞれの言語で史料を書き残している。主要なものを挙げると、まずムガル朝の人々の手に成るペルシア語で書かれた王朝の年代記や地方史、行政文書がある。ヨーロッパ人の会社等の組織が作成した文書や個人で南アジアを訪れた旅行者の記録もあり、それらはポルトガル語や英語、オランダ語といった言語で記されている。一八世紀に入ると当時のインド亜大陸を席捲したマラーターの人々が書き記したマラーティー語の文書からもスーラトの情報を得ることができる。

こうした種々の史料にはそれぞれの特性がある。執筆者の立場によって着眼点が異なり、史料の中で何を取り上げるのかも違う。ムガル朝側で著された年代記や地方史には皇帝の命令や役人の叙任など国家体制に関わる情報が多く見える。東インド会社の史料には、船の発着やムガル朝領内での商品取引の情報などが事細かに記録されている。旅行者の記録には、執筆者の個性が反映されることになるが、自らが目にした街並みや人々の様子、遭遇した事件や見聞きした珍しい物事について叙述されることが多い。史料ごとに性質の違いはあるが、その背後にはそれぞれ豊かな世界が広がっている。

同じ出来事について記されていても、それぞれの史料から見えるそのイメージが大きく異なることもよくある。一六九五年にムガル皇帝船ガンジ・サワーイー号がボンベイ近海でイギリス人ヘンリー・エヴリーの率いる海賊から襲撃を受けた事件についてみてみよう。事件発生後にムガル朝のスーラト県知事が同地のイギリス東インド会社商館に送ったペルシア語書簡からは、近年、イギリス人海賊による襲撃事件が多発しており、またしてもイギリス人が事件を引き起こしたのかと憤慨する様子が読み取れる。

イギリス東インド会社のスーラト商館長はボンベイの上役に送った書簡の中で、自分たちは海賊と関係がないのに、繰り返しスーラトの商人や役人から不当にその嫌疑をかけられていると嘆いている。自分たちに容疑がかかることがわかっていながら、海賊行為を繰り返すはずがなく、交易のライバルであるオランダ人が自分たちを蹴落とすために犯人に仕立て上げようとしているのだと疑ってさえいる。

オランダ東インド会社のスーラト商館長がバタヴィアの総督に送った書簡を見ると、スーラト県知事に襲撃犯がイギリス人であるのかを尋ねられた際、事件の場に居合わせなかったのでわからないと返答したと記されている。イギリスとの同盟関係に配慮する様子も書簡からはうかがえる。

こうして史料を突き合わせていくと、事件の様子やそれぞれの主張の性質、妥当性が徐々に明らかになってくる。後に掠奪の犯人だと判明するエヴリーらは、どちらの東インド会社にも属さないイギリス人であった。ムガル朝側がまず掠奪犯と同じイギリス人を疑い、咎めたのは無理からぬことである。無実を主張するイギリス商館長の言い分も彼らの立場からすれば当然である。双方の言い分は相手方の不当性を訴えるが、その実、どちらも真っ当な主張をしていたわけである。一方、イギリス人を貶めようとするオランダ人の策謀は存在せず、この点は無実を訴えても嫌疑をかけ続けられたことにイギリス側が募らせた疑念が表出したものだと見るのが妥当であろう。

この事例が示すように、特定の事象に関してそれぞれの人々が持つ情報やその表現の仕方が異なるということはしばしばある。時には史料の内容が相反することもある。だが、できる限り様々な立場で書かれた史料を重ね合わせて情報を補完し、史料の持つ視点の偏りなどを読み解いてその情報を整理することで、最初はおぼろげであったイメージが次第に正確な像を結ぶようになる。多言語史料を読み解き、情報を突き合わせることで、当時のスーラトにおいて、人々が相異なる視点・価値観の相克の中でそれでも共存していた様子が明らかになってくるのである。このような人々の立場や考えの違いを踏まえて歴史を読み解く作業を通じて、分断の危機が叫ばれる現代社会の中で他者と折り合いとつけて共に暮らしていくためのヒントを見出すことができるかもしれない。

インド共和国ムンバイにあるエルフィンストーン・カレッジ．同カレッジ内にスーラトを含むボンベイ管区関連のイギリス東インド会社文書を所蔵するマハーラーシュトラ州立公文書館が所在している（2018年，筆者撮影）

焦点｜Focus

東南アジアにおける植民地型政府投資の光と影
――一九世紀ジャワ島強制栽培制度下の森林・女性、そして今

大橋厚子

はじめに――過去のたくらみが生き続けているかもしれない

現在のグローバル化は私たちに福利をもたらす一方で課題も突き付けている。環境破壊やジェンダー不平等などの問題は、グローバル化のどのような仕組みによって現在の形になったのだろうか。本稿では、住民の経済生活の向上や安定とともにこれらの問題が展開する過程を、中央政府が行う支出、なかでも植民地政府の投資と公共財供給との関わりに焦点を当てて追跡したい。本稿では公共財を、谷本が二〇一九年に示した説明に依拠して、経済発展と住民福祉に必要であるが市場で得られない財・サービスとする(Tanimoto and Wong 2019: 2)。

考察する事例は、ジャワ島(現在のインドネシア共和国)の強制栽培制度とこれに続く時代である。以下、第一節で強制栽培制度に至るジャワ島の歴史を略述し、第二節でこの制度が在地社会と森林に与えた影響を示す。そして第三、四節で植民地政府が村落部の女性に担わせた役割を論じたい。

一、大規模政府投資としての強制栽培制度の歴史的背景

二〇一九年に谷本とウォンは、近世における公共財の供給について、日本、中国、そしてプロイセンを比較した研究を世に問うた。従来、近世における公共財供給は、主に国家によって担われたと考えられてきたが、救貧・インフラ建設・森林管理の各分野について比較した結果、国家が主導する供給事業は、水利灌漑施設建設については三国とも大規模工事が存在したのに対し、救貧では中国の穀物備蓄倉庫のみ、そして森林管理では国家が所有する土地でもプロイセンと中国の一部にのみ存在した。そのほかは地方の権力者や村が実施していたのである(Tanimoto and Wong 2019: 2-4, 75-77, 147-149, 235-237)。

右と比較すると、ジャワ島の属する東南アジア、とくに島嶼部では、近世において灌漑施設建設は政権をはじめとする様々な主体が担ったが、森林管理は誰も行わず、救貧は、国王から村長に至るまでの様々な首長が住民に金品を貸与えて保護し、労働で返済させる社会関係で補われた。この状況は自然資源に対して人口が希少であり、かつ政権にとって外国貿易が重要であったことに由来する。東南アジアは日光と降雨とに恵まれ、光合成によって植物が固定する炭素の蓄積量(純一次生産量)が世界トップレベルにあり、多種多様な植生を持つ。また鉱産物資源も豊かである。そしてこの恵まれた資源は、紀元前後から二〇〇〇年間にわたり中国、インド、西アジア、そしてヨーロッパへ輸出され続けた。一七世紀までの輸出産物では香辛料(丁子・胡椒など)、香木(沈香など)、ツバメの巣、砂糖などがよく知られている。また遠隔地貿易は東南アジアの人々自身ではなく、中国大陸、インド亜大陸、西アジア、そしてヨーロッパから来航する船と商人によって行われたので、輸出用産品の種類と量は遠隔地の需要に左右された。東南アジアの政権にとって遠隔地貿易は経済的利益獲得のために極めて重要であり、政権はその時々の輸出用産品の集散地に形

成される傾向にあった。たとえば東南アジア島嶼部を代表する港市はシュリーヴィジャヤ(七―一四世紀)、マラッカ(一五世紀)、バタヴィア(一七・一八世紀)、シンガポール(一九世紀)と移動した。またタイのアユタヤ朝のように政権自体が貿易を行う例も多かった。そこで権力者は商品や船に投資するとともに、輸出用産物の獲得と輸送を担う労働力を確保するために人間への投資を重視し、住民に金品を貸与えて(前貸し)、見返りに労働させたのである(リード 二〇二一：第一―七章、Reid 1988: 129, 136)。

ヨーロッパ人は一六世紀初めから自ら船団を仕立てて本国から東南アジアへ直接来航するようになった。ヨーロッパ勢力も来航当初は、要塞建設を除くと、船舶と貿易に投資した。ヨーロッパ植民地政権が鉄道などのインフラ建設を開始するのは一八五〇年以降であり、盛んになるのは一九世紀末であった。そこで一八三〇年にジャワ島に導入された強制栽培制度はこのインフラ建設以前に植民地政権によって実施された大規模投資と位置づけられる。

強制栽培制度導入の背景は次のようであった。オランダ東インド会社(VOC)は一七世紀にモルッカ諸島やジャワ島で、香辛料を主とした稀少で高価格な産物の独占貿易を試み、生産統制を加えた。しかしヨーロッパでこれらの価格が下落した結果、オランダ東インド会社は一六六〇年頃より遠隔地貿易で高利潤を得られなくなった。そこでジャワ島の産物を低価格で獲得するために、一六八〇年代に同島西部、そして一七四〇年代に東北海岸部を領土とし、現地人首長達に胡椒、コーヒー、砂糖などの引渡を要求した。この引渡は強制栽培制度の前段階と言える。その後一七七〇年頃から一八二〇年代初めまで遠隔地貿易が再び好調となり、コーヒーなどヨーロッパ向け産物の輸出が盛んとなった。くわえて一七七〇年頃からジャワ島周辺海域では華人[1]やカントリー・トレーダー[2]によって、米穀・綿布などの生活必需品の大量取引が始まり、その生産と貿易の拡大が続いた。そこで、既にジャワ島周辺の制海権を失っていたオランダ東インド会社は、華人と協力して輸出用産物を同島内陸からバタヴィアなどの国際港へ集荷して利益を得るようになった(Shimada 2019: 61; リード 二〇二一：第三・七章、池端 一九九九：第三章)。

しかし一八二三年にヨーロッパでコーヒー・砂糖などの国際価格が急落した。一八二〇年代半ば以降、世界規模での貿易量増加に決済手段である銀貨の増産が追付かず、さらに国際通貨制度が混乱したためと考えられる。中国・東南アジア・南アジアで銀貨が流出したり高騰したが、ジャワ島は最も被害が大きかった地方のひとつであった。ヨーロッパからの船の来航が減少し、オランダ植民地政庁(以下、政庁)は一八二四年より財政赤字に見舞われ、一八二七年からは貿易赤字に陥って銀貨が流出した。

そのなかでオランダは一八二五年に本国とジャワ島の貿易を独占するオランダ商事会社、一八二八年にジャワ銀行(後の中央銀行)を設立し、一八三〇年に同島の大部分に地方官僚制度(理事州)、地税制度、そして強制栽培制度を導入した。さらに政庁は一八三二年より銀の裏付けのない紙幣・銅貨を大量に発行して一時的に銀本位制を離脱し、ヨーロッパ輸出用作物の栽培・加工に巨額の政庁投資を実施した。すなわち政庁は、華人およびヨーロッパ人の企業活動に融資し、オランダ人官吏・現地人首長に栽培歩合[(3)]を支払った。また栽培に従事する住民には報酬を支払った(後述)。政庁と華人の関係を説明すると、ジャワ島を拠点とする華人商人は一七七〇年頃から増加し、村落の徴税請負、砂糖工場経営、そしてジャワ島周辺海域や中国本土との貿易を行っていた。政庁は、一八二三年からの輸出用産物の国際価格の急落で砂糖工場経営や貿易などが苦境にあった有力華人に対して融資を行い、さらに村落部での商業の独占を許可して、住民が必要とする綿布・塩などの日用品およびアヘンを販売させた(池端 一九九九:第三章、Elson 1994: 258-261)。

このように、一八三〇年の強制栽培制度導入は輸出用産物の国際価格下落に際した危機対応の大規模政府投資であったと言えるが、同時に、東南アジアにおける在地の社会関係が、ヨーロッパ起源の統治制度と広範に接合された初の事例であった。強制栽培制度は法的には一八七〇年に廃止されたが、実際の栽培は一八八〇年まで多くの理事州で大規模に行われ、一九一九年に最終的に廃止された。強制栽培制度期の政庁投資の第一の目的はオランダ本国を利することであり、本国が対ジャワ島貿易から莫大な利益を得て工業化を果たしたことは、周知の事実である。さらにジャワ島産物のオランダ本国向け輸出金額が輸出総額の八〇%以上を占めた時期が一八三六年から七三年であったことを考えると、同制度が植民地権力による住民搾取の性格を持つことは否めない（大橋 二〇一九、加納 二〇〇三：一五、二一頁）。しかしその一方で、国際価格下落で輸出用産物生産が混乱するなかで、政庁が実施した制度の立直しと投資は住民の生活維持の選択肢を増やすことにもなった。

二、強制栽培制度の在地社会への影響

強制栽培制度研究を振り返ると、一九世紀後半から一九八〇年代までの研究では、同制度の負の側面が描かれ住民の疲弊が強調された。強制栽培は住民にとって過重労働であるうえ、現地人首長達の恣意的収奪が強化されたため、稲の凶作・飢饉が起き、逃亡も頻発した。これに対して一九九〇年代からの研究ではプラスの側面を指摘するものが多くなった。人口増加、住民の物質的生活の向上、そして緩やかであるが商工業が拡大したことに注目し、経済発展が指摘された（大橋 一九九四）。この研究動向は現代の社会的弱者（マイノリティ）に関する研究動向の変化とほぼ同じである。しかしその後、現代の社会的弱者については、持続可能な開発目標が決定された二〇一五年前後から一つの報告書の中に両側面を併記するものが目立つようになる一方で、強制栽培制度研究は依然として一面のみの評価が主流である。そこで以下、この制度について、政庁による投資と公共財供給とを手掛かりに両側面の現象が出現した背景の説明を試みる。

投資についてみると、政庁は住民の夫役労働[4]を使用してコーヒー、砂糖などヨーロッパ向け作物を栽培させたが、無償ではなく栽培報酬を支払った。一部は前払いであった。くわえて輸出産物加工工場や輸送用道路などの建設のた

めに住民から資材を有償で調達し、労働に対しては賃金を支払った。このうち資材の調達は住民の手工業の発達を促したと言われる(第三節参照)。こうして在地社会に銅貨が大量に供給され、住民は輸入された綿布やアヘンなどを購入した。そのなかで輸出用作物の栽培拡大、住民への報酬支払の増大、および住民生活の物質的向上の連動が見られ、とくに一八三五―四三年に顕著であった。これらのことから当時の人口増加の要因として住民の生活の安定を指摘する研究がある(Elson 1994: 68, 71, 263, 289)。また政庁による強制栽培制度と地方官僚制度の導入は、それまでの政治・経済的不安定で混乱した在地社会に、抑圧的ではあったが平和と秩序をもたらし、住民生活の安定に役立った。

ただし産物の国際価格が低いなかで、政庁は財政支出を抑えて産物を入手する必要があり、インフラ建設、森林管理、救貧事業をほとんど実施しなかった。第一に政庁は、強制栽培制度導入とともに現地人首長にインフラ建設を促した。輸出産物輸送用の道路建設は首長によって継続的に行われたが、灌漑施設建設は一八三〇年代に進展が報告されたものの四〇年代には下火となった。コーヒー園は焼畑耕作のような増設とその放棄が繰返された。鉄道・灌漑など政庁による近代インフラ建設は、一八六〇年代から本格化したが、盛んとなったのは一九世紀末からであった(Elson 1994: 237, 251-255; 大木 二〇〇六:七六頁、田中 一九八七)。

第二に森林管理は全くなされなかった。一八三〇年代前半のジャワ島は森林に覆われて耕地は全土の八分の一であったが、一八七〇年に三分の一となり、森林は一九三〇年までに全土の二〇%にまで減少した。森林の伐採は強制栽培制度期にコーヒー園拡大、燃料・建築資材の需要のほか、住民の開墾で加速した。地税は灌漑田など生産性の高い耕地ほど高かったので、住民は耕地に投資せずに地税の低い畑作や焼畑耕作を選択し、稲作技術も改良しないといった、土地略奪的耕作をした。当時の在地社会では森林は無限と考えられており、人口増加は技術向上を伴わない耕地拡大で吸収された。森林減少の弊害に気づいた政庁は一八七四年に森林破壊を法律で規制したが、ヨーロッパ企業の伐採を規制しなかったうえ、住民の開墾を止めることもできなかった。そして一八八〇年から一九二九年にかけて森林の減少による河川流量の減少、泉の枯渇、洪水、土壌の浸食が各地で報告されるようになった(大木 二〇〇六:六七―九七、一四〇―一四三頁)。

第三に、救貧分野では、従来の救貧主体であった現地人首長が政庁から給与および栽培歩合を得るようになり、配下の住民を強制栽培関係労働に動員することが利益となった。くわえて彼らの収入源だった輸出用産物輸送と商業は主に華人が担うようになった。こうして首長は住民を繋ぎとめるために行ってきた灌漑設備建設や食糧備蓄に対し意欲を失い、住民に搾取的となった。[5] 救貧は華人や政庁官吏が住民に供給する銅貨と信用に置換えられたことになるが、産物の輸出が拡大し在地社会に銅貨が供給され続ける限り、その脆弱性は明らかにならなかった。しかし一八四〇年代後半、コーヒーの国際価格が更に下落するとともに政庁の政策が破綻して銅貨供給がストップした時、ジャワ島は広範な不作・飢饉・疫病に見舞われた。これについては気候変動も一因であったが、この時期の変動は前後の年代と比べて大きなものでなく、自然災害とだけ見ることはできない。この危機に直面した政庁は、村落内での米穀備蓄、米穀以外の主食の栽培、灌漑設備建設を指示し始めたが、依然として大規模な投資を行うことはなかった(Elson 1994: 100-108, 118-126; Koloniaal Verslag 1850: 71-73)。

このように強制栽培制度導入と政庁の投資という人的環境の変化によって、それまで自然資源と在地の社会関係が担っていた救貧に関わる財やサービスの供給がバランスを失い、天然の救貧公共財である森林の過剰開発が顕著となった。くわえて村落部の庶民の女性、とくに青壮年既婚女性に救貧のみならず生活維持全般の負担がしわ寄せされたと考えられる。以下、植民地文書に見られる村落部の女性および男性の記述から、政庁が女性に担わせた役割を検討する。

三、植民地文書に見える強制栽培制度下の村落部の女性

一五世紀から東南アジアに来航したヨーロッパ人男性は、東南アジアの女性の社会的地位がほかのアジアと比べて高いことに驚き、市場での商売は主に女性がすること、機織《はたおり》(綿布)も主に女性が行ったことなど、その経済的自律性を具体的に記している。ただしこれらは港町や人口稠密な地域での見聞であり、人口や市場の少ない奥地ではやや異なっていたと推測される。さらに市場で収入を得ることには危機対応の側面があった。作物が不作の年、他の商業的試みに失敗したとき、あるいは借金があるときに、市場での商売は家計を支える最も確実な方法であった(Locher-Scholten 1986: 202; 太田 二〇一六:六頁)。

その後植民地化が進んだ一八一〇年代から、ジャワ人男性は能無しであるという否定的な言説が女性の過重労働を正当化するようになった。

ラッフルズは一八一四年にジャワ島に地税制度を導入したイギリス人であるが、「女性の労働は男のそれとほぼ同様の利益を生む」(Raffles 1988: 70)、現物支給の労働ではほぼ等量の米穀を得ると述べる(*Ibid.*: 109)。そして「金銭の取り扱いについては、ジャワ人女性は男性に勝ると普遍的に考えられている。一般の労働者から州知事まで、夫は妻に金銭問題のすべてを委ねるのが常である。女性は一人で市場に行き、売買行為のすべてを行う。ジャワの男性は金銭に関しては白痴(fools)であると諺のように言われている」(*Ibid.*: 353)と記した。くわえて「下層の女性の間で無分別な労働様式がある。妊娠中に過度に重い荷物の運搬や過酷な野良仕事で無理をすることで頻繁に流産をする」(*Ibid.*: 70)ことが、夫婦世帯の子供数がヨーロッパより少ない理由の一つであるとする。当時地税は金納であったが、住民は貨幣を華人商人から得るほかはなく華人商人に従属的になったと言われる。とすれば、ラッフルズが「無分別」と

する重労働は、彼が導入した地税によって農家の主婦が華人から貨幣を得ようとしたためかもしれない。このほかオランダ人官吏は一八二〇年代半ばに、ジャワ島西部の村落部の女性について「世話好きであることおよび勤勉で明るく、知識と技術のあることが、夫への奉仕に大変有益である。さらには仕事に対する理解力と熟練がしばしば夫に勝る」(大橋 二〇一〇:二八四頁)と評価したが、その背景には、当時ジャワ島西部でコーヒー栽培夫役に青壮年男性が大量に動員され、既婚女性が、夫の不在時に自給農業(稲作)を行い生活を維持した実態があった。

男性は無能であるという一般論はその後の強制栽培制度期にも継続した。一八七八年の法令の添付資料には地税の支払について、「金銭がなくて親族に借りられないときには、妻が村長の妻のところに借りに行く。なぜなら男は金銭を理解せず、両替の時に簡単に騙される」とある(Locher-Scholten 1985: 202)。さらに男性はアヘンとギャンブルで散財すると言われた。実際一八五〇年代以降とくに砂糖栽培地帯で、男性のアヘン消費が増大する一方で女性は吸わない現象が観察された。ただしこの時期の一般論には政庁の収奪の隠蔽が見える。強制栽培制度期には煙草商人をはじめとして金銭の扱いにたけた男性たちが存在し、また露店経営者は男女半々であったと言う。その一方で、男性が金銭に疎いことで利益を得るのは、そう記述するオランダ人官吏が属する政庁と、アヘンやギャンブルを提供する華人であった。政庁は強制栽培制度導入当初から住民に支払った銅貨をアヘンなど商品で回収する意図を持っていた。一八三〇年以降、住民への栽培報酬の支払によって在地社会で銅貨が急速に普及したが、銅貨は原則として夫役で作物栽培をする男性に支払われた。とくに内陸では男性が政庁の指定する集荷倉庫にコーヒーを運んで銅貨を得、倉庫に隣接する華人の店で商品を購入したのである。なおオランダ人官吏は男性が自分と妻子の装飾品を購入すること、女性が金銀装飾品と服を所持することを、生産に投資せずに散財するとの含みで記述するが、これらは万一に備えての蓄財と考えて間違いない(Elson 1994: 199, 322, 332; Rush 1990: 36)。

次に男女の生産労働の具体例を、エルソンの百科事典的な研究書から抜き出してみよう。強制栽培における女性の主な労働はコーヒー摘果、脱穀、乾燥、選別、そして砂糖工場や藍工場での男性の補助であった。政庁は男性を強制栽培の主力労働力、女性を労働力不足を補う補助的労働力と位置付けていた。ただしすべての世帯が強制栽培に従事するわけではなく、従事する世帯は一八五〇年で五割弱であった(Elson 1994: 61, 119, 161, 191, 205; 大橋 一九九四：二三二頁)。

ついで手工業をみると、男女とも籠・袋・筵・壺製作、椰子油製造、軽食・菓子の売歩き、機織(綿布)など多様な経済活動に従事したことが報告されている。これらは自給農業のみでは収入が足りない時の副業として記され、人口の増加した一九世紀後半に事例が多くなる。籠・袋・筵にくわえて、男性が主に担ったと推測されるレンガや石灰製造は輸出用産物工場建設および輸送の増大などで需要が増した。壺製作と椰子油製造は地域によって主に女性が担い、機織はほぼ女性の仕事であった。綿布の生産量は増加せず地域によって減少したが、その主な原因は安価なヨーロッパ綿布の輸入であり、一八五〇年代にジャワ島の需要の半分をヨーロッパ産が埋めていた。女性は安い輸入綿糸を購入して機織を続けたり、機織をやめて、より利益の上がる煙草栽培や露店経営をしたりした。商業については農産物を近隣の市場で販売するのはほとんどが女性で、対価として銅貨、煙草、キンマ[6]、塩、食事を得たという。それより広域の市場では男女の商人がおり露店などを経営した(Elson 1994: 205-206, 255-276)。

自給農業をみると、オランダ人官吏は稲作を女性の役割と考えており、稲作の改善は女性が協力しないと実現しないことを実感していた。具体的労働でも、明確な分業ではないものの稲作作業の大部分を女性が担当する傾向が認められた。くわえて強制栽培制度期中に、女性の労働の重心が機織から米穀生産へ移動したという議論がある(Locher-Scholten 1986: 205, 226; Elson 1994: 273-274; van Nederveen Meerker 2019: 97)。

本節の最後に、農家世帯内の男女の分業を、家計日誌を検討した研究から紹介しよう。一八八〇年代半ばと時代はやや下るが、貧しいながら何とか食べていける農家三世帯の事例であり、家族構成は夫婦と子供(それぞれ三人、三人、五人)のほか、二世帯で妻の母親が同居していた。なお、労働時間は夫のもののみが記録されている。

強制栽培にかかわる世帯は一世帯のみであるが夫役負担は三世帯とも重く、夫の年間総労働時間の六分の一から半分を占めた。この夫役をすべて貨幣で代納した場合、その金額は、いずれの世帯でも年間収入の五割以上となった。地税も負担であり、支払うために借金をした世帯が一つあったが、妻の兄弟からしていた。地税は水田が重く、畑や山林で稲作をする世帯の納税額の方が小さかった。農業は三世帯とも稲作が中心であるものの、畑や菜園での作物栽培、養鶏、養牛、木材伐採などの農林業を環境に応じて組合わせ、その産物を販売して家計を維持していた。農林業以外の経済活動をみると、二世帯で妻が機織をしていたが、いずれも妻の母親が同居する世帯であった。妻達はヨーロッパ製の綿糸を購入して機を織り、そのうち一世帯では妻が助手を雇っていた。また助手のいないもう一つの世帯では夫が甘味飲料を作って売り歩いていた。なお三世帯とも近隣農家の稲刈の手伝いを妻が有償で行っていたが、夫が甘味飲料を販売する世帯では、報酬である米穀が自世帯の耕地で収穫した米穀の五八%に達していた。この研究は男女の分業を分析したものではないが、農家世帯が多彩な経済活動で家計を維持するなか、男性が夫役に長時間動員され、妻が機織と稲刈で副業的収入を得ていたことが解る(大木 二〇〇六:第九章)。

以上、強制栽培制度期には男女とも生活の資を得る機会が増したものの、既婚女性は、夫が夫役などに動員されたあとの生活を維持する役割を担わされていたと考えられる。

四、二〇世紀前半における女性の役割の素描と今後の研究課題

二〇世紀に入ると、男性は無能であると言う一般論は、近代家族を前提とするようになり、ヨーロッパ人によってジャワ人男性は家族を養うことができないと表現されるようになった。「原住民」が怠惰であるという言説が流布し、

一九二五年にはヨーロッパ人製糖企業経営者が「ジャワ人の男は家族を養う意思を欠いている。男も女も子供も自分の食い扶持を稼がねばならない」と述べた。さらに貧困の原因を農民の性格の弱さや無知に帰して教育、とくに母親の教育で未来の労働者の態度を改善しようとする考え方が登場した(Locher-Scholten 1986: 205, 210)。このような、主体に注目して構造的問題を不問とする、為政者にとって安上がりな論法は、現在の教育開発にも一部残存する。

これに対して実際には、村落部の男性は強制栽培制度期から長時間労働に従事しており、二〇世紀に入って盛んとなったジャワ人向け煙草および砂糖製造業とその材料である煙草とサトウキビの栽培は男性が主導した。その一方で、賃金労働は一世帯が生活できない低賃金であり自給農業や一家総働きが前提であった。ヨーロッパ系製糖企業は女性を男性より安い賃金で長時間使用する意図を持っており、右に示した一般論はその口実であった。当時ジャワ島の基幹輸出産業であった製糖業は一九一〇年代にはインド・中国・日本などのアジアを主な市場としており、自由市場で価格による競争力の確保が必須だったのである(Locher-Scholten 1986: 210-211; 加納 一九九三、植村 二〇〇八、加納 二〇〇三:一一七、一二六－一二七頁)。

右の低賃金が維持された背景には人口増加と政庁の政策があった。ジャワ島では一八八五年頃まで労働力が不足していた。しかしこれ以降は、耕地拡大が限界に近づくとともに燃料不足も深刻化して、自然資源に対する人口過剰が意識されるようになった。賃金は低下し、政庁は住民の貧困化が進んでいるとの認識を持った。政庁はこの頃から鉄道・水利灌漑施設建設などインフラ建設に本格的に着手したが、主な目的はサトウキビ栽培と輸出向け作物の輸送を効率化することであった。また不足する米穀は東南アジア大陸部から、灯油はスマトラ島などから輸入されたが、政庁は輸入関税や許認可権、そして建設した鉄道や道路を利用して輸入品の供給を管理した。こうしてジャワ島住民は政庁や輸入業者に対して従属的となった。自給農業をみると、米穀輸入と米穀以外の主食作物栽培の重要性が増したためか、政庁は稲作と女性の結びつきに一九世紀ほど注目しなくなる。しかし一九二〇年代にも男性より女性が稲作に多くの時間を割いている傾向は明らかであり、女性は依然として食糧自給の役割を担っていたと言える（Locher-Scholten 1986: 216-217, 234-237; 大木 二〇〇六：九八―九九頁）。

以上、東南アジアの女性はアジア地域において相対的に地位が高いと言われるが、オランダ植民地支配下ジャワ島では、経済的自律性と才覚を巧妙に主体化され、青壮年男性が夫役や賃金労働に引出された後の自給農業や生活維持の責任を負わされていたと考えられる。救貧について言うと、財やサービスの供給主体であった首長層が弱体化したのち、世帯の経済危機には既婚女性が必需品や貨幣を農業、商業、賃金労働や借金で獲得するように方向づけられていたのである。その影響は一九四九年の独立後まで残った。一九五〇年代にジャワ人の家族関係を調査したアメリカ国籍の白人女性文化人類学者は、核家族が社会保障を代行すること、家族の結びつきの中心は女性であり、稲刈と米穀の売却は女性の仕事であることを理解した。そして一九世紀初めのラッフルズとほぼ同じことを記述する。すなわち、男性はよく考えたうえで金を使うことができないので、家計の管理を妻に任せていると、ジャワ人男性自身が言う。さらに実際に家計のやりくりや重要な決定は妻がするとして、次の事例を挙げる。地方公務員である夫が華人に金を借りてギャンブルで負けたが、何もしないで黙っていた。華人はすぐに公務員の妻のところに行った。妻は月ぎめで借金を返済するために家事手伝いをしたり米菓子や煙草を売ったりした。以上の文化人類学者の記述をジャワの伝統と言い切ることはできない。植民地支配によって歪曲された社会構造をジャワ人が内面化した可能性は大きい（ギアツ 一九八〇：四、五三―五五、九四、一四八―一五二頁）。

右の問題の起点である強制栽培制度期の研究をみると、近年、既婚女性の多忙と人口増加の関わりが注目を集めている。そのなかで一九八〇年代に提起されて以来いまだ実証されていない以下の仮説が再び脚光を浴びている。強制栽培制度下の労働力需要によって女性労働が長時間化して、妊娠しにくいと言われる授乳期間が短縮された。この結果、女性が産後早期に妊娠するようになり出生率が上昇して人口が増加した。本稿をここまで読まれた読者は、この仮説が、ラッフルズに始まる、住民の愚かさに注目して為政者の悪政を不問とする一般論の思考から充分脱していないことを理解されよう。さらに、人口が相対的に稀少な一八六〇年頃までの政庁文書には、輸出用産物と自給農業とが子供も含めた男女の労働時間を奪い合う事態が記述されているものの、女性の労働時間が前後の時代に比べて長時間化したか否かは証明が難しい(Elson 1994: 288-291; van Nederveen Meerker 2019: 104-105)。

これに対して女性の能動性に注目して、既婚女性を中心とした分業と協業を生活維持負担の分散策とみて調査するならば、時代ごとの展開と変化を明らかにできるであろう。

まず、銅貨の大量供給下で頻繁に行われた金品のやり取りをともなう労働の軽減や交換の考察が挙げられる。前節でみたように、機織をやめてヨーロッパ産綿布を購入する例、糸を購入して機織をする例、助手を雇う例がある一方で、一八三〇年以前からの慣行である、稲刈の手伝いを有償で行う労働交換も継続されていた。

ついで世帯内分業の更なる考察が必要である。人口増加期の近代日本では三世代同居の農家世帯内で成人女性間の役割分担が存在したが、強制栽培制度期ジャワ島でも、前節最後の二世帯の機織に見られるように世帯内の女性の役割分担があったと考えられる。一九二〇年代に出版された民話集にも、娘が母のために機を織り、母は市場へ糸を買いに行く話、母のもとで暮らす未婚の姉妹が畑でとれた米穀や野菜を二人で市場に売りに行く話が載る。なお一九世紀の統計に見られる一世帯に平均二、三人の子供数は労働可能な娘・息子(およそ八歳から一五歳)の人数と考えて間違いなく、主婦以外に男児も含めた複数の働き手が存在した(谷本 二〇一九、フリース 一九八四:二二七―二二八、五九六―五九七頁、大橋 二〇一〇:二九三頁)。

くわえてジャワ島では一九世紀以来夫婦一組が独立した家と竈を持つことが一般的であったので、母娘、姉妹などの世帯を超えた協力の考察も重要である。たとえば一九六〇年代に出版された民話の中には、世帯を別にする姉妹間の衣食の融通、米搗きの手伝い、さらにおばと姪が一緒に薪を取る話がある。また一九五〇年代には、結婚後の娘が母に経済と労働力で依存すること、女性が仕事と家事・育児を両立させるために妹や娘の助力を得ることが常態だった(なみお 一九八五：八四―八五、一〇三頁、ギアツ 一九八〇：一四六―一四七、一五〇頁)。

これらについて一八三〇年から八〇年代までの展開を考察するためには、史料探しから始める必要があるが、この作業はジャワ島以外の東南アジアとの比較に道を開くであろう。

おわりに――そして今

インドネシアは一九四九年に独立し、一九七〇年代から開発独裁政権による工業化が始まったが、この工業化には恵まれた自然資源、世界トップクラスのジャワ島の人口密度、そして植民地期に起源を持つ教育と官僚制度が有効に働いたと言える。同国は一九九〇年代末の民主化以降さらなる経済成長を遂げ、二〇二一年現在中進国の地位にある(加納 二〇〇三：第八章、加納 二〇二二：結びに代えて)。

しかしその一方で、植民地期から続く低価格を強みとする産物輸出の見えない圧力から未だ脱出できないかのような事態も続く。一九七〇年代の家族計画導入後もインドネシアの人口は増加し、一九八四年に一・六億人であったものが二〇二〇年に二・六億人を超え、内外の資本に安価で豊富な労働力と、拡大する市場を提供している。輸出金額第一位のパーム油は中国とインドを主な市場とする。小農によるコストを抑えたアブラヤシ栽培が評価される一方で、プランテーションおよび小農栽培に対する環境保全政策は効果が充分でなく、スマトラ島およびカリマンタン島における熱帯雨林の減少に歯止めがかかったとは思えない。栽培はジャワ島からの移民労働者が多くを担っている(加納 二〇二二：第二章)。さらに植民地期の夫役に起源をもつ政府への無償労働が、軽微とはいえ現在も全国的に継続されるほか、米穀の不足分の輸入は中央政府が独占的に行っている。くわえて公共財供給主体がオランダ政庁を残して弱体化した際の女性へのしわ寄せも十分解消されていないようである。二〇二二年のインドネシアのジェンダーギャップ指数は日本よりやや高い九二位(一四六ヵ国中)であり、なかでも労働力率と推定勤労所得が低い。貧困世帯の既婚女性が家政婦として海外に多数出稼ぎに行っており、またコロナ禍はインドネシアでも貧しい女性により厳しい打撃であると聞く。二一世紀になっても女性の経済活動は危機対応に多く割かれているのかもしれない。

インドネシアの周囲を見ると、東南アジア諸国は開発独裁政権下で、海外援助・外資を導入し、大都市の工業化による経済の離陸を経験した。その一方で、多くの国では、一九世紀より物質的にはるかに豊かになったのと引換えかのように、多忙となったうえ、地域住民の生活維持に関わる問題を金銭で解決する方法の負の側面を抱え込み、環境・防災などの分野での女性の負担が次第に顕在化しているように見える。その原因を途上国の文化や社会の遅れに帰すと解決策を見失う。これに対して、欧米由来の制度と在地の社会関係が接続するなかで公共財の供給者が変化していく各国の歴史的経緯を、共通点と相違点に留意しつつ追うならば、グローバルな構造化によって各地に埋めこまれた問題が明らかとなり、これに対処することが容易となる。

このような公共財供給をめぐる政府、地域住民、そして両者の中間にある諸組織・慣行の比較検討は、日本はもちろんグローバルに有効かもしれない(谷本 二〇一九)。

注

(1) 一八・一九世紀の東南アジア史では中華系の人々の総称として華人という用語を用いる。
(2) インドから中国にかけての海域で地方貿易に従事するヨーロッパ人貿易商人。
(3) 管轄の行政地区から引渡されるヨーロッパ向け産物の金額に一定の比率をかけて支払われた手数料を言う。
(4) 首長層に対して住民が負う労働奉仕義務。

（5）イスラム宗教役人が公共財供給の一部を担っていた可能性は非常に高く、今後の研究課題である（大橋 二〇一〇：九九頁）。
（6）嗜好品。アカネ科のつる植物の葉。

参考文献

池端雪浦編（一九九九）『世界各国史6 東南アジア史II 島嶼部』山川出版社。

植村泰夫（二〇〇八）「植民地後期ジャワ製品煙草研究序説」『広島東洋史学報』一一号。

大木昌（二〇〇六）『稲作の社会史――一九世紀ジャワ農民の稲作と生活史』勉誠出版。

太田淳（二〇一六）「東南アジア女性はどう描かれてきたか――一七～一九世紀ジェンダー史研究の粗描」水井万里子・伏見岳志・太田淳・松井洋子・杉浦未樹『女性から描く世界史――一七～二〇世紀への新しいアプローチ』勉誠出版。

大橋厚子（一九九四）「強制栽培制度」池端雪浦編『変わる東南アジア史像』山川出版社。

大橋厚子（二〇一〇）『世界システムと地域社会――西ジャワが得たもの失ったもの 一七〇〇―一八三〇』京都大学学術出版会。

大橋厚子（二〇一九）「銀の流通に学ぶ一九世紀前半の東南アジア諸国家の動向――域外貿易を重視した概説」豊岡康史・大橋厚子編『銀の流通と中国・東南アジア』山川出版社。

加納啓良（一九九三）「ジャワのヨーマンリー？――農民甘藷作発展史序説」秋元英一・廣田功・藤井隆至編『市場と地域――歴史の視点から』日本経済評論社。

加納啓良（二〇〇三）『現代インドネシア経済史論――輸出経済と農業問題』東京大学東洋文化研究所。

加納啓良（二〇一二）『インドネシア――二一世紀の経済と農業・農村』御茶の水書房。

ギアツ、ヒルドレッド（一九八〇）『ジャワの家族』戸谷修・大鐘武訳、みすず書房。

田中則雄（一九八七）「一九世紀、ジャワ灌漑史」『南方文化』一四号。

谷本雅之（二〇二〇）「家事労働の比較経済史へ向けて」浅田進史・榎一江・竹田泉編『グローバル経済史にジェンダー視点を接続する』日本経済評論社。

なみおあや（一九八五）『チェリタ・ラッヤット――インドネシアの民話と地誌』未来社。

フリース、ヤン・ドゥ（一九八四）『インドネシアの民話――比較研究序説』斎藤正雄訳、関敬吾監修、法政大学出版局。

リード、アンソニー（二〇二一）『世界史のなかの東南アジア――歴史を変える交差路』（上・下）、太田淳・長田紀之監訳、名古屋大学出版会。

Elson, R. E. (1994), *Village Java under the Cultivation System 1830-1870*, Sydney, Asian Studies Association of Australia.

Koloniaal Verslag van Nederlandsch Indie. 1850.

Locher-Scholten, E. B. (1986), "Some remarks on the role of women in indigenous agriculture in colonial Java (19th) and 20th century", Sartono Kartdirdjo (ed.), *Papers of the Fourth Indonesian-Dutch History Conference Yogyakarta 24-29 July 1983*, Vol. 1, Agrarian History, Yogyakarta, Gadja Mada University Press.

Raffles, Thomas Stamford (1988), *The History of Java*, Singapore, Oxford University press. Reprint.

Reid, Anthony (1988), *Southeast Asia in the Age of Commerce 1450-1680*, Vol. 1, *The lands below the Winds*, New Haven, Yale University Press.

Rush, James R. (1990), *Opium to Java: Revenue Farming and Chinese Enterprise in Colonial Indonesia, 1860-1910*, Ithaca, Cornell University Press.

Shimada, Ryuto (2019), "Southeast Asia and International Trade: Continuity and Change in Historical Perspective", Keijiro Otsuka and Kaoru Sugihara (eds.), *Paths to the Emerging State in Asia and Africa*, Singapore, Springer.

Tanimoto, Masayuki and R. Bin Wong (eds.) (2019), *Public Goods Provision in the Early Modern Economy: Comparative Perspectives from Japan, China, and Europe*, Oakland, University of California Press.

van Nederveen Meerker, Elise (2019), *Women, Work and Colonialism in the Netherlands and Java Comparisons, Contrasts, and Connections, 1830-1940*, Switzerland, Palgrave Macmillan.

焦点｜*Focus*

感染症・検疫・国際社会

永島 剛

一、「疾病による世界の統合」論

歴史家エマニュエル・ル・ロワ・ラデュリは、一四世紀から一七世紀を「疾病による世界の統合」(the unification of the globe by disease)が顕著に進行した時期として位置づけた。この「統合」プロセスをル・ロワ・ラデュリは二段階に分け、それぞれを象徴する劇的な動向をあげている。第一段階においては、アジア方面から伝播したペストが一三四七年からヨーロッパで大流行したこと。そして第二段階は、一五世紀末以降、ヨーロッパ人やアフリカ人奴隷たちの到来とともに、現地の人々が免疫をもたない病原体が南北アメリカにもたらされたことである(Le Roy Ladurie 1981)。

太古から地球上では、各地で病原体・媒介生物・人間の間で棲み分けや寄生といった関係性がそれぞれに形成され、場所によっては人々の間で感染症が発生していたと考えられる。地域の境界を越える生物たちの移動・接近が稀であるうちは、その病気の流行は局地的なものに留まるが、境界を越えた移動・交流の頻繁化とともに、病気拡散のリスクは高まる。たとえば六—八世紀にアフリカ北東部から東ローマ帝国に広がったとされるペスト(第一次パンデミック)

や、八世紀に大陸から日本に伝播し平城京でも多くの死者を出した天然痘など、古代以来、人々の移動・交流にともない各地で感染症の越境は繰り返されていたが、かつてない激しさと広がりをもってそれが現出したのが一四—一七世紀だったというわけである。

ル・ロワ・ラデュリはこれを「病原体の共通市場の形成」(the creation of a common market of microbes)とも言い換えている(Le Roy Ladurie 1981: 30)。地域間の疾病交換が進み、まずはユーラシアから北アフリカにかけて、その後大西洋を越えてさらにこの「共通市場」は広がったということになる。「市場」という比喩からは、人々による交易活動との連動性が想起されやすい。

ペストの第一次パンデミックが八世紀半ばに収束したのちも、ペスト菌は、寄生関係にあるノミや齧歯類(ネズミなど)とともに、アジア内陸部の人里から離れた場所に生息していたと考えられる。具体的に菌・ノミ・ネズミの生息域がどこであり、いつ頃なぜ人間へと感染が広まり、どのようなルートを辿って流行が伝播したのかについては諸説ある(飯島 二〇二一)。ウィリアム・マクニールは、東は中国、西は黒海周辺におよぶモンゴル帝国の形成を重視し、一三世紀をつうじて中央アジアを横断する軍隊や隊商の往来が増加したことが、菌・ノミ・ネズミの生息域の拡散を助長し、一四世紀になって黒海周辺での人間のペスト流行の発生につながったとみる(マクニール 二〇〇七:下巻二四—三三頁)。

一三四七年、コンスタンティノープルでの流行以降、ヨーロッパでの大流行が始まった。地中海沿岸の海港都市からまずイタリア、フランス、スペインなどの内陸へ、さらに一三五〇年までにブリテンやアイルランドを含むヨーロッパの広範囲に流行は拡大した。いわゆる地中海交易圏から北海・バルト海交易圏へとつながる商業ネットワークに沿った拡大だった。ただし通常の商業活動のみならず、流行発生後の都市から農村への避難行動が被害の拡大につながったことが想像される。「黒死病」とよばれるこの大流行で、地域差は大きかったものの、ヨーロッパ全体としては人口の少なくとも三分の一が失われたとされる。なぜここまで高死亡率となったのかについては、わからないことも多い。腺ペスト(ノミを介した感染)のみならず肺ペスト(人から人へ感染)が多発していた可能性、ペスト以外の致死性の高い感染症(炭疽など)が混在していた可能性、中世後期をつうじての人口増が食料供給に対して過剰になっていたことが人々の抵抗力に影響した可能性など、さまざまな論点がある。いずれにせよ、黒死病がヨーロッパの経済・社会・文化に及ぼした影響は大きかった(Slack 2012; 宮崎 二〇一五)。

人口激減ということでは、一六世紀におけるカリブ海諸島やアメリカ大陸のほうがさらに深刻だった。たとえば中部メキシコでは、コルテスによる征服前の約二五〇〇万(一五一八年)から、一七世紀初頭には約一〇〇万にまで先住民人口が激減したという推計がある(Le Roy Ladurie 1981: 74)。コロンブスの航海(一四九二年)以降、ヨーロッパ人及び連行されたアフリカ人奴隷たちによって、先住民が抗体をもたない天然痘や麻疹などの感染症がもたらされたことが関係していたと考えられる。ただし抗体の有無だけで人口減のすべてが説明できるわけではない。征服者たちによる虐待や搾取が、先住民たちの生活や労働、そして人口動態に与えた影響も考える必要がある(リヴィー-バッチ 二〇一四:五四―六三頁)。

大西洋交易により、人やモノのみならず病原体もが行き交ったことを、歴史家アルフレッド・クロスビーは「コロンブス交換」と呼んだ(Crosby 1972)。クロスビーはまた、対等な相互関係のニュアンスをもつ「交換」という語に代えて、ヨーロッパ人が南北アメリカを支配したこと、その支配が一七六〇年代以降オセアニア・太平洋諸島に拡張されたこと、そしてその拡張主義の成功にとって彼らが持ち込んだ病原体が決定的な意味をもっていたことを、「生態学的帝国主義」という語で表現している(クロスビー 二〇一七)。クロスビーの生物・生態学的決定論には批判もあるが、感染症が一因となり、ハワイやオセアニアでも、ヨーロッパ人来航後、現地人口の減少があったことはたしかなようである(アーノルド 一九九九:一二〇―一二二頁)。ル・ロワ・ラデュリ流に言い換えれば、太平洋諸地域も、一八世紀後半になって「疾病による世界の統合」のプロセスに組み込まれたということになる。

二、近世ヨーロッパにおける検疫

「公衆衛生」の生成

一三四七年からのペスト大流行は一三五〇年代初頭に一旦収束したが、その後もペストはたびたびヨーロッパの各地を襲った。一七二二年を最後に西欧では顕著な流行は途絶えたが、東欧やイスラム世界では一九世紀半ばまで流行がおきており、そこまでをペストの第二次パンデミックの期間とする見方もある(Hays 2005: 41-68)。ちなみに第三次ペスト・パンデミックは一八九四年に香港で発覚し、アジアを中心に広まった。

ペスト菌が発見されたのはその一八九四年だったが、現代医学に照らした正確性はともかく、ペストが感染する病気であるという大まかな認識は、黒死病当時からあった。一三四八年、ヴェネツィアやフィレンツェでは、臨時の衛生委員会が設置され、市内の不衛生状態の除去に加え、流行地からの人々や物品の市内への流入を遮断する措置がとられた。一三七七年、アドリア海沿岸の都市ラグサの港では、流行地から来航した船舶を三〇日間留め置くための監視所が設置された。一三八三年にはマルセイユが停船措置を四〇日間に延長し、他の海港都市もこれに追随した。実際には場所ごとにその都度、停船措置期間はまちまちだったが、イタリア語で四〇を意味する語から派生した quarantine が、こうした「検疫」を指す語として使われるようになった(Porter 1999: 34)。

一五世紀になると、イタリアの都市国家では、衛生状態や病気発生の監視、感染が疑われる人やモノの隔離など、防疫を担う行政部局の常設化が進んだ。海港都市では本格的な検疫・隔離施設が建設され、内陸都市でも市中心部から離れた場所に避病院がつくられた。こうした隔離施設には献身的な看護の記録がある一方で、感染者や感染の疑いのある人々の隔離・排除という行為が人々の間の差別意識を醸成する側面もあった。特に貧民・浮浪民や異教徒らが病気を広めているとする風説が生じ、そうした人々に対する差別・迫害の助長を招いた。病気の流行を防ぎ健全な空間を保全することは「公共善《パブリック・グッズ》」であるとする考えにもとづいていたが、抑圧的な権力の行使を伴う防疫活動は、住民や訪問者たちの不満や敵意の対象ともなった(チポラ 一九八八、Slack 2012)。

イタリア都市国家は、ヨーロッパ各地における公衆衛生行政のモデルとなった。たとえばパリやブルゴーニュ公領、あるいはイングランドなどでは、一六世紀前半に、イタリアを模したペスト対策令が出されている。もちろん法令が出されたからといって、それが実施できたとは限らない。患者隔離や行動制限などは、イタリア主要都市をのぞきあまり徹底されなかった(できなかった)し、イタリアでも大流行時には避病院に収容しきれないこともあった(Slack 2012: 78-79)。

商業と検疫

自国内で疫病が発生していなくても、外国で発生すれば、その流行地からの商船が検疫対象となり、その間輸出入は止まることになる。近世ヨーロッパ商業の展開にとって、感染症とその防疫は無視しえない条件だった。疫病発生や各地の検疫実施に関する情報を把握することは、各国の当局はもとより、商人たちにとっても重要だった。国際間での情報共有の試みが図られた一方で、検疫は国際問題の要因ともなった。もし対外貿易が停滞すれば、連鎖的に国内の雇用・物価・政府財政など経済全般が深刻な影響を被る。検疫の厳格な施行はしばしば商人たちからの反発に遭い、当局者たちも逡巡を余儀なくされた。

多くの場合、防疫は商業利害と対立するものだったが、実際には両者の関係は錯綜していた。地中海の海港都市では、検疫自体が利権を生み出した。検疫で足止めされた人々向けの宿泊・食事施設や、積荷の保管・消毒のための倉庫などが利益を生むビジネスとなり、一七世紀前半ごろには、通行者にとって便利な検疫施設を提供すべく都市間の競争がみられたという(Harrison 2012: 14)。

概して当初は地中海沿岸の諸都市のほうが、北西欧に比べ、検疫に熱心だった。これにはペスト流行の頻度が相対的に高かったレヴァント(地中海東部地域)に近接しているという地理的条件が関係していたと考えられる。北西欧で海港検疫所が常設化されたのは、一六五五年のアムステルダムが最初だった(*Ibid*.: 15)。北西欧でもペスト流行はたびたび起きていたが、一四―一七世紀のペスト被害を総合的にみると南欧のほうが深刻で、これがイタリア経済の相対的衰退に影響したとする説もある(Alfani 2013)。

防疫強化は、自国経済を保護する意味合いもあった。その国の防疫が不充分だとみなされたり、ましてや実際にペスト患者が発生したりすれば、その国から出港した商船が他国において厳しい検疫の対象となり、貿易に支障をきたす。イングランドでは一七世紀初頭、ペスト対策の強化が企図されたが、国内的な貧困・浮浪など社会不安定化の問題への対処とともに、他国政府や貿易相手に対してイングランドが対策をとっていること自体をアピールするねらいがあった(Harrison 2012: 14)。

一六六三年、オランダのアムステルダムで、ペスト発生が発覚した。その報を受けた周辺諸国は、アムステルダムからの船舶に対して三〇日間の停船検疫を課す措置をとった。大流行とまではいえない時点でのこうした措置は、オランダ側からは、オランダの商業覇権に対する各国の妬みによる過剰反応であるとみえた。オランダ政府は、特にイングランドに対して強く抗議した(*Ibid*.: 24-27)。オランダ中継貿易の排除を意図したイングランドの航海法(一六五一年)が第一次英蘭戦争の発端となったことからもわかるとおり、商船の出入りの制限は、両国外交の緊張要因の一つだった。一六六五年、イングランド軍のニューアムステルダム(ニューヨーク)占領により第二次英蘭戦争が始まるが、その前段として、検疫をめぐる両国の対立もあったのである。

検疫措置にもかかわらず、結局イングランドにもペストは伝播し、一六六五―六六年にはロンドン人口の一五―二〇%が死亡したともいう大流行となった。この流行については、当時は幼児だったダニエル・デフォーが、のちの取材にもとづき『ペスト流行年誌』(一七二二年)を著わしている(デフォー 二〇〇九)。

重商主義国家と衛生政策

一七―一八世紀における重商主義国家間の覇権争いの中で、人口の量と質、すなわち国内に健康な人民がどれだけいるかが、国力の指標となるとする思想が台頭した。特にイギリスのウィリアム・ペティの「政治算術」が有名である。ペストによる人的損失をどう防ぐかは、彼の重要な関心事だった(Slack 2012: 81)。フランスでもルイ一四世の治世下で、感染症や人口動態の情報の国家による収集が始まり、これが一八世紀には王立医学アカデミーの任務となった(Harrison 2004: 60)。人口を統計的にとらえ、「公益」を名目に、人々の健康や生活のあり方を注視・管理するような統治のあり方への転換が一八世紀に進んだ(フーコー 一九八四)。

プロイセンやオーストリアなどドイツ語圏の国家では、政府が人民の健康維持のための措置を行なうべきとする「医事警察」(medicinischen polizey)構想が出現している。ここでいう「警察《ポリツァイ》」とは、狭義の警察のみならず、公共の秩序維持・福祉増進全般を含意する。特にウィーン大学の医学教授ヨハン・ピーター・フランクの著書『完全なる医事警察の制度』(初版一七七九年)が有名で、不衛生の取締り、医業規制、病院整備、売春取締り、上下水道、乳児保護、食品衛生など、人民の健康にかかわる広範な政策提言が含まれていた。中世都市で始まった公衆衛生のための諸施策が、主権国家体制にあわせてアップデートされつつ体系的に示されたものと捉えることができる。社会医学史家ジョージ・ローゼンは、啓蒙専制君主のパターナリズムのもと国内産業及びその労働力の保護・管理を意図した重商主義と、こうした医事警察構想との親和性を指摘している(Rosen 1974)。

政府が法令を出したり、地方自治組織やヴォランタリー組織の活動が見られたりもしたが、一八世紀当時、各国家が公衆衛生に関するこれらの広範な政策提言をすべて実行できたわけではない。国内の衛生状態改善や防疫体制が不充分なままペストのような感染症が襲来すれば、それだけ被害が大きくなる。そこで諸国家が引き続き頼みの綱としていたのが、検疫による感染症侵入の防御だった。ただ一七世紀末までに西欧でのペスト流行発生頻度は下がっていたので、日常的にどの程度まで警戒態勢をとるかの判断は難しかった。

整った検疫施設をもっていたはずのマルセイユでの一七二〇年のペスト流行発生は、その不意をつかれたものだった。フランス政府は流行の地方への拡散を恐れて都市封鎖を行なったが、実際には多くの人々がマルセイユから脱出した。周辺諸国はフランスからの人流・物流に対する検疫を強化し、イングランドでは一七二一年に検疫所整備や不法侵入への罰則強化を盛り込んだ新たな海港検疫法が制定された。マルセイユ市内での流行封じ込めには失敗したフランスも、プロヴァンス地方の陸上に長距離にわたる物理的な壁を建設して人々の移動をチェックする防疫線《コードン・サニテール》を設定した(宮崎 二〇一五：一七八―一九三頁)。

防疫線ということでは、ハプスブルク帝国がオスマン帝国との陸上の国境に築いたものがさらに長大だった。一五三八年及び一六八三年には首都ウィーンが包囲されるなど、長年にわたりオスマン軍の侵攻はハプスブルク帝国にとって脅威であり、その国境では軍事的な警戒が続いていた。一八世紀になり、その軍事警戒態勢をペスト防疫に転用する試みが始まった。要所に陸上検疫所が設けられ、オスマン領からの人流・物流が軍隊の監視のもとチェックされることになった(Rothenberg 1973)。

マルセイユでの流行が一七二二年に収束したのち、西欧では顕著なペスト流行は起こらなくなった。海港／陸上検疫が、西欧へのペスト流行の波及防止に一定の役割を果たしたとする説もある(Slack 2012: 28)。ただしすべての研究者がこれに同意しているわけではない。ペスト菌の毒性の変化、気候変化(小氷期)など他の要因を指摘する研究者もいる。さまざま要因が重なったことにより、ペストは西欧からは後退したとするのが、さしあたり妥当なようである(Porter 1999: 42-43)。

三、検疫と近代化——一九世紀ヨーロッパ

検疫への懐疑

一七二二年以降も、オスマン領やロシア領ではペスト流行の発生は続いたので、西欧諸国での検疫による警戒方針は継続された。一八世紀後半には、新たな病気が警戒リストに加わった。黄熱病である。蚊を媒介に伝播する致死率の高いウイルス性感染症で、一七世紀後半頃からカリブ海の諸島で流行が顕在化していた。アフリカ人奴隷の致死率が現地住民や白人に比べ低かったことから、西アフリカで流行していたものが伝播したと考えられる。一七六二年にはフィラデルフィアで数千人が亡くなる流行が発生するなど、北米へも伝播した。アメリカ大西洋岸の諸港での検疫態勢が強化されるとともに、アメリカやアフリカとの商業上・軍事上の往来が頻繁な西欧の諸港でも、黄熱病が警戒対象となった(Harrison 2004: 83-84)。

商業関係者からみれば、検疫は取引費用の増大を意味する。実際に停船させられた場合は、商品が傷む可能性があるし、機会損失も大きい。航海中一人の病人も出ていないのに停船検疫に従う必要がある場合など、特に不満が高まったことが想像される。たとえばイギリス政府には、検疫緩和の嘆願が自国商人たちからたびたび寄せられたが、一九世紀前期に至るまで検疫の基本方針は変わらなかった(Harrison 2012: 41)。

一八世紀後半には、商業利害からだけではなく、人道主義的観点からの批判も出るようになった。たとえばイギリスの監獄改革論者として知られるジョン・ハワードは、強制的に人々から行動の自由を奪う検疫の非人道性を問題に

した。ただしハワードの場合は、検疫そのものへの反対ではなく、検疫下にある人々の処遇改善を求めることが主眼だった(*Ibid.*: 51)。また、検疫を前時代的で不合理な制度とする見方は、保護貿易をはじめ他のさまざまな重商主義的規制や専制的支配体制を批判する政治経済的な急進主義とも共鳴するものだった。

医者たちの見解も分かれていた。検疫が前提とする、人から人、モノから人への「接触伝染《コンテイジオン》」説を支持する医学者ばかりではなかったのである。そもそもヒポクラテス以来、西洋医学において水・空気・場所の状況を考慮しながら病気の発生状況を観察することが一つの伝統だった。そのため、気候・風土や人々の生活環境を疫病の要因として重視する医者も多くいた。腐敗物の発する「瘴気《ミアズマ》」を流行病の原因とする見解もそこから派生した。後者の考えにもとづけば、多大な商業的・人道的損失を出してまで検疫を実施するよりも、国内の衛生環境の改善に努めたほうが合理的ということになる。こうした医学的議論が、人道主義や政治経済的な自由主義の言説とも連動しつつ、一九世紀初頭までに西欧や北米において検疫懐疑論を形成していた(*Ibid.*: 45-49)。

コレラと衛生改革

一九世紀には、コレラが世界的に脅威となった。インド・ベンガル地方の風土病だったコレラのパンデミック化の始まりには、イギリス東インド会社による軍隊の活動を伴う植民地開発とその貿易網が関係していた。一八一七年、カルカッタで始まった第一次コレラ・パンデミックは、一八二二年頃までに、東は日本、西はカスピ海周辺に及んだ。そして一八二七年に始まったとされる第二次パンデミックは、一八三〇年代初頭、西欧や北米にも到達した。これらを含め、一九世紀中に六回のコレラ・パンデミックがあったとされる。西欧における産業革命をへて、都市への人口集中や、鉄道や蒸気船に象徴される交通革命による移動の広域化・大量化・迅速化が進み、病原体の拡散リスクはさらに上がっていた(見市ほか 一九九〇、見市 一九九四)。

自由貿易を志向し、検疫への懐疑論が根強かったイギリスでも、コレラ流行に際して海港検疫が適用された。しかし結局は国内流行を防げなかったこともあり、海港検疫の効果についての疑念をさらに高めることになった。『イギリス労働者階級の衛生状態に関する報告書』（一八四二年）を著わし、一八四八年公衆衛生法成立に尽力したエドウィン・チャドウィックも、海港検疫に懐疑的だった一人である。彼は瘴気説にもとづき、汚染物質・状態の除去を主眼とする、衛生査察や、上下水道などのインフラの整備を提言した。国内の衛生環境を改善するほうが、海港検疫を厳格化するよりも、合理的だというわけである。一九世紀中盤の流行時に井戸や水道の疫学調査を行ない、コレラの水系感染をつきとめたロンドンの医師ジョン・スノウの学説も、環境対策を支持するものだった（永島 二〇二一）。

このようにイギリスでは、国内の衛生改革に力点がおかれる一方、流行地からの来航と認定された船舶に対し、一律に（たとえば患者が発生していない船にまで）長期間の停船を課すような従来の粗野な検疫のあり方に代わる手続きが模索された。一八七二年の公衆衛生法によって、新たに港湾衛生当局が設置され、その医官が「医師検分《メディカル・インスペクション》」を行なうことにより、停船隔離の必要性を判断するという手続きが導入された。一律停船ではなく、医師の行政検査により、不必要とみられる停船を減らし、商業活動への影響を最小限に抑えることがめざされたわけである。ドイツの細菌学者ロベルト・コッホによるコレラ菌発見は一八八三年であり、今日からみれば、それ以前の医学の信頼性には疑問符もつくが、疫病の流行様態を研究する疫学には一定の蓄積があったし、電信技術の発達により、流行発生についてより精度の高い情報収集が可能となったことが、このイギリスのやり方に一定の合理性を与えていた（Maglen 2014）。

医学史家アーウィン・アッカークネヒトは、一九世紀中葉のヨーロッパ諸国のコレラ対策について、絶対王政以来の官僚主義が残る中東欧諸国では検疫を厭わない傾向があったのに対し、イギリスやフランスなど自由主義の強かった国では、個人の活動を阻害する検疫への忌避から、上下水道整備など環境改善に重点がおかれたとして、政治体制に結びつけて理解する見方を提示した(Ackerknecht 1948)。しかしこうした二分法的な類型論は、再検討の対象となっている(永島 二〇二〇)。

そもそも一八三〇年代初頭にコレラが初めてヨーロッパに襲来したとき、各国間の対応に大きな違いはなく、英仏両国を含めて検疫強化が主要な対策だった。一八四〇年代以降、イギリスが国内の環境改善を重視し、徐々に海港検疫の簡素化を志向するようになったことはすでに見たが、フランスでも商工業者など市民層の検疫への忌避感があり、それが衛生環境改革の推進要因の一つとなった。特に第二帝政期、セーヌ県知事ジョルジュ・オスマンのもとで進められたパリの上下水道整備は有名である(大森 二〇一四)。しかし一八六〇年代後半、フランスは再び海港検疫重視に転向した。これには鉄道や蒸気船の益々の普及が関係している。これにより世界各地から、たとえばインドからも、より多くのムスリムたちが、以前よりも短時間で、巡礼のために聖地メッカを訪れ、そして帰還することができるようになった。一八六五年にメッカ巡礼者の間でコレラ流行が発生したとき、西部地中海の諸港では、かつてのペスト流行時のように、しかしかつてないスピードでレヴァント方面から来航する船舶に対する警戒感が高まった。マルセイユ港を擁するフランスでも、海港検疫による水際での防疫の重要性が再認識されるようになったのだった(Harrison 2004: 103)。

当時バルカン半島のアドリア海沿岸は、ハプスブルク帝国すなわちオーストリアの支配下にあった。このためオーストリア政府も海港検疫を重視していた。しかし同じドイツ語圏の専制君主を戴く国家でも、プロイセンはそれほど検疫に固執していなかった。一八七一年、プロイセンを中心にドイツ帝国が成立したが、社会問題と疾病の関係を重視する医学者・政治家ルドルフ・フィルヒョーや、土壌などの環境要因を重視した衛生学者マックス・フォン・ペッテンコーファーの影響などもあり、帝国内の主要都市では衛生環境改革も志向されていた(*Ibid*.: 103, 115)。一八八三年、コッホによりコレラ菌が同定されたが、それにより衛生環境改革の意義が否定されたわけではなかった。

このように、ヨーロッパ諸国が検疫／環境対策のどちらを重視したかは固定的ではなく、必ずしも政治体制の違いに還元しきれるものではない。もちろんその国の政治・経済状況に関わる要因は重要だが、たとえばピーター・ボールドウィンが指摘するように、地理・疫学的要因、すなわちコレラ頻発地だったインド—中東地域との位置関係を考慮する必要もあろう。つまり距離が近い地域ほど、伝播への恐れから厳格な検疫への意識が高い傾向にあったということである(Baldwin 1998: 211-212, 242-243)。

四、検疫と国際衛生会議

その時々の国際情勢のもと、外交上の思惑が検疫に与えた影響も見逃せない。しばしば恣意的にも見える運用が横行したことにより、検疫自体が国際的緊張の要因となることもあった。一八一五年のナポレオン戦争終結後のいわゆるウィーン体制のもと、各国による検疫の濫用を防ぎ、防疫のための国際協調が模索されるようになった。主導権をめぐる思惑が交錯する中、各国代表が一堂に会しての協議の場が、ようやく一八五一年に実現した。パリで開催された第一回国際衛生会議(International Sanitary Conference)である。同年のロンドン万国博覧会にも象徴される国際協調への機運のなか、一八四八—四九年のヨーロッパでのコレラ流行が開催を促したと考えられる。

各国を代表する外交官と医学・衛生専門家の双方が集まり、感染症流行とその防疫に関する知見の共有と、検疫をめぐる国際ルールの策定が目指された。しかし医学面では接触伝染説と瘴気説の対立があり(小川 二〇一六)、そこに各国の思惑が絡むことで議論はなかなかまとまらず、第一回の会議で実効性のあるルールは策定できなかった。その後も同様の会議が開催され、検疫の適用条件や期間などについて部分的な合意に至ったこともあったが、疫学的情勢、国際情勢は変化していて、その都度協議は難航した。一九世紀後半中に計一〇回の会議が開催された［表1］。南北ア

表1　19世紀における国際衛生会議

	開催年	開催地	参加国(地域)
1	1851	パリ(フランス)	イギリス，オーストリア=ハンガリー，ギリシア，サルディニア，スペイン，トスカーナ，トルコ，フランス，ポルトガル，両シチリア，ロシア，ローマ教皇領
2	1859	パリ(フランス)	イギリス，オーストリア=ハンガリー，ギリシア，サルディニア，スペイン，トスカーナ，トルコ，フランス，ポルトガル，ロシア，ローマ教皇領
3	1866	コンスタンティノープル(オスマン帝国)	イギリス，イタリア，エジプト，オーストリア=ハンガリー，オランダ，ギリシア，スイス，スウェーデン，スペイン，セルビア，デンマーク，ドイツ，トルコ，ノルウェー，フランス，ベルギー，ペルシア，ポルトガル，ルクセンブルク，ルーマニア，ロシア
4	1874	ウィーン(オーストリア)	イギリス，イタリア，エジプト，オーストリア=ハンガリー，オランダ，ギリシア，スイス，スウェーデン，スペイン，セルビア，ドイツ，デンマーク，トルコ，ノルウェー，フランス，ベルギー，ペルシア，ポルトガル，ルクセンブルク，ルーマニア，ロシア
5	1881	ワシントン(米国)	アルゼンチン，イギリス，イタリア，ヴェネズエラ，オーストリア=ハンガリー，オランダ，グアテマラ，コロンビア，スウェーデン・ノルウェー，スペイン，中国，チリ，デンマーク，トルコ，日本，ハワイ，ブラジル，フランス，米国，ベルギー，ボリヴィア，ポルトガル，メキシコ，リベリア，ロシア
6	1885	ローマ(イタリア)	アルゼンチン，イギリス，イタリア，インド，ウルグアイ，オーストリア=ハンガリー，オランダ，ギリシア，グアテマラ，スイス，スウェーデン・ノルウェー，スペイン，セルビア，中国，チリ，デンマーク，ドイツ，トルコ，日本，ブラジル，フランス，米国，ペルー，ベルギー，ポルトガル，メキシコ，ルーマニア，ロシア
7	1892	ヴェネツィア(イタリア)	イギリス，イタリア，オーストリア=ハンガリー，オランダ，ギリシア，スウェーデン・ノルウェー，スペイン，デンマーク，ドイツ，トルコ，フランス，ベルギー，ポルトガル，ロシア
8	1893	ドレスデン(ドイツ)	イギリス，オーストリア=ハンガリー，オランダ，ギリシア，スイス，スウェーデン・ノルウェー，スペイン，セルビア，デンマーク，ドイツ，トルコ，フランス，ポルトガル，モンテネグロ，ルクセンブルク，ルーマニア，ロシア
9	1894	パリ(フランス)	イギリス，イタリア，オーストリア=ハンガリー，オランダ，ギリシア，スウェーデン・ノルウェー，スペイン，デンマーク，ドイツ，トルコ，フランス，米国，ベルギー，ペルシア，ポルトガル，ロシア
10	1897	ヴェネツィア(イタリア)	イギリス，イタリア，オーストリア=ハンガリー，オランダ，ギリシア，スウェーデン・ノルウェー，スペイン，デンマーク，ドイツ，トルコ，フランス，ベルギー，ポルトガル，ロシア

出典：Howard-Jones(1975)，尾崎(1999)，Huber(2006)，永田(2010)より作成.

メリカ諸国も参加した第五回会議で黄熱病も議題になり、第三次パンデミック発生を受けた第一〇回会議がペストを主要議題としたほかは、ほぼコレラ防疫をめぐる議論・交渉だった(Howard-Jones 1975)。

第四回会議まではおもにヨーロッパ諸国間の会議であり、それ以外の参加はトルコ(オスマン帝国)、エジプト、ペルシア(イラン)のみだった。オスマン帝国ではもともと国境概念が明瞭ではなく、一九世紀初頭に至るまで検疫を行なっていなかったが、一八〇五年にムハンマド・アリーが総督となり半独立化したエジプトで検疫が導入された(Harrison 2012: 68)。ヨーロッパ列強やエジプトへの対抗上、「近代化」が模索されたトルコを中心とするオスマン帝国本体においても、一八三八年に検疫制度が採用された(守川 二〇〇六:四八頁)。

ヨーロッパ諸国にとって、西アジア・中東地域をインドからのコレラ伝播の緩衝地帯にしたいという思惑から、トルコやエジプトにおける検疫体制整備は望ましいものだった一方で、実際の検疫の運用が自国の交易や軍事活動を阻害することは回避したい思惑もあった。第一回パリ会議において、当時自由貿易志向を強めていた英仏両国は、瘴気説にもとづき、一律の検疫強化には反対の姿勢をとった。それぞれ中東・北アフリカ地域への自国の影響力を強めようとしていた背景には、自国船のスムーズな通行を確保するねらいもあった。しかし一八六五年のメッカ巡礼におけるコレラ流行を機に、フランスが海港検疫重視に転じたことは上述したとおりである。したがって第三回会議以降、英仏間の対立が顕著になった。一八六九年にはスエズ運河が開通したが、フランスなどが紅海―スエズでの厳格な検疫を主張したのに対し、それでは運河開通による航行日数の短縮化の意味を減ずるとしてイギリスは反発した。

紅海―スエズでの検疫を支持する諸国は、そもそもイギリスが植民地インドでの防疫を強化し、コレラ流行の拡散防止に努めることも求めた。しかし英領インド政府は、本国政府と同様、人流・物流への介入には慎重だった。イギリス帝国の自由貿易志向が大きな理由として指摘できるが、聖地巡礼といった大規模な宗教上の人流を検疫によって強制的に止めることは、実施が困難である上に、民衆の反発、ひいては宗教間対立を招きかねないという統治上の理由もあった。

こうした対立がようやく妥協へ向かったのは、一八九〇年代前半の第七―九回会議においてであった。海港検疫については、①ヨーロッパ内の諸港では、イギリスが擁護した「医師検分」による停船隔離を最小限にする方法で施行すること、②紅海―スエズにおいては、コレラ患者が発生した船舶の乗客乗員の全員を五―七日間隔離措置とすること、というように、「ヨーロッパ内」と「ヨーロッパ／オリエントの境界」とで別々の基準を設けることで、なんとか合意が形成されたのだった(Huber 2006; 脇村 二〇二一)。

一九世紀末は帝国主義的な勢力争いの最中であり、自国第一主義が前面に出つつも、感染症という共通の脅威に対しては、ヨーロッパ列強間で一定の国際協調が図られた。ただしその国際協調は、多分にヨーロッパ中心主義的だった。「近代化が遅れ病気が蔓延しているオリエント」から、「先進的なヨーロッパ」をいかに防衛するかが、一九世紀後半における国際衛生会議の主要課題だったのである。そこには世界の他地域への帝国主義的進出を自己正当化したのと同様の、ヨーロッパ諸国の自己優先と優越意識が見てとれる。他方、国境管理や防疫対策の国際標準の策定、情報・科学的知識の共有などが図られたことに、第二次世界大戦後のヨーロッパの地域統合(ＥＣ・ＥＵなど)の源流を見出すことも可能だろう。

五、展望

一八八〇年代の国際衛生会議には参加していた南北アメリカや東アジア諸国代表は、南アジア―ヨーロッパが主対象だった一八九〇年代の会議には加わっていない(一八九四年の米国を除く)。このうち南北アメリカ諸国においては、一九〇二年以降、汎アメリカ国際衛生会議が米国主導で開催され、感染症対策における地域的な国際協調が図られた(Harrison 2012: 134)。

他方東アジアでは、中国(清)と日本が一八八〇年代の国際衛生会議の参加国だったが、不平等条約下、その開港場では欧米列強に治外法権が認められていたため、独自に外国船への検疫を施行することは困難だった。日本では治外法権が撤廃された一八九九年に海港検疫法が制定されたが、国内における衛生改革の推進とともに、欧米を中心に形成されつつあった国際標準に合わせようとするものだった(尾崎 一九九九、Nagashima 2016)。香港、上海、天津といった中国の開港場では、列強による介入が第二次世界大戦時まで続いた。辛亥革命直前の一九一一年には、中国東北部での肺ペスト流行により検疫が喫緊の課題となる中、奉天で清朝政府により国際ペスト会議が主催された。清、日本、欧米列強など、各国の政治的思惑が錯綜した会議だったが、北里柴三郎ら医学者も参加しており、東アジアにおける防疫の国際協調の試みの一つと位置づけることはできよう(飯島 二〇〇〇:一九三—一九五頁、永島ほか 二〇一七)。

他のアジア及びアフリカの諸地域の多くは、植民地支配をつうじて列強の影響下にあった。感染症対策は植民地統治上、しばしば重要な位置を占めた。そしてキリスト教布教と医療普及を兼ねる欧米人による医療伝道活動も見られた。西洋医学にもとづきつつも、それぞれの疫学的状況や現地社会とのせめぎ合いの中で形成された衛生行政や医療体制のあり方は、「帝国医療」ともよばれる(見市ほか 二〇〇一、磯部 二〇一八、アーノルド 二〇一九)。

第一次世界大戦後には、感染症をはじめ保健問題について、一九世紀の国際衛生会議よりも広範な協力が模索されるようになった。一九二三年に常設化された国際連盟保健機関(League of Nations Health Organization)はその象徴であり、これが一九四五年設立の世界保健機関(World Health Organization)の主要母体となった(安田 二〇一四)。

こうして紆余曲折を経ながら保健に関する国際協調の枠組みが形成されたことを、本稿冒頭で言及したル・ロワ・ラデュリの「疾病による世界の統合」を捩《もじ》って表現すれば、「疾病に対する世界の統合」(the unification of the globe *against* disease)と言えなくはないかもしれない(Huber 2006: 454)。しかしもちろん、世界の人々や国々の協調を阻む要因がなくなったわけではない。国際社会、各国、そして各地域社会に至るレベルそれぞれにおいて、人々やモノの移動の制限を伴う防疫のあり方や、有限な保健医療資源をどのように配分していくかについては、常にさまざまな意見や利害の対立・葛藤がつきまとう。それをどう乗り越えたらよいのかは、今日もなお問われ続けている。

参考文献

アーノルド、D（一九九九）『環境と人間の歴史』飯島昇藏・川島耕司訳、新評論。

アーノルド、D（二〇一九）『身体の植民地化——一九世紀インドの国家医療と流行病』見市雅俊訳、みすず書房。

飯島渉（二〇〇〇）『ペストと近代中国——衛生の「制度化」と社会変容』研文出版。

飯島渉（二〇二一）「「感染症の歴史学」と世界史——パンデミックとエンデミック」小川幸司編『岩波講座 世界歴史1 世界史とは何か』岩波書店。

磯部裕幸（二〇一八）『アフリカ眠り病とドイツ植民地主義——熱帯医学による感染症制圧の夢と現実』みすず書房。

大森弘喜（二〇一四）『フランス公衆衛生史——一九世紀パリの疫病と住環境』学術出版会。

小川眞里子（二〇一六）『病原菌と国家——ヴィクトリア時代の衛生・科学・政治』名古屋大学出版会。

尾崎耕司（一九九九）「万国衛生会議と近代日本」『日本史研究』四三九号。

クロスビー、A・W（二〇一七）『ヨーロッパの帝国主義——生態学的視点から歴史を見る』佐々木昭夫訳、筑摩書房。

チポラ、C（一九八八）『ペストと都市国家』日野秀逸訳、平凡社。

デフォー、D（二〇〇九）『ペスト』平井正穂訳、中公文庫。

永島剛（二〇二〇）「疫病と公衆衛生の歴史——西欧と日本」秋田茂・脇村孝平編『人口と健康の世界史』ミネルヴァ書房。

永島剛（二〇二一）「都市における疾病流行への認識——ヴィクトリア時代ロンドンの場合」『都市史研究8』山川出版社。

永島剛・市川智生・飯島渉編（二〇一七）『衛生と近代——ペスト流行にみる東アジアの統治・医療・社会』法政大学出版局。

永田尚見（二〇一〇）『流行病の国際的コントロール——国際衛生会議の研究』国際書院。

フーコー、M（一九八四）「健康を語る権力」桑田禮彰・福井憲彦・山本哲士編『ミシェル・フーコー 一九二六—一九八四——権力・知・歴史』新評論。

マクニール、W・H（二〇〇七）『疫病と世界史』（上・下）、佐々木昭夫訳、中公文庫。

見市雅俊（一九九四）『コレラの世界史』晶文社。

見市雅俊・斎藤修・脇村孝平・飯島渉編（二〇〇一）『疾病・開発・帝国医療——アジアにおける病気と医療の歴史学』東京大学出版会。

見市雅俊・高木勇夫・柿本昭人・南直人・川越修（一九九〇）『青い恐怖 白い街――コレラ流行と近代ヨーロッパ』平凡社。
宮崎揚弘（二〇一五）『ペストの歴史』山川出版社。
守川知子（二〇〇六）「国境にみる「近代化」と聖地参詣者」『東洋史研究』六五巻三号。
安田佳代（二〇一四）『国際政治のなかの国際保健事業――国際連盟保健機関から世界保健機関、ユニセフへ』ミネルヴァ書房。
リヴィ－バッチ、M（二〇一四）『人口の世界史』速水融・斎藤修訳、東洋経済新報社。
脇村孝平（二〇二一）「疫病の地政学――一九世紀のコレラパンデミックと検疫問題」『アジア研究』六七－四。
Ackerknecht, Erwin (1948), "Anticontagionism between 1821 and 1867", reprinted in *International Journal of Epidemiology*, 38, 2009.
Alfani, Guido (2013), "Plague in seventeenth-century Europe and the decline of Italy: an epidemiological hypothesis", *European Review of Economic History*, 17.
Baldwin, Peter (1998), *Contagion and the State in Europe, 1830–1930*, Cambridge: Cambridge University Press.
Crosby, Alfred W. (1972), *The Columbian Exchange: Biological and Cultural Consequences of 1492*, Westport: Greenwood Press.
Harrison, Mark (2004), *Disease and the Modern World: 1500 to the Present Day*, Cambridge: Polity Press.
Harrison, Mark (2012), *Contagion: How Commerce Has Spread Disease*, New Haven and London: Yale University Press.
Hays, J. N. (2005), *Epidemics and Pandemics: Their Impacts on Human History*, Santa Barbara: ABC-CLIO.
Howard-Jones, Norman (1975), *The Scientific Background of the International Sanitary Conferences, 1851–1938*, Geneva: World Health Organization.
Huber, Valeska (2006), "The unification of the globe by disease? The International Sanitary Conferences on cholera, 1851-1894", *The Historical Journal*, Vol. 49, No. 2.
Le Roy Ladurie, Emmanuel (1981), "A Concept: The unification of the globe by disease", *The Mind and Method of the Historian*, Brighton: Harvester.
Maglen, Krista (2014), *The English System: Quarantine, Immigration and the Making of a Port Sanitary Zone*, Manchester: Manchester University Press.
Nagashima, Takeshi (2016), "Meiji Japan's encounter with the 'English system' for the prevention of infectious disease", *The East Asian Journal*

of British History, Vol. 5.

Porter, Dorothy (1999), *Health, Civilization and the State*, London: Routledge.

Rosen, George (1974), *From Medical Police to Social Medicine: Essays on the History of Health Care*, New York: Science History Publications.

Rothenberg, Gunther E. (1973), "The Austrian sanitary cordon and the control of the bubonic plague: 1710-1871", *Journal of the History of Medicine and Allied Sciences*, Vol. 28, No. 1.

Slack, Paul (2012), *Plague: A Very Short Introduction*, Oxford: Oxford University Press.

焦点｜*Focus*

グローバル・ヒストリーと歴史教育

矢部正明

グローバル・ヒストリーとは、各国史の枠組みをこえて対象となる空間を地球規模に拡大し、また扱う事象についても自然科学の成果を取り込むなど広範なものに拡大して、さらに事象相互の連関性に着眼していく歴史叙述である（水島 二〇〇八）。

世界史教育の目的は、過去の歴史をひもとき、グローバル化した現代世界のなりたちを理解できるようにするとともに、現代世界の諸課題の解決の糸口を考えさせることにあると考える。そのためには、世界の諸地域がどのような結びつきを持ち、影響を与えあってきたのかという「関係性」や、同時代の地域間での「比較」を通して共時性や差異を理解すること（秋田 二〇〇八：一一三頁）というグローバル・ヒストリーによる歴史の見方が必要と考える。グローバル・ヒストリーは、さまざまな人々の営みが地域をこえて結びつき、やがて為政者をも動かしていくダイナミックな歴史像を提示でき、また、現代の世界の諸地域のつながりや関係性と課題の淵源を示すことができるために、歴史教育においても大きな意義をもつ。

しかし、高校で「世界史」という科目が置かれた当初からグローバル・ヒストリーの歴史叙述が取り入れられてきたわけではない。本稿では高校世界史にグローバル・ヒストリーがどのように取り入れられ、描く歴史像がどのように変化したのかを、学習指導要領・教科書・高大連携の取り組み・高校での授業実践を通じて述べていきたい。

一、高校世界史教育の現状

二〇二二年度実施の高校の新学習指導要領においては、「主体的・対話的で深い学び」の実践が掲げられ、新たな必修科目として、日本史・世界史の近現代史を統合した「歴史総合」が設置された。その一方で、一九九四年の高等学校学習指導要領以来の「世界史」科目の必修が外れ、「世界史探究」という選択科目が置かれた。以前に筆者は高校世界史を高校生がどのように見ているのかについて分析したことがある(矢部 二〇一八：二四一−二四三頁)。大学入試センターが実施していたセンター試験(全国の高校生の半分強が受験)の受験者数の推移から、世界史必修にもかかわらず世界史B科目の受験者が漸減していることから、高校生が世界史を受験科目として敬遠している傾向が見出された。二〇二一年度からは従来の大学入試センター試験に代わり、より思考力を問う大学入学共通テストが実施されているが、二〇二一年度・二二年度ともに、同様の傾向が見られる(大学入試センターHP)。また、筆者は生徒たちとの対話から、カタカナや難しい漢字で登場する膨大な数の人名・地名・歴史用語を暗記することに加え、教科書では時代を経るごとに目まぐるしく地域が変わって登場し、前時代との関連性や地域間のつながりがわかりづらいとして敬遠する傾向を感じている。

「歴史総合」の教科書を見ると、これまでの世界史の記述を受け継ぐ内容のほうが多い傾向にある。筆者は、この「歴史総合」でグローバル社会を生きることになる高校生に世界史の魅力や面白さを伝え、選択科目の「世界史探究」へ誘うことが、世界史教員の使命であると考えている。また、世界史が現在の高等学校教育において果たす役割とは何かを考え、ひいては社会において世界史を学ぶ意義を問い直す時にあると考えている。その際、グローバル・ヒストリーを学ぶことで生徒たちが「大づかみの歴史・わかる世界史」に出会い、世界の諸地域の関係性を考えることができるようになることの意義は、とても大きいのではないだろうか。

二、高校世界史とグローバル・ヒストリー

高等学校学習指導要領・高校世界史の教科書の変遷とグローバル・ヒストリーとの関係についてたどってみたい。実は、学習指導要領と教科書の関係は、しばしば教科書のほうが先行して先進的内容(新しい歴史の見方や研究成果)が提示され、それに促されるように学習指導要領の内容が刷新されてきた傾向が見られる(鳥越 二〇〇〇)。学習指導要領の改訂は約一〇年ごとであるから、その間に発刊された教科書のいくつかの中に先進的内容のものがあり、その内容が影響して次の指導要領に反映されていくわけである。

一九七三年施行(一九七〇年告示)の高校学習指導要領

この学習指導要領の「世界史」では、ルネサンス以前の前近代をヨーロッパ・東アジア・イスラーム(西アジア)の三つの「文化圏」で区分する世界史像が示され、ヨーロッパ部分について「地中海世界」という名称が使われた。近代以降はアジアとヨーロッパの二区分で示された。前近代を三つの「文化圏」で叙述した教科書は、前の指導要領下ですでに和田清らの『世界史B』(一九六四年、日本書院)があり、「地中海世界」という概念も井上智勇らの『基本世界史A』(一九六四年、清水書院)において提示されていた[1]。教科書により新しい世界史像・概念などの先進性が示され、次の指導要領の改訂で反映されるという構造がこの指導要領ではっきりと認識できるのである。この時期の教科書には、文化圏による記述をどの時期まで続けるのかという課題があった。例えば、学習指導要領では「ヨーロッパ市民社会の成立」の後に「アジアの専制国家」が置かれている。筆者は、この学習指導要領のもとで世界史の授業を受け

たことになる。筆者自身の学んだ授業もルネサンスを近代の萌芽と捉え、宗教改革から一九世紀までのヨーロッパ史を一気に学び、その後で明・清やオスマン帝国・ムガル帝国の歴史を学んだと記憶している。つまり、一六世紀のアジアにおける大交易の時代にヨーロッパの大航海時代がリンクしてくる歴史像や「一七世紀の危機」概念は当時の学習指導要領・教科書ともに描かれていなかったのである。近代以降に関しては、全く欧米主導の世界史像であり、アジア・アフリカ・ラテンアメリカは従属的な扱いであった。また、「地理上の発見」「新大陸」の用語に代表される西洋中心主義の見方が根強くあった。しかし、一方でグローバル・ヒストリーにつながる世界史の見方をした教科書が出版されていたことにも注目してよいだろう。吉田悟郎らによる『高校世界史』(一九七九年、実教出版)である。この教科書は、一三世紀のモンゴル帝国を地域世界の一体化をもたらす画期として記述しており、他の教科書とは一線を画していた。

一九八二年施行(一九七八年告示)の高校学習指導要領

この改訂指導要領の「世界史」では、東アジア・イスラーム・ヨーロッパの三文化圏による叙述が一八世紀まで延長された。また、文化圏のまとめ方にインドや東南アジアを独立した文化圏として取り扱う変化が見られる。そして一九世紀になって世界が一体化したという歴史像を描いている。こうした歴史像もまた、前回の指導要領下で発行された、中屋健一らの『世界史』(一九七三年、三省堂)などの教科書に先取りされていた。

この時期の世界史教科書にも大きな変化が見られた。従来の教科書において小単元の見出しにもなってきた「地理上の発見」「新大陸の発見」という概念がこの時期の教科書からほぼ消えた。すなわち西洋中心の歴史観への見直しが行われたのである。さらに、ルネサンスを近代の萌芽であり画期と捉える見方も改められた。むしろ一五世紀からの大航海時代を画期と捉える記述に変化した。これはヨーロッパ人がアジア・アフリカ大陸へ進出したことを世界の一体化に向かう端緒として捉える歴史像へと転換したことを意味する。そして大航海時代の記述の後に、ルネサンス・宗教改革が位置付けられるようになった。この歴史像による単元構成は、現行の世界史教科書に引き継がれている。また、土井正興らの『新世界史』(一九八二年、三省堂)をはじめ多くの教科書では、イギリス革命を絶対主義時代の主権国家の形成の文脈で記述し、市民革命としてのアメリカの独立とフランス革命と切り離して扱うようになった。しかし、まだこの時期の教科書ではアメリカとフランスの二つの市民革命が「環大西洋革命」という概念に包括されるグローバルな動きの中で描かれていたわけではない。

この学習指導要領の時期には、歴史学界では社会史が大きな注目を浴びていた。そして、現在のグローバル・ヒストリーの原点となったウォーラーステインの『近代世界システム』シリーズが川北稔の翻訳で出版され始めた。また、中東・東南アジア・ラテンアメリカなどの地域研究が盛んになり、従来のヨーロッパ・中国などの大国に偏重していた歴史認識の是正が強く意識されるようになった。そのため、教科書の中には、指導要領にある三つの文化圏に加え、南アジア・東南アジア・中東・アフリカ・アメリカ・太平洋・北方ユーラシアなどといった文化圏の細分化・精緻化が進んだものが登場した。一方で文化圏の細分化の方向とは異なる世界史像を示したのが山田信夫らの『基範世界史』(一九八八年、帝国書院)である。これは前近代の構成を単に文化圏の並列にするのではなく、文化圏相互のつながりの形成を重視するものにしていた。例えば一一―一四世紀のアジアの歴史を「モンゴルとトルコのユーラシア大陸支配の時期」という統合的な章立てにしているところに、その特徴があらわれている。

一九九四年施行(一九八九年告示)の高校学習指導要領

この指導要領における大きな変革は、高校の社会科が解体されて地理歴史科と公民科となり地理歴史科の世界史が必修化されたことである。近現代史中心の「世界史A」と通史の「世界史B」のいずれかをすべての高校生が履修することになった。このうち「世界史A」については、前近代の歴史を簡略に学習するために、二世紀・八世紀・一三世紀・一六世紀・一七世紀・一八世紀について共時的な歴史を地域間のつながりに着目しながら学ぶことが定められた。つまり、今となってはグローバル・ヒストリーの一つとみなされる手法で世界史を叙述する方法が一気に導入されたのである。「世界史B」においては「南アジア世界」という概念も新たに加えられた。「南アジア」を一つのまとまりとする歴史像は前の指導要領期の中村英勝らの『新選世界史』(一九八五年、東京書籍)などの教科書にすでに先取りされていた。

「世界史B」において一番多く採択されている江上波夫らの『詳説世界史 改訂版』(一九九八年、山川出版社)をはじめ多数の教科書は、大航海時代以降をアジアとヨーロッパの二区分だけにして、各国史的に叙述されている。指導要領にあるように一八世紀まで精緻化された文化圏で教えるよりも、各国史的に扱った方が生徒にも理解させやすいと考えた高校教員の意見を汲んでの構成であったと考えられる。

一方でこの時期にはグローバル・ヒストリー的な観点を強く打ち出した「世界史B」の教科書が注目を集めた。尾形勇らの『世界史B』(一九九四年、東京書籍)である。諸世界を結ぶ「ネットワーク」が重要視され、従来の諸地域間の交流に果たした役割が描かれてきた「内陸アジア」に加えて「東南アジア」の歴史が特に重視されるようになった。つまり、ヨーロッパ勢力がアジアに進出したという大航海時代の従来の歴史像を、ヨーロッパの進出を触媒にすることで東南アジアを中心とするアジアの交易が一層さかんになったという、「交易の時代」の歴史像に描き直したのである。ここには一九八〇年代に発表されたアンソニー・リードの描いた「商業(交易)の時代」という歴史像(Reid 1988)をはじめとする東南アジア研究の成果が反映されていた。また、帝国書院『新編高等世界史B』は、環境と人間の関わりを全面に構成に取り入れ、アジア東方・中央ユーラシア・中洋世界とインド洋交易といった、地域のつながりを示す新しい概念を積極的に提唱した。この両社の「世界史B」の教科書は、その後の改訂のたびごとに、グローバル・ヒストリーの観点からの新しい歴史像を打ち出し続けてきた。しかし同時に、進取の内容を描いた教科書は、いかに高校教員に理解されて採択を勝ち取るかという課題に直面してきた。

二〇〇三年施行（一九九九年告示）の高校学習指導要領

この指導要領では、世界史学習において地域間の交流・つながりを学ぶことが特に重視されるようになった。進取の教科書の内容が、学習指導要領に反映された代表的な事例である。たとえば、「世界史A」では「ユーラシアの交流圏」という概念が登場し、海域世界・遊牧社会の学習が付加された。「世界史B」では、各文化圏の単元ごとに、地域をこえたネットワークのなかで地域間交流がどのように行われたかを学ぶことが重視された。そして新たに大西洋世界という概念が加えられ、近代の大西洋三角貿易から市民革命の連鎖までの歴史をグローバルにとらえる視点が打ち出された。こうして一六―一九世紀にヨーロッパの進出により諸地域世界が結合し、世界の構造化が進展する世界史が強調されていく。また、日本の歴史と世界の歴史のつながりに着目させることや、アジアの諸地域の中での日本の位置付けが強調されるようになった。一九五六年実施の指導要領から世界史という科目の中で「日本」という項目が消え、教科書での記述が無くなって以来、半世紀近くを経て再び日本を世界史の中に組み込むことが目指されるようになったのである。

教科書においては「世界史B」の教科書の中で最も採択数の多い『詳説世界史 改訂版』(二〇〇七年、山川出版社)が、大幅な内容の見直しを図り、特に一四―一八世紀の東南アジアや東アジアの海域のネットワークの記述を充実させた。また、近世におけるグローバル・ヒストリーの成果を大いに取り入れた二冊の教科書も上梓された。まず『世界史B 新訂版』(二〇〇七年、実教出版)は「大交易時代」を第一次と第二次にわけて叙述した。第一次とは一二世紀までにムスリム商人らによるアフロ・ユーラシアの海域のネットワークが成熟し、一三世紀後半にモンゴルによる陸のネットワークと海域のネットワークがつながった時代として叙述されている。杉山正明の「モンゴル時代」(一九九七)や、J・L・アブー＝ルゴドが『ヨーロッパ覇権以前』(二〇〇一)において示した一三世紀世界システム(リード 一九九七)などの世界史像が反映しているものと考えられる。第二次はアンソニー・リードの描いた一五―一七世紀における東南アジアを中心とした海域世界の交易の繁栄にポルトガル・スペイン・オランダが参入してくる様子が叙述されている。判型を大きくして内容を一新した『新詳世界史B』(二〇〇八年、帝国書院)は、一―二世紀・八世紀・一三世紀・一四―一五世紀のネットワークによる世界の結びつきを解説した「世界の一体化」のページを各所に設けた。そして一六世紀以降については、「近代世界システム」の考えを前面に出して世界の構造化について詳しく叙述した。こうした教科書の試みによって、歴史教育におけるグローバル・ヒストリーの導入は、かなり身近なものになってきた。

筆者が高校世界史の内容の刷新を意図してグローバル・ヒストリーを強く意識したのは、二〇〇四年の大阪大学文学部が主催した第二回全国高等学校歴史教育研修会への参加であった。この研究会は大阪大学二一世紀COEプログラムの一環として開催された。歴史学が社会に対して発言力が弱まりつつあるという「歴史学の危機」の意識が主催者にはあり、その発言力の回復の第一歩として、高校の歴史教育の刷新のために高大連携を進めることが目指されていた(桃木・佐藤 二〇〇五)。その後、このプログラムを通じて筆者はグローバル・ヒストリーによる世界史像を取り入れた高校世界史授業に本格的に取り組むことになった。帝国書院の教科書を使い、ネットワークによる地域間の結びつきを語り、ウォーラーステインの理論を授業で紹介した。その中でこの理論がヨーロッパの覇権国家の推移と「周辺」とされた地域の従属性が強調され、結局は西欧中心の歴史像になっているという批判があること、近年の研究では、近世以降のアジア間貿易などアジアの主体的な動向について盛んに研究が行われていることを語るようになった。現代の地域間の関係や世界情勢と過去の歴史がどのように関わったのかを説明するのに、グローバル・ヒストリーの歴史像を生徒に示すことが大変有効であると、筆者は考えるようになった。

二〇一四年施行（二〇一〇年告示）の高校学習指導要領

世界史必修を掲げた最後の指導要領であり、歴史を学ぶことで歴史的思考力を培うことが目標とされ、どのような内容を理解させるかだけでなく、どのような能力を育むのかという点が重視されるようになった。そして理解させる内容としては、「世界史A」「世界史B」ともに、各地域・個別の歴史事象よりも長い時間軸、広い空間における世界の構造化の歴史が重視されるようになった。グローバル・ヒストリーによる世界史理解がより一層鮮明になったと言えよう。このこともまた、本稿が繰り返し述べてきたように、教科書では既に先取されていたことであった。それゆえ、この時期の「世界史A」「世界史B」の教科書は、ともにこれまでの構成・内容をほぼ引き継いでいる。ただ、「世界史B」の教科書の点数が前の一一冊から七冊へと大きく減った。その原因は履修者の減少に伴うものであると考えられる。

二〇二二年施行（二〇一八年告示）の高校学習指導要領

前述のように、新しい必修科目「歴史総合」が設けられ、一八世紀以降の世界史・日本史を、「近代化と私たち」「国際秩序の変化や大衆化と私たち」「グローバル化と私たち」という三つの大きな単元で学ぶことになった。たとえば、「近代化と私たち」においては、まず開国・産業革命に至るまでの日本の経済の歴史を、生産や流通・管理貿易や勤勉革命などについて、世界経済のなかに位置付けながら多面的・多角的に考察することになる。グローバル・ヒストリーによって、地域間の関係性と比較、近代世界における日本の位置付けを明らかにすることが目指されているのである。

「歴史総合」の教科書は各出版社から一二冊が刊行された。ほとんどの教科書では世界史的記述が多く、前述の指導要領の規定のとおりであり、近世後期から近代にかけての歴史は、諸地域のつながりや構造、地域の比較といったグローバル・ヒストリーの文脈で構成されている。実際には、日本史部分と世界史部分の並列になっているだけで、日本と世界の比較や関係性が見えにくいものも見受けられる。しかしながら、歴史を考えるときの「問い」を立てる学習が重視されるようになっていることから、比較とか関係性を「問い」にすることが大切になってくるだろう。たとえば、「一八世紀の産業の発展において、西欧と日本を含む東アジアではどのような違いが見られるだろうか」という問いを立て、西欧の産業革命の資本集約・労働節約型の経済発展の一方で、日本や中国では管理貿易とともに労働集約型の勤勉革命があったことがのちの経済発展の下地となったことを考察するようになれば、グローバル・ヒストリーを取り入れた歴史学習の可能性が一気に広がるであろう。

「世界史探究」について学習指導要領では、生徒の主体的な活動としての「探究」による深い学びを求めている。「歴史事象の類似や差異についての比較」「諸地域間の関係」や「歴史の転換や画期」に着目する探究思考は、グローバル・ヒストリーと言える。また、文化圏を基軸にした地域ごとのタテ割の歴史よりも時間軸による共時的な同時代史が重視されている。例えば、「諸地域の交流・再編」という大単元では、中国では宋から清まで、ヨーロッパでは中世後期から近世の時代について、地域相互のつながりや交流に着目しながら学習することになる。しかもこの単元の中がさらに同時代史的に輪切りに構成され、レイヤーを重ねるように世界のつながりを学んでいく。従来の「世界史B」教科書では、かなり細かい歴史事象が取り上げられてきたが、「世界史探究」においては標準単位が一単位減(四単位から三単位)となり、大量の歴史用語を使い精緻な内容の通史を行うことはできない。大きな歴史の流れや地域間の関係性に主眼を置いて歴史像を描き直すことが必要になってくる。ここにおいてもグローバル・ヒストリーと世界史教育の関係が大切になってくるだろう。一方で、世界各地域において歴史的に育まれてきた多様な価値観や信仰・人生観などについても並行して考察させることも必要である。

三、高校におけるグローバル・ヒストリーの授業実践

本節では、高校世界史におけるグローバル・ヒストリーの授業実践のいくつかの事例について、成果と課題を検討してみたい。ここでとりあげる筆者も含む三名の授業実践者は、いずれも大阪大学歴史教育研究会のメンバーである。この研究会は、前述の大阪大学の研修会の後、二〇〇五年に歴史教育の刷新のための継続的な高大連携をはかるために設立されたもので、中央ユーラシア史、海域アジア史、グローバル・ヒストリー研究などの大阪大学史学系の特徴を前面に、歴史学の最新成果により高校歴史の内容を刷新するとともに「視点を変えた歴史像」「広域かつ長期の歴史像」を高校の授業に提案している(大阪大学歴史教育研究会HP)。筆者は当初よりこの研究会に参加し、数度にわたり新しい高校世界史授業についての報告を行い、その成果を発表してきた。

矢景裕子の授業実践「ユーラシアに拡大したモンゴル帝国」

矢景の授業実践が行われた神戸大学附属中等教育学校の地理歴史科は先進的な授業実践を行っていて、文部科学省の研究開発指定校として「歴史総合」の先行実施をしてきた。矢景は、五年生(高校二年生相当)の「世界史B」の授業(二〇二一年一〇月二一日実施)で、遊牧帝国から世界帝国へ発展したモンゴル帝国が陸と海をつなぐネットワークを構築し、アフロ・ユーラシア規模の大交易時代を現出させたことを授業のテーマとした。生徒はまず、ローマ帝国やアケメネス朝などの「世界帝国」と、匈奴や突厥などの「遊牧帝国」という二つの概念について学んだ以前の授業を振り返り、モンゴル帝国と「世界帝国」「遊牧帝国」との共通点と相違点について考えた。そして、モンゴル帝国の地図・資料を見ながら、「なぜモンゴルはユーラシア規模の大帝国を作ることができたのか」という問いを立て、軍

事力以外の理由をグループ討論をしながら考察した。矢景が望んでいたように、いくつかのグループは、大都を中心として海と陸の交易ルートを描いた略地図を作図して、陸の交易路と海の交易路をつないだことがモンゴルを大帝国に発展させたという考察を発表した。世界史上の帝国の特徴を丁寧に学んだうえで、モンゴル帝国の発展理由を考えたからこその学習成果であろう。

しかし、矢景は授業後にさらに問題意識を抱いた。それは陸と海のネットワークの結合というモンゴル帝国の構造に気づけたとしても、それを具体的な歴史事象に結びつけて考えなければ歴史的思考としては不十分なのではないかという問題意識である。具体的には、元による南宋征服を海のネットワーク掌握と結びつける考察を促すべきであったろう。歴史教育におけるグローバル・ヒストリーが抽象的な理解で済ませてしまいがちなところを、具体的な歴史事象との関連付けによって歴史像を確かなものにしていく必要性がある。

川島啓一の授業実践「スーフィズムとグローバル・ヒストリー」

川島の「世界史B」授業実践(二〇二一年一一月一〇−一二日実施)は、同志社高校三年生に向けたものである。「イスラーム世界の拡大」をスーフィーの活動から考察する「関係史」の研究を用いた授業である。「イスラームが世界宗教となった理由とは何か」「なぜスーフィーがアフリカ・南アジア・東南アジアへとイスラームを拡大させることになったのか」という問い立てをして生徒に資料から考察させる。「イブン・バットゥータの全旅程」の地図(家島 二〇〇三)によりウラマーであるバットゥータの行動した範囲とイスラームが拡大した範囲が重なっていることを示し、J・L・アブー=ルゴドの『ヨーロッパ覇権以前』にある「一三世紀世界システムの八つの回路」の、中東・東方アジアの大きな回路の中にイスラーム世界のネットワークが一つではなく複数形成されていることに気づかせる。そして、帝国書院の教科書『新詳世界史B』に載る「一四世紀の交易とペストの広がり」の地図と『図説イスラム教の歴史』(菊地 二〇一七)掲載の「主なスーフィー教団」にある各教団の活動地域を重ねてみる作業をさせる。スーフィー教団の活動域とペストの流行域の重なりから何がわかるかを生徒たちに問いかけ、ムスリム商人の活動がペスト感染に影響を与えた可能性を示唆し、スーフィーはムスリム商人の活動に伴って行動していることに言及する。スーフィーらの活動内容については私市正年の『イスラム聖者――奇跡・予言・癒しの世界』(私市 一九九六)にあるスーフィーの聖者の起こした奇跡と役割を取り上げ、聖者らがアッラーへの帰依を説きつつ、現地の民衆側に立って為政者への抵抗や「政治的とりなし」を行い、疫病や災害・飢餓が発生した地域での救済などの慈善活動を通じて布教を進めていったことを説明する。生徒たちは川島の説明を聞きつつ、投げかけられた問いを考察することによって、ムスリム商人の商業活動に随行したスーフィーが、現地の民衆に寄り添う活動を通して民生を担う中で現地民衆のイスラーム受容を促進したという具体的な歴史像がわかってくる。そして、ムスリム商人の活動とイスラームの拡大、イスラーム聖者への崇拝の高まりなどが相互に重なり合いながら、一三世紀の世界交易の発展と関係していることに生徒は考察を進めていった。

川島の授業は、常に史料を多く使い、多面的・多角的に考察させる活動を取り入れ、学習指導要領にうたわれた「主体的・対話的で深い学び」の実践を行っている。授業中に生徒にデバイスを使用させて、問いに対する生徒の解答を共有させたり、教員からのコメントを加えたりして「対話性」を実現している。つながりや比較を考察するグローバル・ヒストリーの世界史学習のためには、教員による一方的な講義型の授業だけではなく、地図や統計資料、当時の史料などを用いて生徒と対話しながら、思考・判断・表現の活動を重視する授業が必要であると考えている。

矢部正明の授業実践「銀の世界史」

筆者の授業実践(二〇二一年一〇月三〇日実施)は関西大学高等部二年の「世界史B」の授業で、「銀」が精錬されどのように流通し、その先はどこに行くのか、通史で学ばせた歴史事象とどのように結びつくのかという「関係史」のグローバル・ヒストリーの成果を取り入れて構成している。この授業実践は、全国歴史教育研究協議会の二〇一八年七月の兵庫大会において筆者が報告した内容を改良し実践したものである(矢部 二〇一九)。内容構成には北村厚の著書(北村 二〇一八)、内容の改良には小川幸司の著書(小川 二〇一二)を参考にした。

この授業の目的は、日本銀の流通をたどりながら、明・モンゴル・女真・ポルトガル・スペインなど諸国・諸勢力の関係のダイナミックな歴史を考察させることにある。前の授業で明・清と同時代の東アジア・東南アジア、大航海時代による世界の一体化の始まりを終えている。世界遺産となった石見銀山は一六世紀前半に発見され、朝鮮半島から灰吹法という精錬技術が伝わることにより純度の高い銀を大量に生産することが可能となったこと、精錬された銀は銀山街道を馬車で沖泊・鞆ヶ浦などの港へ運ばれ、船で長崎から明へと輸出されたことをスライドで説明する。教科書に掲載された一六世紀末にオランダのオルテリウスが刊行した日本図の島根県部分を拡大して見せて、Hizu-mi・Hivamiとあるのは出雲・石見であることを示す。そして「なぜ当時のヨーロッパの人の作成した地図に石見が載っているのか」と発問する。次に図説に掲載された「中国に流入した日本銀・メキシコ銀」のグラフを見せて一七世紀には日本銀がメキシコ銀よりも多く中国に流入していたこと、世界の銀生産量の三分の一を日本銀が占めていたことを示す。このグラフは岸本美緒の『東アジアの「近世」』(岸本 一九九八)に引用された「日本・フィリピンから中国へ流入した銀流入の推計」を資料としている。

この授業を通じて、既習事項と合わせ、「日本銀が歴史にどのような影響を与えたのか」という問いのもとで、以下のような小さな問いを重ねて生徒との対話を進め、最後に「まとめ」の歴史記述を生徒にさせた。「金ではなく銀がなぜ世界貨幣となったのか」と問いかけ、「規模の拡大した世界貿易に対して量的に金では足らず、銀はそれを満たす量があった」という答えを生徒から引き出した。そして「一六世紀になって日本銀の産出量が増加したのはなぜか」と問いかけ、「銀の採掘や精錬の技術進歩があったから」という答えを導き出した。さらに明時代の授業を振り返らせ「中国で銀需要が高まったのはなぜか」「銀の流入により明の税制度にどのような変化があったか」と問い、「モンゴルの侵入による軍事費が増大した」「一条鞭法への移行」という答えを引き出した。最後に、「明に流入した銀のゆくえ」について考察させた。

生徒のワークシートを読むと、日本銀の世界性やアメリカ銀とともに銀が中国へと流れていく様子についての理解は深まり、明・モンゴル・倭寇・ポルトガル・スペインそして日本などの諸勢力の関係や動きについてもおおよそ考察ができていた。一方で、銀を基盤とした交易で女真が経済的な利益で強大化して後金から清へと発展した様子への言及がない生徒が多かった。以前の授業で「交易の時代」の説明が海域の活況の説明に終始し、北方における交易についての説明が不十分であったことが原因と考えている。また、一六―一七世紀には世界の銀の全てもしくはほとんどが明(中国)に流入したという誤解した生徒もいた。このことから、世界最大の産出量のアメリカ銀がヨーロッパへ流入しその後のゆくえについての授業を対として行う必要性を感じた。モノをテーマとしたグローバル・ヒストリーの授業では、地域間の多様な関係性を浮き彫りにし、多角的な視点を持って授業を組み立てなければならない。グローバル・ヒストリーの歴史像が単純なものにならないように、授業者は留意していかなければならないであろう。

おわりに

高校の世界史教育にグローバル・ヒストリーを取り入れ、大きな歴史の変動や地域相互のつながり、それらの比較などから見えてくる歴史像を提示することは、生徒の歴史的思考力を育むのに有効であると考えている。

しかし、生徒自らが、広域で長い時間の歴史像を捉え、関係性や比較の視点を持って考察する学習を、限られた授業時間内で実現していくことは容易ではない。広域で長い時間を扱うグローバル・ヒストリーの学習のためには、適切な地図・史資料を渉猟・精選して提示しなければならないし、そこから問いをたてて生徒どうしの協働的な学びを組み立てていかなければならない。だからこそグローバル・ヒストリーの成果を世界史教育に導入するために、高大連携と高校教員間の研究会の重要性を説きたい。筆者も前述の大阪大学歴史教育研究会において授業案を報告した際に、研究者から多くの指摘をいただいて授業の改善と修正を行ってきた。また、史資料の渉猟において、研究者からの協力は欠かせない。グローバル・ヒストリーを多くの生徒・市民が学べるような翻訳された史料と文献の提供が高校授業に必要である。すでに今年度から始まった「歴史総合」に向けては、研究者らによって、単元に合わせた統計・図版・地図などに加え、翻訳・精選された史料を多く集めた資料集が出版されている。

今、高等学校の歴史教育は改革の時を迎えている。生徒の主体的な活動を重視し歴史的思考力を育むためには、「用語で敷き詰めた歴史」から脱却して「歴史から何を考えさせるか」を問うていかなければならない。そのためにも、現在の世界の姿を概観するのに重要な情報や見方・考え方を提供するグローバル・ヒストリーの動向に目を向け、授業を構想していきたいと、筆者は考えている。

注

(1) 一九六三年実施の高等学校学習指導要領では、各教科において生徒の能力・適性・進路等に応じて「世界史A」を三単位で、「世界史B」を四単位で実施するものとし二種の教科書が出版された。これは一九九四年実施の高等学校指導要領で置かれた「世界史A」「世界史B」とは趣旨の違うものである。

参考文献

秋田茂(二〇〇八)「イギリス帝国とヘゲモニー——グローバルヒストリーと世界システム論」秋田茂・桃木至朗編『歴史学のフロ

ンティア——地域から問い直す国民国家史観』大阪大学出版会。

アブー＝ルゴド、J・L（二〇〇一）『ヨーロッパ覇権以前——もうひとつの世界システム』（上）、佐藤次高・斯波義信・高山博・三浦徹訳、岩波書店。

大阪大学歴史教育研究会HP（https://sites.google.com/site/ourekikyo/kiroku?authuser=0）

小川幸司（二〇一二）『世界史との対話——七〇時間の歴史批評』（中）、地歴社。

菊地達也（二〇一七）『図説イスラム教の歴史』河出書房新社。

私市正年（一九九六）『イスラム聖者——奇跡・予言・癒しの世界』講談社現代新書。

岸本美緒（一九九八）『東アジアの「近世」』〈世界史リブレット〉、山川出版社。

北村厚（二〇一八）『教養のグローバルヒストリー——大人のための世界史入門』ミネルヴァ書房。

国立教育政策研究所「学習指導要領データベース」（https://www.nier.go.jp/yoshioka/cofs_new/）

杉山正明（一九九七）『遊牧民から見た世界史——民族も国境もこえて』日本経済新聞社。

鳥越泰彦（二〇〇〇）「戦後世界史意識の変遷——高校世界史教科書の変遷から」『教育研究』（青山学院大学教育学会紀要）四四号
鳥越泰彦（二〇一五）『新しい世界史教育へ』飯田共同印刷株式会社。

水島司（二〇〇八）「序章　グローバル・ヒストリー研究の挑戦」『グローバル・ヒストリーの挑戦』山川出版社。

桃木至朗・佐藤貴保編（二〇〇五）『世界システムと海域アジア交通』大阪大学二一世紀COEプログラム「インターフェイスの人文学」二〇〇四年度報告書。

家島彦一（二〇〇三）『イブン・バットゥータの世界大旅行——一四世紀イスラームの時空を生きる』平凡社新書。

矢部正明（二〇一八）「高等学校の現場から見た世界史教科書——世界史教科書の採択の実態」長谷川修一・小澤実編著『歴史学者と読む高校世界史——教科書記述の舞台裏』勁草書房。

矢部正明（二〇一九）「世界史探究に向けた実践」全国歴史教育研究協議会『全歴研研究紀要』第五五集。

リード、アンソニー（一九九七）『大航海時代の東南アジアI　貿易風の下で』平野秀秋・田中優子訳、法政大学出版局。

Reid, Anthony (1988), *Southeast Asia in the Age of Commerce 1450-1680*, Vol. I, *The Lands below the Winds*, New Haven and London, Yale University Press.

コラム｜*Column*

東北地方の「グローカル・ヒストリー」としての「歴史実践」

林 裕文

私は「グローカル・ヒストリー」としての世界史教育を実践している。「グローカル」とは“global”と“local”をかけ合わせた日本発の造語であり、「国境を超えた地球規模の視点と草の根の地域の視点で、様々な問題を捉えていこうとする考え方」を意味する言葉である。環境問題を考える際によく使われる“Think globally, Act locally”という表現は既に一九六〇年代から登場していた。私はグローバル・ヒストリーと自分たちの地域をつなぐものが「グローカル・ヒストリー」と考えており、日本史の内容であってもできる限り世界史との接点を探りながら授業を構成してきたつもりである。

令和四年度から新科目「歴史総合」が始まった。導入の「歴史の扉」では私たちの生活や身近な地域から世界との結びつきを考察する授業をめざす。東北で学ぶ高校生にとって、一九世紀以降の近代はグローバル化の進展で地域と世界との結びつきが比較的見つけやすい。一方、近代以前の「近世」の「東北」からのアプローチは二重の制約があり、「自分たちの地域には世界とつながる材料がない」という偏見にとらわれがちだ。その古い偏見を振り払い、身近な地域と世界史とのつながりを見出して「自分ごと」として歴史を学ぶことが「グローカル・ヒストリー」の意義と考える。そこで、郷土の文化から世界との結びつきを考えてみよう。とりわけ食文化は長きにわたる人間の営みと密接な関わりを示してきた。

筆者の住む福島県には「鰊(ニシン)の山椒漬け」という会津地方を代表する郷土料理がある。身欠き鰊と山椒の葉を交互に重ねて漬け込んだもので、日本酒好きには「こでらんに」(会津の方言で「堪えられないほど最高だ」)。身欠き鰊は独特の香りがあり、柔らかく戻した後は長期保存ができない。そのため、香りが爽やかで防腐効果がある山椒の葉を漬け込む料理法が考案された。山に囲まれた会津地方で、海産物のニシンが郷土料理となるのは一見奇妙な感じがする。そんな素朴な疑問が「グローカル・ヒストリー」の種である。

ニシンは北半球北部の海域で巨大な群れを作って生息し、大西洋ニシンと太平洋ニシンに分かれる。近世から近代では、日本は太平洋ニシンの分布域で、サハリン(樺太)から北海道・北東北・佐渡ヶ島あたりの日本海沿岸で最も多く漁獲された。ニシンは食用だけではなく、イワシ同様に田畑作の肥やし(魚肥)となった。江戸後期に養蚕や綿などの商品作物の生産が拡大すると、干鰯《ほしか》よりも重要視された。

地球規模で見ると、ヨーロッパでは一二世紀には主食のパンとともにニシンを常食としていた。ヴァイキングが北海のイングランド東岸までニシンを追い、一三世紀以降はハンザ同盟がバルト海でニシン漁と塩の流通・販売を支配した。一五世紀にニシンの回遊コースがバルト海から北海に移ると、ハンザ同盟が衰退し、一七世紀にはニシン交易と造船業を中心に生産・流通過程を掌握したオランダが覇権国家となった。

一方、アジアでは蝦夷地で大量に水揚げされたニシンが身欠き鰊に加工され、西廻り航路の北前船で大阪や京都など畿内に輸送された。東北の歴史は古代以来、津軽海峡以北の北方世界と密接に結びつき、一五世紀にはすでに奥羽地方の人々が「蝦夷地」(現北海道)の南部に移住していた。一七世紀初めに松前藩が置かれると、両者の「ヒト」「モノ」の移動はより強い密接な関係となった。松前藩の領民の多くは奥羽地方から移住した和人で、アイヌ民族は異民族としての交易相手であった。

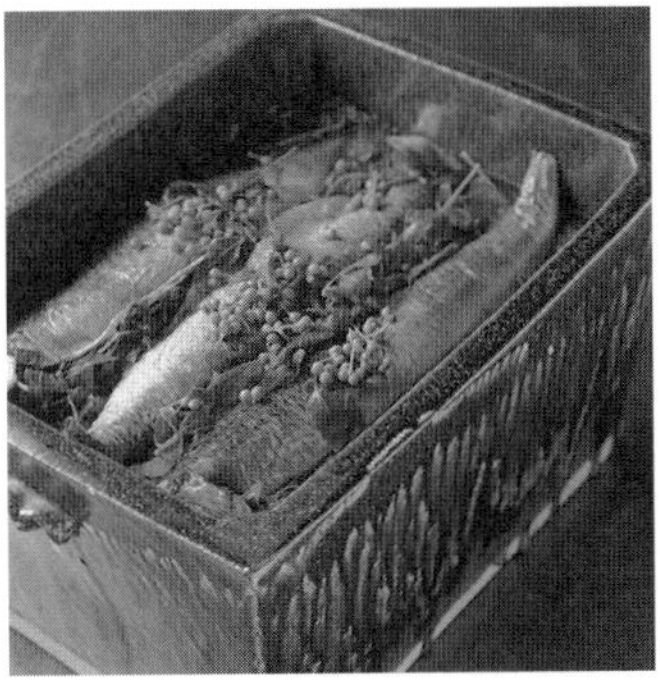

鰊の山椒漬けと伝統工芸品のニシン鉢(会津美里町役場 HP https://www.town.aizumisato.fukushima.jp/k001/TravelGuide/SightseeingArea/spot-018.html)

近世初期の海運は敦賀・小浜の両港を中心に活動した「近江商人」が商業・保管・輸送を一手に担い、ニシン・鮭・米・長崎俵物などの交易品を軸とした商品流通の発達によって、日本海海運は活況となった。その道中、新潟湊に到着したニシンは津川船道(舟運業者)を経て、行商人たちを経由して会津へやってきた。冷凍技術がなかった時代、身欠き鰊は内陸に住む会津の人々の貴重なタンパク源となった。

以上、ニシンを例に近世東北地方の「グローカル・ヒストリー」を試みた。洋の東西で広く扱われたニシンは地域を超えて比較できるグローバルな視座を提供する。また、生産・流通・消費形態も一様ではなく、商品がローカライズ(地域化)される意味でも、食文化は「グローカル」な視点となる。「問い」が立ち上がり、丹念に調べて探究していくと、世界とのつながりの痕跡は随所に見出せるものである。

近代以後の東北地方の歴史を考える上で、東日本大震災と福島第一原発の事故の問題は欠かせない「歴史実践」のテーマである。まだ高線量の中、原発事故後に再開した勤務校で、私は生徒に「自分は福島で将来子どもを産み育てられるのか」と問われた。この問いは「いのち」の尊厳への問いであり、チェルノブイリでも同様の「問い」があったに違いない。だからこそ自分の地域と世界のつながりを考える「グローカル・ヒストリー」は自分の課題に気づき、世界とどう向き合うかを構想することにつながるのではないだろうか。

【執筆者一覧】

山下範久(やました のりひさ)
1971年生．立命館大学グローバル教養学部教授．歴史社会学．

守川知子(もりかわ ともこ)
1972年生．東京大学大学院人文社会系研究科准教授．西アジア史．

ルシオ・デ・ソウザ(Lúcio de Sousa)
1978年生．東京外国語大学特任准教授．グローバル・ヒストリー．

岡 美穂子(おか みほこ)
1974年生．東京大学史料編纂所准教授．日本史・東アジア海域史．

山崎 岳(やまざき たけし)
1975年．奈良大学文学部准教授．東洋史．

関 哲行(せき てつゆき)
1950年生．流通経済大学名誉教授．中近世スペイン史．

小林和夫(こばやし かずお)
1985年生．早稲田大学政治経済学術院准教授．グローバル経済史．

大橋厚子(おおはし あつこ)
1956年生．名古屋大学名誉教授．インドネシア近代社会経済史．

永島 剛(ながしま たけし)
1968年生．専修大学経済学部教授．医療史・社会経済史．

矢部正明(やべ まさあき)
1962年生．関西大学中等部・高等部教諭．世界史教育．

大久保翔平(おおくぼ しょうへい)
1990年生．東京大学大学院人文社会系研究科東洋史学講座教務補佐員．インドネシア社会経済史・近世海域アジア史．

田中雅人(たなか まさと)
1994年生．東京大学大学院人文社会系研究科アジア史専門分野博士課程．レバノン近現代史．

坂野正則(さかの まさのり)
1976年生．上智大学文学部教授．フランス近世史．

嘉藤慎作(かとう しんさく)
1990年生．東京外国語大学アジア・アフリカ言語文化研究所研究機関研究員．南アジア史・インド洋海域史．

林 裕文(はやし ひろふみ)
1978年生．福島県立ふたば未来学園中学校・高等学校教諭．世界史教育．

【責任編集】

小川幸司(おがわ こうじ)
1966年生．長野県蘇南高等学校校長．世界史教育．『世界史との対話――70時間の歴史批評』全3巻(地歴社，2011-12年)．

【編集協力】

島田竜登(しまだ りゅうと)
1972年生．東京大学大学院人文社会系研究科准教授．アジア経済史．『1683年――近世世界の変容』〈歴史の転換期7〉(編著，山川出版社，2018年)．

岩波講座 世界歴史 11　　第14回配本(全24巻)

構造化される世界 14～19世紀

2022年11月29日 第1刷発行

発行者 坂本政謙

発行所 株式会社 岩波書店 〒101-8002 東京都千代田区一ツ橋2-5-5
電話案内 03-5210-4000 https://www.iwanami.co.jp/

印刷・法令印刷 カバー・半七印刷 製本・牧製本

ISBN 978-4-00-011421-9

岩波講座

世界歴史

A5 判上製・平均 320 頁（黒丸数字は既刊，＊は次回配本）

全㉔巻の構成

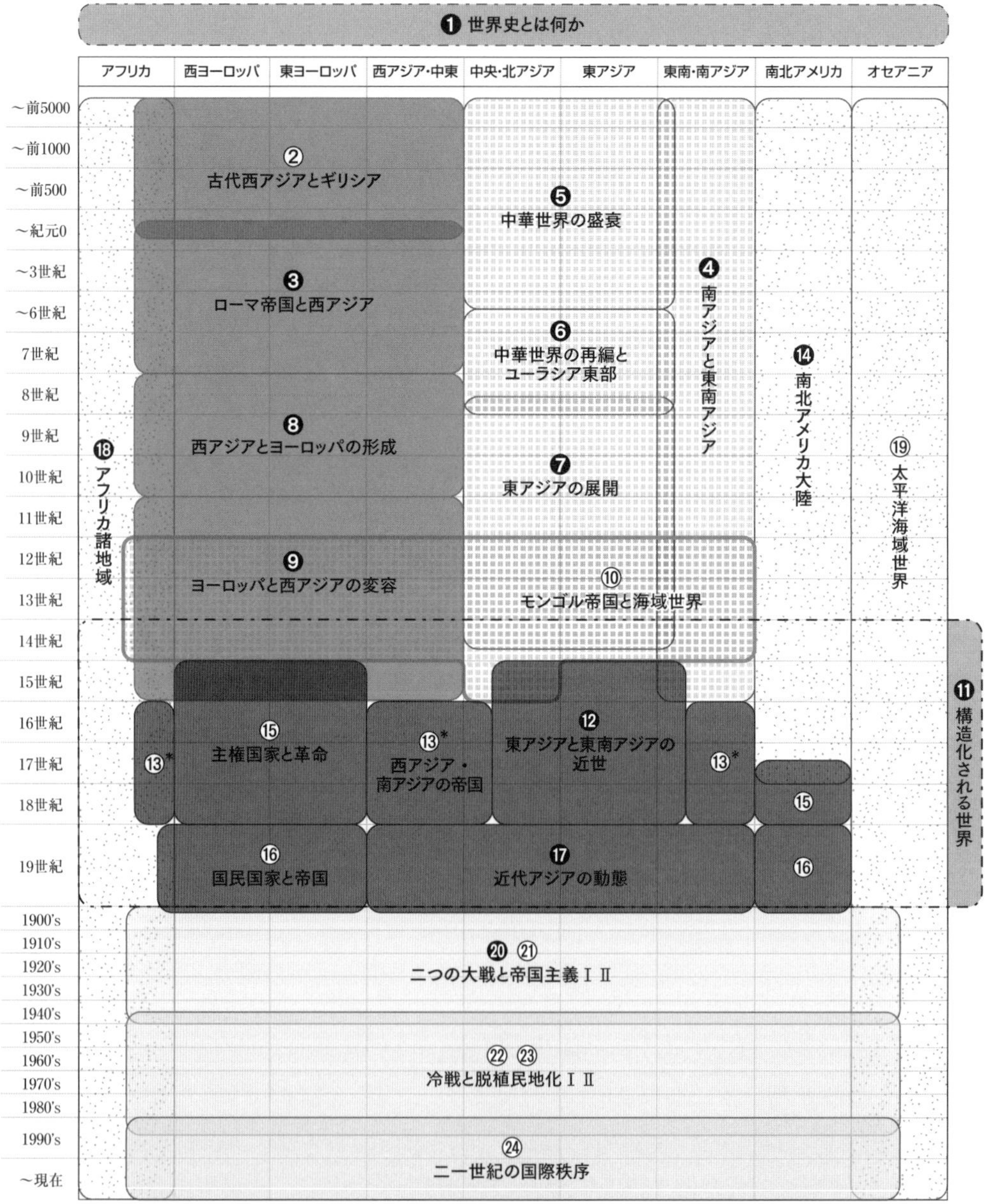

※本図は各巻の内容を厳密に反映したものではなく，便宜的に図示したものです．